Tout savoir sur la préménopause

Docteur John R. Lee
Docteur Jesse Hanley, Virginia Hopkins

Tout savoir sur la préménopause

Traduit de l'américain par
Catherine Pageard

SULLY

Du même auteur

Dr John R. Lee, *Équilibre hormonal et progestérone naturelle*, Sully, 1997 (4ᵉ éd. 1999).
Dr John R.Lee, David Zava, Virginia Hopkins, *Tout savoir sur le cancer du sein,* Sully, 2002.
John R.Lee, Dr Jesse Hanley, Virginia Hopkins, *Guérir la ménopause : tout ce que votre médecin ne vous a probablement pas dit*, Santé pour Tous, Lausanne, 1999.

Titre original : *What Your Doctor May* Not *Tell You about Premenopause*, Warner Books
© 1999 John R. Lee, MD, Virginia Hopkins, MS, et Jesse Hanley.
© Sully, 2000 pour la traduction française
3ᵉ édition, 2003

Éditions Sully
BP 171, 56005 Vannes Cedex, France
Tél. : 02 97 40 41 85, fax : 02 97 40 41 88
E-mail : editions.sully@wanadoo.fr
Site : www: editions-sully.com
ISBN : 2-911074-35-1

Dédicace

Ce livre est dédié à toutes les femmes qui partagent leur expérience avec nous et qui nous en apprennent, chaque jour, un peu plus.

Remerciements

Nous tenons à remercier tout spécialement les nombreux chercheurs scientifiques et cliniciens passionnés dont les travaux ont largement contribué à la rédaction de ce livre : David Zava, Ph.D., Christiane Northrup, M.D., Robert Gottesman, M.D., Marcus Laux, M.D., Mark Hochwander, et Raymond Peat, Ph.D. Les recherches courageuses et innovantes d'Ercole Cavalieri, M.D., de Kent Hermsmeyer, Ph.D., William Hrushesky, M.D., Peter Collins, M.D., Bent Formby, Ph.D., et T. S. Wiley constituent un apport inestimable à notre compréhension des mécanismes hormonaux. Nous remercions également Melissa Lowenstein pour ses recherches et son aide rédactionnelle, Tu Pham pour son iconographie et notre éditeur américain Colleen Kaplein que nous regrettons beaucoup. Notre gratitude va tout particulièrement à Pat Lee, Liz Lee, Larry John, Elisabeth Renaghan, Mary Hopkins, Sri Gary Olsen et Denny Holtje pour leur constant soutien et leur amour.

Sommaire

Avant-propos du docteur Lee

_____ ~ _____

Lorsque j'ai publié à compte d'auteur, en 1993, _Equilibre hormonal et Progestérone naturelle_[1], ouvrage destiné aux médecins, j'étais loin d'imaginer que mon désir de partager mes découvertes deviendrait une occupation à temps plein. Depuis, mon second livre (_Guérir la ménopause : tout ce que votre médecin ne vous a probablement pas dit_)[2] s'est vendu à plus d'un demi-million d'exemplaires, j'ai donné des centaines de conférences dans le monde entier devant des dizaines de milliers de personnes. Au moins une demi-douzaine de livres sont parus depuis sur l'usage des hormones naturelles et le nombre de laboratoires fabriquant des crèmes à base de progestérone naturelle a quadruplé.

Une évolution plus subtile mais tout aussi importante est apparue. L'expression « dominance en œstrogènes », que j'avais inventée dans mon premier livre, fait maintenant partie du vocabulaire médical et la majorité des chercheurs et des médecins distinguent les progestatifs de synthèse (comme le Provera) de la progestérone.

Malheureusement, certaines choses n'ont pas changé. Les média continuent à répéter comme des perroquets les

_____

1. Titre original : _Natural Progesterone, The multiples roles of a remarkable hormone_, BLL Publishing, 1995, traduction française parue chez Sully, Vannes, 1997.
2. Titre original : _What Your Doctor May Not Tell You About Menopause_, Warner Books, 1996, traduction française parue chez Santé pour tous, Lausanne, 1999.

11

communiqués de presse de l'industrie pharmaceutique issus de recherches tendancieuses et bâclées, sans jamais porter un regard critique sur ces recherches. (Les laboratoires pharmaceutiques ayant dépensé en 1999 trois milliards de dollars pour leur budget publicitaire, on mesurera facilement le contrôle qu'ils exercent sur les média.) Certaines déclarations sombrent dans le ridicule. Par exemple, lorsque les média ont commencé à parler des effets bénéfiques des œstrogènes sur la maladie d'Alzheimer, ils se référaient à une seule recherche clinique portant sur douze patientes observées pendant quelques mois.

Grâce aux conférences que j'ai données dans le monde entier, j'ai pu observer que les femmes de l'auditoire n'avaient pas toutes l'âge de la ménopause ; un grand nombre d'auditrices étaient plus jeunes et cherchaient des réponses à des problèmes de santé qu'intuitivement elles savaient être de nature hormonale. Ce livre a été écrit pour elles. Le syndrome de la préménopause, comme j'en suis venu à l'appeler, est très répandu et apparaît jusqu'à vingt ans avant la ménopause. J'ai aussi découvert que ce syndrome prédispose une femme à avoir plus de problèmes au moment et après la ménopause. Mieux vaut donc apprendre à rééquilibrer son corps dès que se manifestent les premiers symptômes.

En tant que médecin de famille, ayant exercé pendant trente ans, j'ai découvert très vite que les problèmes de mes patients dépendaient autant de leur bien-être émotionnel que de leur santé physique. Cela est d'autant plus vrai lorsqu'on a affaire à des femmes souffrant du syndrome de la préménopause. Comme la perspective de vieillir est plus inquiétante pour la femme que pour l'homme, les premiers signes d'un déséquilibre hormonal ont, chez elles, des conséquences émotionnelles qui peuvent aggraver les problèmes physiques. Et pour ne rien arranger, si une femme consulte un médecin allopathe, il va lui proposer soit une intervention chirurgicale, soit des médicaments qui vont aggraver ses troubles au lieu de la soulager.

Pour ce nouveau livre, Virginia Hopkins et moi-même avons proposé au docteur Jesse Hanley de se joindre à nous car elle est une spécialiste du traitement des aspects affectifs et spirituels du syndrome de la préménopause et de l'utilisation des compléments alimentaires ainsi que des plantes médicinales. Le docteur Hanley pratique la médecine depuis quinze ans et, en tant que médecin de famille, elle s'intéresse tout particulièrement à la santé des femmes ; elle saura apporter à nos lectrices sympathie et compréhension. Elle reçoit quotidiennement des patientes souffrant du syndrome de la préménopause et commence à être connue pour sa capacité exceptionnelle à travailler main dans la main avec les femmes afin de les aider à retrouver la santé.

Je conseille aux lectrices de ce livre de se plonger aussi dans mon second ouvrage sur la ménopause. Même si une vingtaine d'années vous séparent encore de la ménopause, cet ouvrage constitue une excellente source d'informations sur la manière dont les hormones, les toxines de notre environnement, l'alimentation et l'exercice physique influent sur votre santé. Il réfute de nombreuses données sur les hormones propagées par les média et vous permettra de comprendre en quoi la politique en matière de vente de médicaments a des conséquences sur votre santé.

Ce nouveau livre fournit aux femmes en période de préménopause les connaissances dont elles ont besoin pour rester en bonne santé, échapper à des opérations inutiles et élaborer le programme de santé le mieux adapté à leur cas.

13

Avant-propos du docteur Hanley

─────────────────── ∾ ───────────────────

Créer une préménopause constructive est essentiel pour vous – mais aussi pour les générations futures. Dans notre société, les jeunes filles sont obligées de se battre pour préserver l'intégrité de leur moi et leur santé. Comme la puberté et les rapports sexuels sont de plus en plus précoces, lorsque ceux-ci surviennent, elles ne possèdent pas la maturité nécessaire pour en affronter les risques et les responsabilités. Confrontées au monde des adultes à travers les média et soumises aux œstrogènes présents partout dans notre environnement, les jeunes filles d'aujourd'hui accèdent à l'âge adulte plus tôt que prévu.

L'une de mes plus grandes satisfactions de médecin est d'aider des jeunes filles à devenir des adultes à part entière et en bonne santé mais aussi de préparer des patientes en période de préménopause à devenir des femmes ménopausées heureuses et sans problèmes de santé. En tant que médecin de famille, je suis pas à pas l'évolution qui conduit de la puberté à l'âge mûr. Je discute avec les jeunes filles de leurs premières règles. Je leur explique que le sang menstruel est sacré et qu'elles n'ont pas à en avoir honte. Je dis aux femmes en période de préménopause qu'avant leurs règles, elles deviennent plus sensibles et parfois même télépathe – les oracles de la tribu. Dans notre culture, cette sensibilité accrue a été taxée de folie et d'émotivité. C'est pourquoi nous devons réapprendre à aimer et estimer la nature sensible de la femme.

Celles d'entre vous qui atteignent l'âge de la préménopause ont une occasion inéspérée, sur le plan historique, de construire un monde meilleur en utilisant leur pouvoir de mère, de travailleuse et de consommatrice. Vous pouvez vous battre pour que la terre nourrisse des générations sans fin, pour tous les bons côtés de notre culture, pour la qualité de la chaîne alimentaire, pour votre famille et pour vous-même.

Les femmes qui ont aujourd'hui entre trente et cinquante ans ont la chance de pouvoir se regrouper par affinités et d'avoir été élevées dans un milieu aimant et stimulant au lieu de vivre dans la peur. Nous ne risquons plus d'être brûlées sur un bûcher sous prétexte que nous savons nous soigner et soigner nos enfants comme au haut Moyen Age lorsque l'on nous traitait de sorcières et que seuls les hommes étaient censés posséder pouvoir et sagesse. Nous avons le devoir sacré de refaçonner l'avenir, le nôtre, celui de nos enfants et de la planète.

Ce processus qui amène une femme à passer de la préménopause à la ménopause, j'ai coutume de l'appeler « assagissement ». Lorsque vous vous êtes « assagie », vous pouvez vous permettre de dire : « Mes chéris, maintenant que je sais que j'ai le choix, je vois bien qu'il y a trente-six façons de faire ça. Pourquoi diable voulez-vous que je me limite à une seule ? » Ce que vous êtes en mesure d'accomplir à cette époque de la vie, une jeune femme de vingt ans et un ans, aussi futée soit-elle, en serait incapable. Il lui manque la distance, l'angle de vue, l'expérience des coups durs, la profondeur des sentiments et l'objectivité qui permettent à une femme de quarante ans d'évaluer une situation et de prendre les décisions qui s'imposent.

Aux femmes que la ménopause effraie, je tiens à dire, forte de ma propre expérience, que la vie ne s'achève pas à cinquante ans, qu'il s'agit là au contraire d'une nouvelle naissance. Vous êtes née d'une autre, vous avez peut-être mis au monde des enfants et maintenant vous allez donner naissance à votre moi. Vous découvrirez que la connaisance de soi, la force et la sagesse constituent un inestimable privilège, digne de respect. J'espère que ce livre vous permettra d'aborder l'âge où l'on s'assagit en excellente santé, riche d'une force intérieure et d'un équilibre affectif.

Première partie

CE QUE VOUS DEVEZ SAVOIR
Cycles de vie et cycles hormonaux

Chapitre 1

─────────── ∼ ───────────

LA PRÉMÉNOPAUSE
EN TANT QUE CYCLE DE VIE

Vous avez trente-cinq ans, au plus, et vous ne voulez pas entendre parler de la ménopause, même si l'on vous précise qu'il s'agit de la préménopause. Vous n'en êtes pas là ! Vous êtes encore jeune, vous n'avez pas d'enfants ou vos enfants sont toujours à l'école primaire. Et pourtant, vous sentez que quelque chose ne tourne pas rond. Bien que vous n'ayez modifié ni votre alimentation ni vos activités physiques, vous commencez à prendre du poids. Vos seins sont douloureux et gonflés, particulièrement en période prémenstruelle, et vos règles moins régulières. Votre libido a baissé ou votre peau est plus sèche. D'un tempérament plutôt calme, ces derniers temps, vous vous montrez irritable et même hargneuse et vous avez du mal à vous lever le matin. Certaines amies de votre âge souffrent de stérilité ou d'un fibrome utérin. D'autres se plaignent du syndrome prémenstruel (SPM). Que se passe-t-il ? Tous ces symptômes font partie du syndrome de la préménopause, état ni naturel ni inévitable qu'il faut plutôt imputer à notre mode de vie, notre culture et notre environnement.

Près de cinquante millions de femmes subissent actuellement quelques-uns des symptômes qui apparaissent dix à vingt ans avant la ménopause et pourtant la plupart d'entre elles ignorent qu'il s'agit du syndrome de la préménopause.

Nous employons le mot préménopause de préférence au terme médical périménopause car ce dernier signifie « autour de la ménopause », période d'un ou deux ans avant, pendant et après l'arrêt du cycle menstruel, tandis que le syndrome de la préménopause peut commencer à trente-cinq ans.

Il se manifeste par des symptômes que vous avez pu observer chez les femmes qui vous entourent ou sur vous-même : fibromes, tension ou douleur mammaires, endométriose, SPM, difficulté à mener une grossesse à terme ou à avoir un enfant, prise de poids soudaine, fatigue, irritabilité et état dépressif, pertes de mémoire, esprit confus, maux de tête, règles trop abondantes ou trop faibles, saignements entre les règles, mains et pieds froids. Ces symptômes, dont souffrent aujourd'hui la majorité des femmes en période de préménopause, proviennent d'un déséquilibre hormonal causé dans la plupart des cas par un excès d'œstrogènes et un déficit en progestérone. Vous découvrirez en lisant ce livre que la progestérone naturelle est indispensable pour maintenir l'équilibre hormonal et pourtant son rôle a été négligé par l'allopathie car il va à l'encontre de la politique médicale et des intérêts financiers des laboratoires pharmaceutiques.

Cependant, les symptômes de la préménopause ne dépendent pas uniquement de la biochimie. Ils apparaissent aussi chez des femmes qui ont perdu le contact avec les cycles et les rythmes de leur corps, leurs sentiments et leur âme. Des femmes qui ont du mal à équilibrer vie de famille et vie professionnelle, qui se négligent et ne font pas appel aux services de leur *health maintenance organization* (HMO)[1].

Il y eut un temps où la mère d'une femme, sa grand-mère et ses tantes lui auraient appris tranquillement ce qui allait lui

1. Les *health maintenance organizations* sont des organismes privés qui dispensent des soins médicaux à leurs adhérents. Dans une volonté de maîtrise des coûts, ces organismes insistent sur la médecine préventive. (NDLT)

arriver à chaque période de sa vie et l'auraient aidée à traverser les moments difficiles en lui proposant des plantes médicinales ainsi que les conseils d'une sagesse ancestrale. Aujourd'hui, le corps médical a pris le relais de la famille. Malheureusement, les médecins préfèrent prescrire des médicaments ou des actes chirurgicaux au lieu de proposer des solutions en mesure de guérir leurs patientes – ou qui aient au moins un effet sur leurs troubles !

Lorsqu'une femme présente les symptômes de la préménopause, on lui prescrit généralement des œstrogènes. Si ces hormones entraînent des saignements occasionnels ou une dysplasie (croissance anormale des cellules du col) ou si les symptômes persistent, le médecin a souvent recours à une hystérectomie qui va induire la ménopause, ou encore il propose des médicaments qui modifient la personnalité tels que le Prozac ou le Zoloft, afin de traiter sa patiente jusqu'à ce qu'elle en ait terminé avec ce cycle particulier de sa vie. Ou alors il augmente les doses d'hormones de synthèse – nullement adaptées à son cas. Aucune de ces méthodes n'améliore la qualité de vie d'une femme et toutes peuvent avoir des conséquences sur sa santé et même, mettre sa vie en danger. En dépit de ce que vous disent les médecins traditionnels, vous pouvez agir sur les symptômes de la préménopause sans faire appel aux antidépresseurs, aux hormones de synthèse et à la chirurgie. Cela ne signifie pas pour autant que vous échapperez aux symptômes liés à la baisse des hormones, que vous vivrez éternellement ou conserverez une peau lisse jusqu'à quatre-vingt-dix ans. Mais ce n'est pas une raison pour avoir un fibrome, des seins gonflés et souffrir de bien d'autres maux vingt ans avant la ménopause.

∽ ATTENDRE AVEC IMPATIENCE LA MÉNOPAUSE

L'une des raisons qui poussent les femmes en période de préménopause à refuser de parler de la ménopause, c'est qu'elles craignent de vieillir. Cette attitude a une influence prépondérante sur les causes émotionnelles des symptômes de la préménopause, en particulier chez les femmes qui, ayant repoussé le moment d'avoir des enfants, se demandent si elles pourront être mère avant l'arrêt de leur horloge biologique.

Dans notre société, la femme est conditionnée à être attirante sexuellement, et à soutenir l'homme sans réserve ; elle doit aussi faire preuve d'un amour maternel désintéressé et être aimée par ses enfants. Même s'il s'agit là de traits de personnalité féminins réellement positifs, ils sont unilatéraux. Une femme qui répond uniquement à ces critères sans développer sa personnalité sera terrifiée à l'idée de vieillir. Quand ses enfants auront quitté la maison, quand elle aura les seins pendants et la peau ridée, que va-t-il lui rester ?

Ces femmes-là ne savent pas se fixer des limites. Elles se sont consacrées pendant tant d'années à leur mari et à leurs enfants sans penser à elles qu'elles ignorent où commence et où finit la vie de famille. Elles sont incapables de dire non et il faudrait insister beaucoup pour qu'elles se souviennent quand elles ont eu une heure de libre – où ce qu'elles aimeraient faire si jamais cela leur arrivait. Il ne faut donc pas s'étonner qu'elles aient peur de devenir des femmes plus libres et plus individualistes. Elles ont absolument besoin de se définir : Qui suis-je ? Qu'est-ce qui compte à mes yeux ? Qu'est-ce que j'apprends à mes enfants ? A quoi sert mon travail ? Quels sont mes talents créatifs ? Il faut qu'elles réapprennent à dire : « Non, je ne veux pas faire ça » ; « Non, je n'ai pas le temps » ; « Non, je ne suis pas disponible pour l'instant ».

Dès qu'une femme est ménopausée et commence à se redéfinir, elle peut profiter de la période la plus riche de sa vie. Elle se souvient avec plaisir de l'enthousiasme et de l'énergie de sa jeunesse. Mettre au monde des enfants a eu un côté magique et les élever lui a apporté d'immenses satisfactions. Sa carrière professionnelle lui a permis de s'assumer et de faire preuve de créativité. Elle a maintenant digéré les cinquante premières années de sa vie et les a transformées en sagesse et en liberté. Si vous discutez avec des femmes ménopausées, vous découvrirez que sitôt dépassé ce cap d'un an ou deux, bien peu d'entre elles reviendraient en arrière et que la seule chose qu'elles regrettent, c'est leur taille de guêpe et leur visage sans rides. La ménopause a été qualifiée d'« âge critique » parce que de nombreuses femmes commencent alors à dire ce qu'elles pensent. Ce dont notre monde actuel a besoin avant tout, c'est justement de femmes assez courageuses pour dire ce qui leur passe par la tête.

La ménopause est un cycle de vie qu'il faut respecter et attendre avec impatience. A l'avenir, les femmes ménopausées seront appréciées à nouveau pour leur sagesse et leur individualisme servira de modèle aux femmes plus jeunes.

∿ CRÉER UN CYCLE DE LA PRÉMÉNOPAUSE POSITIF

Avant la puberté, vous avez vécu sans cycles hormonaux et profité de l'équilibre physique et affectif relativement stable que donne cette liberté. Pendant la puberté, votre corps est passé par des hauts et des bas car il a dû s'habituer à la montée en puissance des hormones sexuelles, à l'installation des cycles menstruels, ainsi qu'aux transformations qui les accompagnent : poils pubiens, poitrine et libido. A partir de vingt ans et jusqu'à trente-cinq ans environ, avec un peu de chance, vous avez fait l'expérience d'une période exceptionnelle sur le plan de l'énergie et des facultés intellectuelles, profité du privilège d'être adulte et fait face avec plaisir aux défis que vous lançait la vie. Cette période coïncide avec l'activité maximale des hormones. Ce rythme est si bien inscrit dans les gènes que les obstacles spirituels, psychologiques et environnementaux auxquels vous êtes alors confrontée parviennent rarement à le perturber.

Entre trente-cinq et quarante-cinq ans, vient un moment où ce cycle puissant et dynamique est plus facilement influencé par les facteurs extérieurs et votre mode de vie. Vos règles sont moins régulières, plus abondantes ou plus faibles qu'avant. Vos seins vous font souffrir en période prémenstruelle. Vous avez des sautes d'humeur et devenez plus fatigable. Vous récupérez moins vite après une longue marche ou une nuit blanche. Vous avez besoin de plus de sommeil ou vous dormez moins bien. Vous vous froissez pour la première fois un muscle à la gymnastique et vous poussez parfois un grognement de douleur lorsque vous vous levez. Si vous mangez mal ou sautez un repas, vous le remarquez. Vous supportez moins bien les plats indigestes et si vous buvez un verre de vin de trop, vous avez mal à la tête le lendemain matin. Votre libido a baissé et il vous arrive de ne pas être assez lubrifiée pendant les rapports sexuels. Le SPM devient gênant. Vous avez beau suivre un régime et faire du sport, vous avez pris un peu de poids et ne parvenez pas à le perdre. Vos cheveux grisonnent et, si vous avez passé la quarantaine, vous avez maintenant besoin de lunettes pour lire, au moins les petits caractères.

Ces signes annoncent le cycle médian de la vie. A nouveau tout change. Il s'agit d'un cycle plus long, moins intense et dramatique que la puberté pour la plupart des femmes mais une fois de plus vos hormones fluctuent, leur niveau baisse et augmente, avec une tendance graduelle et générale à la baisse (voir figure 1.1).

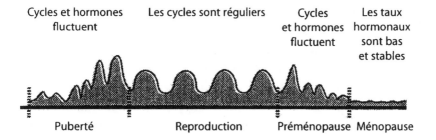

Figure 1.1. Les hormones tout au long de votre vie.

Le cycle de la préménopause constitue une période de vie d'une grande intensité. Une femme équilibrée est alors en possession de tous ses moyens. Elle a confiance en elle, se connaît et a accumulé suffisamment d'expérience pour affronter l'existence sans inquiétude. Elle sait qu'aucun prince charmant ne viendra à son secours et ne demande donc à personne de la sécuriser. Elle connaît son niveau de compétence sur le plan familial et professionnel, ainsi que ses qualités et ses faiblesses. Au cours de ce cycle, il ne faut pas se contenter d'être en bonne santé, il faut aussi avoir une existence réussie afin de se préparer à une période de vie où nos forces physiques auront décliné mais où nous serons plus fortes émotionnellement et spirituellement.

Anne

Il y a un an, Anne, enseignante de quarante-quatre ans, est allée consulter son médecin pour une prise de poids, des maux de tête et un état dépressif. Elle se plaignait aussi d'avoir des règles irrégulières depuis six mois. Son état dépressif et ses migraines lui posaient un problème professionnel car elle enseignait à des lycéens particulièrement dynamiques. A plusieurs reprises, elle avait rembarré des élèves, ce qui ne lui

25

ressemblait pas, et il lui arrivait aussi d'être au bord des larmes.

Son mari et elle n'avaient pas d'enfants mais, passionnés de randonnée, ils partaient marcher pendant le week-end et voyageaient dans le monde entier pour découvrir de nouveaux lieux de randonnée. Comme Anne avait grossi de quinze kilos et avait des difficultés à se lever de bonne heure pendant le week-end à cause de son état dépressif, elle avait plus ou moins renoncé aux randonnées. Son visage était empourpré en permanence comme si elle piquait un fard.

Le médecin de son HMO lui expliqua qu'elle n'allait pas tarder à être ménopausée et lui prescrivit du Premarin, un œstrogène de synthèse, et du Provera, une progestérone de synthèse. Après quinze jours de traitement, elle se sentit mieux. Puis ses symptômes s'aggravèrent et chaque fois qu'elle prenait du Provera au milieu de son cycle, son état dépressif empirait. Lorsqu'elle en parla à son médecin, celui-ci augmenta les doses d'œstrogènes. Deux semaines après, Anne avait encore grossi de trois kilos et pleurait sans raison. Ses migraines étaient si douloureuses qu'elle dut prendre un congé maladie.

Six mois plus tard, comme ces symptômes persistaient et qu'elle risquait de perdre son poste, elle retourna voir son médecin. On lui fit un frottis vaginal qui s'avéra positif. Anne souffrait d'une dysplasie, état potentiellement précancéreux. Son médecin lui dit qu'ils pouvaient se permettre six mois d'observation mais qu'il conseillait une hystérectomie. Il lui promit qu'après cette intervention, tous ses symptômes disparaîtraient et qu'elle serait une femme bien plus heureuse.

Anne vint alors consulter le docteur Hanley. Incapable de retenir ses larmes, elle lui avoua que son état dépressif était en partie dû au fait qu'elle voulait un enfant alors que son mari y était si opposé qu'il évitait les rapports sexuels de crainte qu'elle ne tombe enceinte. Elle ajouta avec un rire forcé que de toutes façons, elle n'avait plus envie de faire l'amour depuis qu'elle prenait des hormones de synthèse et qu'elle se moquait donc éperdument de l'attitude de son mari.

Le docteur Hanley conseilla à Anne de tenir un journal où elle noterait tous ses sentiments, y compris son désir d'avoir un enfant. Elle lui expliqua que même si ses symptômes étaient liés en partie à ce conflit, la gravité de ses migraines, de son état dépressif, de sa prise de poids ainsi que la dysplasie avaient sans doute été provoquées par les doses élevées d'œstrogènes et de progestatifs de synthèse qu'elle avait prises. Un dosage hormonal révéla que le niveau de gonadotropine A (ou FSH, de l'anglais *follicle-stimulating hormone* – NDLT) était normal alors que celui des œstrogènes s'avérait trop élevé, ce qui signifiait qu'Anne n'abordait pas encore la ménopause. Elle lui suggéra de diminuer progressivement les doses d'hormones de synthèse et de les remplacer par de la progestérone naturelle. Le docteur Hanley prescrivit de l'acide folique, de la vitamine B12, administrée par voie perlinguale, et de la vitamine A afin de soigner la dysplasie. Puis elle prit rendez-vous avec sa patiente deux mois plus tard pour un nouveau frottis vaginal.

Elle avait aussi demandé à Anne de suivre des séances d'haltérophilie, douces mais régulières, pour que son métabolisme redevienne normal et qu'elle perde du poids. Anne ajouta vingt minutes de tapis de jogging et, d'après elle, ces séances d'entraînement lui redonnèrent aussitôt de l'énergie et un meilleur moral.

Au bout de six mois, elle avait perdu dix kilos et le frottis vaginal était redevenu normal. Elle dit au docteur Hanley que lorsqu'elle avait commencé à utiliser de la progestérone naturelle, elle avait eu l'impression que son corps poussait un immense soupir de soulagement. Elle débordait d'enthousiasme à l'idée de partir marcher dans les Andes péruviennes avec son mari dans quelques semaines. Comme elle était toujours aussi triste de ne pas avoir d'enfants, elle continua à tenir un journal et quelques mois plus tard, elle décida que son mariage était plus important que son désir d'être mère.

∾ APPRENDRE À CRÉER UN ÉQUILIBRE

Entre trente-cinq et quarante-cinq ans, il est facile de se croire immortelle et lorsque vous découvrez qu'il n'en est rien, vous êtes déjà engagée dans le processus de vieillissement. Mais si vous prenez soin de vous maintenant, ce processus apparaîtra plus tard, il sera plus graduel et moins démoralisant. Si vous préservez un équilibre physique, mental et émotionnel pendant ce cycle médian de votre vie, vous souffrirez moins de vieillir. Ce concept est fondamental et c'est sur lui que s'appuie notre Programme d'équilibre de la préménopause.

Marie

Marie est une mince et ravissante juriste d'entreprise de trente-neuf ans qui consacre tout son temps à sa carrière professionnelle et gagne 100 000 dollars par an. Elle habite dans un grande ville un appartement dans un immeuble en copropriété avec portier et vue imprenable, conduit une voiture de luxe et ne porte que des vêtements griffés. Pour garder la ligne, elle fait de la gymnastique cinq jours par semaine et surveille son alimentation. Elle ne traverse pas le hall qui mène à son bureau, elle y passe en trombe. Toujours en mouvement pendant la journée, il lui arrive aussi de dîner avec des clients ou de voyager le soir. Dans sa voiture, elle téléphone et dans l'avion, elle travaille sur son ordinateur portable. Jamais elle ne perd un instant.

Quinze ans plus tôt, elle envisageait de se marier et d'avoir des enfants mais ce projet a fait long feu. Elle n'a ni plantes ni animaux familiers afin de ne pas perturber son planning de travail et, pour les mêmes raisons, elle a renoncé à la maternité. Elle aimerait néanmoins se marier et est sortie à plusieurs reprises avec des cadres supérieurs mais, depuis quelques années, ces liaisons n'ont jamais excédé six mois.

Un an avant de rencontrer le docteur Hanley, Marie a

consulté un gynécologue pour des crampes douloureuses au milieu du cycle menstruel et des saignements irréguliers entre les règles. Elle se réveillait aussi au milieu de la nuit, inondée de sueur, et craignait d'avoir un cancer, maladie courante dans sa famille. Après de nombreux examens, le gynécologue conseilla une exploration chirurgicale mineure afin de rassurer sa patiente. Bien que Marie craignît presque autant une opération que le cancer, elle accepta. Le chirurgien découvrit qu'elle avait en réalité des kystes ovariens dont certains portaient de longs poils – ce qui fit horreur à Marie lorsqu'elle l'apprit – et retira un des ovaires dont les lésions lui semblaient incurables.

Après l'intervention, le gynécologue dit à Marie que si elle continuait à avoir des problèmes, on pourrait pratiquer une hystérectomie, suivie d'un traitement hormonal substitutif. Pour Marie, une opération aussi importante et la prise d'hormones de synthèse étaient impensables. Lorsque les symptômes réapparurent quelques mois plus tard, elle prit donc rendez-vous avec le docteur Hanley dans l'espoir que cette dernière lui propose une autre solution. En plus des symptômes qu'elle connaissait déjà, il lui arrivait d'éprouver des douleurs et une sécheresse vaginale au moment des rapports sexuels.

« Je sais qu'il s'agit là des symptômes de la ménopause, dit-elle au docteur Hanley. Mais je n'ai même pas quarante ans. Comment puis-je être déjà ménopausée ? Je ne suis pas prête à ça ! »

Lorsque le docteur Hanley lui posa des questions sur son mode de vie, Marie reconnut qu'elle buvait trop de café, ce qui lui donnait des douleurs et des brûlures d'estomac. « Mais comment pourrais-je démarrer le matin sans café ? demanda-t-elle. D'ailleurs, chaque fois que je cesse d'en boire, j'ai d'horribles maux de tête et je ne me sens pas bien. » Elle ajouta qu'elle buvait des sodas allégés à base de caféine dans l'après-midi et que le soir, elle avait tendance à s'offrir un ou deux verres de vin de trop, ce qui ne lui réussissait pas.

« Mais j'ai besoin de me détendre avant de m'endormir », conclut-elle.

Le docteur Hanley lui expliqua qu'aux yeux de la médecine chinoise, elle avait surinvesti le côté masculin de sa personnalité et négligé le côté féminin. Si elle voulait guérir, il fallait qu'elle commence par rééquilibrer les deux parties de son moi. La juriste réputée qui menait tambour battant sa carrière professionnelle sans jamais se reposer avait prospéré aux dépens de son côté féminin, plus contemplatif et nourricier.

Le refoulement de sa féminité se traduisait symboliquement par un dysfonctionnement ovarien et devait avoir aussi de fâcheuses conséquences sur ses hormones. L'ovaire restant ne fonctionnait probablement plus et ses glandes surrénales étaient sans doute épuisées. Voilà pourquoi elle avait des sueurs nocturnes et des bouffées de chaleur, deux signes d'un déficit en œstrogènes. Un dosage hormonal permit de vérifier cette hypothèse. Marie refusait tout traitement hormonal et même d'utiliser une crème à base de progestérone naturelle. En revanche, elle accepta des changements spectaculaires dans son mode de vie afin de retrouver santé et équilibre, ainsi qu'un traitement à base de plantes destiné à rééquilibrer ses hormones et à soutenir ses glandes surrénales.

Lorsqu'elle revint voir le docteur Hanley quelques semaines plus tard, elle lui raconta qu'après le premier rendez-vous elle avait rêvé que le kyste poilu de son ovaire était un testicule et que cette image l'avait aidée à transformer et rééquilibrer sa vie !

Elle commença par annoncer à ses associés qu'elle allait réduire sa clientèle de moitié et engager un jeune avocat qui voyagerait à sa place. Puis elle s'inscrivit à des cours de peinture et réalisa le rêve de sa vie en séjournant à Paris pendant un mois pour y peindre. A son retour, elle acheta une maison de campagne pour y passer ses week-ends à peindre, jardiner et faire de longues marches le long de la plage.

D'autres changements intervinrent, moins spectaculaires mais tout aussi importants. Marie s'obligea à marcher calmement au lieu de traverser en trombe le hall qui menait à son bureau ; elle cessa de téléphoner dans sa voiture et écouta de la musique relaxante ; quand elle devait voyager, elle emportait un bon roman et non son ordinateur portable. Elle réduisit ses séances de gymnastique à trois par semaine et se permit de prendre un peu de poids. Grâce aux compléments alimentaires et aux plantes prescrits par le docteur Hanley, elle remplaça le café par des infusions, renonça aux sodas et se contenta de boire un seul verre de vin au dîner.

Un an après son premier rendez-vous avec le docteur Hanley, ses symptômes avaient disparu à quatre-vingt-dix pour cent et elle se sentait prête à vivre avec les dix pour cent restants. Les week-ends passés dans sa maison de campagne lui avaient permis de rencontrer un homme merveilleux, artiste lui-même, avec lequel elle sortait depuis plusieurs mois, à l'exception de qui que ce soit d'autre. Elle était persuadée que son mode de vie plus calme, plus contemplatif et plus créatif lui avait permis de trouver l'espace nécessaire à une relation durable.

✎ ÉGOÏSME

La plupart des femmes ne se rendent pas compte que l'égoïsme peut être une bonne chose. En tant que jeunes filles, on leur a appris que faire ou vouloir quoi que ce soit pour soi est une marque d'égoïsme et que leur rôle consiste à se tenir à la disposition des autres. Il est temps aujourd'hui que les femmes se montrent responsables de leur corps, de leur vie affective, de leurs enfants et de la qualité de l'environnement. Il s'agit là d'égoïsme avec un E majuscule. Imaginez avec quelle rapidité les aliments traités avec des pesticides disparaîtraient si les mères de famille refusaient d'acheter autre chose que des aliments biologiques. Et avec quelle rapidité la médecine allopathique échangerait médicaments et chirurgie pour des pratiques préventives et efficaces si les femmes en période de préménopause boycottaient les médecins incapables de les aider.

Lorsqu'un enfant a le nez qui coule en permanence et des otites, ses maux sont probablement imputables à une allergie alimentaire héritée des parents. Si une mère refuse d'arrêter les produits laitiers afin de découvrir s'il existe ou non une allergie alimentaire, comment pourra-t-elle exiger de son enfant qu'il cesse d'en consommer ? Si elle ne se préoccupe pas de sa santé comment ses enfants apprendront-ils à s'occuper de la leur ? Les parents qui s'infligent des sévices sexuels auront des enfants victimes de sévices sexuels à l'âge adulte. Les enfants d'une personne constamment sous pression et exténuée commettront les mêmes excès. Nous apprenons tous par imitation. Vous ne pourrez pas aider vos enfants si vous ne vous aidez pas vous-même.

Pour être égoïste dans le bon sens du terme, il suffit, entre autres, de faire confiance à son cœur et à son intuition. Vous serez alors assez forte pour affirmer ce que vous savez et agir en conséquence.

Susan

Susan a trente-cinq ans. Mariée depuis neuf ans à un électricien, elle a eu avec lui un petit garçon âgé de trois ans. Elle travaille à temps partiel dans les télécommunications pour boucler les fins de mois car son mari a du mal à joindre les deux bouts, mais les frais de garde de son fils amputent sérieusement ses revenus. Cela fait un an que Susan et son mari essaient d'avoir un autre enfant.

Lorsque Susan a consulté pour la première fois le docteur Hanley, elle s'est plainte d'être fatiguée et d'avoir des règles trop abondantes. Elle s'étonnait aussi de ne pas être encore enceinte alors qu'elle n'avait eu aucun problème pour avoir son premier enfant. Pâle, les traits tirés, les yeux cernés, elle avait dix kilos de trop, répartis principalement autour du torse et des hanches.

Lors de l'examen gynécologique, le docteur Hanley découvrit dans l'utérus un fibrome de la taille d'une balle de golf, ce qui expliquait les règles abondantes et peut-être aussi sa difficulté à avoir un second enfant. De nombreux médecins auraient aussitôt prévu une intervention pour retirer le fibrome. Quelques-uns auraient même annoncé à leur patiente qu'elle ne pourrait plus avoir d'enfants et conseillé une hystérectomie.

Le docteur Hanley préféra discuter avec Susan. Au cours de l'entretien, celle-ci réalisa à quel point elle était ambivalente à l'idée d'avoir un second enfant alors qu'ils ne pouvaient pas se le permettre financièrement et qu'elle était fatiguée en permanence. Avoir un autre bébé lui semblait impensable !

Elle découvrit qu'elle avait besoin en priorité de s'occuper d'elle-même. Maintenant qu'elle s'autorisait à le faire, elle savait comment répondre à ce besoin. Comme son fils se réveillait souvent la nuit, l'obligeant à se lever, elle était privée de sommeil. Elle allait donc demander à son mari de garder l'enfant le dimanche matin afin qu'elle puisse rattraper son manque de sommeil. Pouvoir dormir un matin par semaine lui semblait un véritable délice. Elle décida aussi de prendre plus souvent de longs bains chauds avant d'aller se coucher et d'être moins pointilleuse en ce qui concernait le ménage. Après avoir pris simplement ces trois décisions, elle paraissait déjà beaucoup plus heureuse.

Le docteur Hanley lui conseilla de boire plus d'eau, de manger plus de légumes et lui prescrivit un complexe de vitamines ainsi que des plantes chinoises. Puis elle lui expliqua qu'elle devait souffrir d'un déficit en progestérone et proposa une série de dosages hormonaux étalés sur un mois.

Comme les résultats faisaient apparaître non seulement un déficit en progestérone mais aussi en déhydroépiandrostérone (ou DHEA), le docteur Hanley prescrivit une crème à base de progestérone naturelle et une faible dose de DHEA pendant trois mois.

Passé ce délai, Susan avait retrouvé une partie de son énergie. Ses règles étaient redevenues normales et son fibrome avait nettement diminué de volume. Son mari avait décidé de s'associer avec un autre électricien et ils étaient tombés d'accord pour attendre une amélioration de leur situation économique avant d'avoir un autre enfant, afin que Susan puisse cesser de travailler après la naissance du nouveau-né.

Six mois plus tard, Susan débordait d'énergie, ses yeux brillaient et son fibrome n'était plus décelable. Moins d'un an après, elle était enceinte.

Le corps, la personnalité, le mode de vie et les caractères génétiques de ces trois femmes sont très différents mais elles souffrent toutes les trois du syndrome de la préménopause. L'âge, un mode de vie déséquilibré et un mélange unique de prédispositions physiques expliquent que chaque femme ait des problèmes spécifiques.

Nous espérons que vous utiliserez ce livre comme un moyen de créer un cycle de la préménopause équilibré, donc sans problèmes de santé. Nous allons vous expliquer pourquoi votre corps ne fonctionne plus comme avant et vous donner des solutions pratiques pour y remédier. Nous ne vous proposons pas pour autant des remèdes miracle. Jusqu'à l'âge de trente ans, on peut se permettre d'adopter n'importe quel genre de vie ou presque. On peut rentrer à l'aube après avoir bu trop d'alcool et néanmoins travailler correctement le lendemain ; adopter un régime à base de sodas, de chips et de confiseries en barre sans que notre santé en souffre trop. Mais au fur et à mesure que l'on vieillit, la liberté de manœuvre diminue et quand on aborde la quarantaine, si l'on n'a pas pris soin de son corps, on se retrouve avec des problèmes de santé chroniques qui résistent aux traitements classiques. Grâce aux informations fournies dans ce livre, le cycle de la préménopause peut, au contraire, devenir une période de vie merveilleuse où vous ferez preuve d'une énergie décuplée et serez en excellente santé.

Lorsque vous serez ménopausée, vous retrouverez des taux hormonaux beaucoup plus bas et moins fluctuants, ainsi que la stabilité qui accompagne ce nouvel état. La plupart des femmes apprécient cette époque de leur vie à cause de la liberté et de la créativité qui l'accompagnent. De nos jours, grâce aux hormones naturelles et à un mode de vie sain, vous pouvez préserver votre santé et votre sexualité beaucoup plus longtemps que les femmes qui vous ont précédée et donc profiter de la sagesse et des privilèges de l'âge mûr.

Depuis la parution de *Guérir la ménopause : ce que votre médecin ne vous a probablement pas dit*, le nombre de recherches et d'informations cliniques au sujet de la préménopause s'est accru de manière exponentielle. Nous en savons beaucoup plus sur l'évolution du métabolisme féminin en fonction de l'âge et plus encore sur les causes des cancers liés aux hormones qui frappent la femme à partir d'un certain âge. Nous avons donc de nouvelles révélations à vous faire et sommes en mesure maintenant de confirmer les hypothèses que nous avions avancées il y a quelques années.

Le syndrome de la préménopause est lié à des causes spécifiques et exige des solutions adaptées à chaque femme et à elle seule. Considérez ce livre comme une carte routière. Familiarisez-vous avec les différentes routes qui vous sont proposées et choisissez ensuite votre propre itinéraire vers la santé. Bon voyage !

Chapitre 2

⁓

L'IMPORTANCE
DE L'ÉQUILIBRE HORMONAL

*D*enise avait trente-six ans lorsque son gynécologue lui annonça que la seule façon de soigner son endométriose consistait à lui prescrire une pilule contenant un progestatif de synthèse. Quinze ans plus tôt, lorsque Denise avait pris la pilule, elle s'était sentie fatiguée et grincheuse ; elle hésitait donc à renouveler cette expérience. Elle s'était aussi renseignée et savait que la pilule augmentait les risques de congestion cérébrale, même chez une femme de son âge. Néanmoins, elle avait de telles crampes et de telles douleurs avant et pendant ses règles qu'elle était prête à tout pour résoudre ce problème. Quelques mois plus tôt, ses règles avaient été si douloureuses qu'elle avait été obligée de prendre une semaine de congé maladie. Comme elle travaillait dans une entreprise hautement compétitive où les congés maladie étaient mal vus, elle ne pouvait pas se permettre de recommencer. Elle risquait en effet de perdre son poste.

Denise prit la pilule progestative qu'on lui avait prescrite et lors du cycle suivant, ses douleurs et ses crampes diminuèrent. Un mois plus tard, l'amélioration se poursuivit mais elle remarqua que le fin duvet de son visage était plus fourni qu'avant. Au bout du troisième mois, les douleurs avaient diminué de moitié mais quelques longs poils disgracieux ornaient maintenant son menton, les poils de ses bras étaient plus drus et ses tempes commençaient à se dégarnir. Elle se montrait plus impatiente et irritable avec son mari et était sujette à des accès de colère, ce qui ne lui était jamais arrivé jusqu'alors.

Le déséquilibre œstrogénique qui avait stimulé la prolifération de la muqueuse utérine (endométriose) et causé des douleurs au moment des règles était plus ou moins contrebalancé par la pilule qu'on lui avait prescrite mais elle souffrait aussi des effets secondaires d'un progestatif qui possède à la fois les propriétés d'une hormone mâle (ou androgène) et certaines propriétés de la progestérone. La pilule qu'avait prise Denise n'était pas vraiment de la progestérone ni tout à fait une hormone mâle mais possédait les propriétés de ces deux substances hormonales. Rien d'étonnant à ce que son corps ne parvînt pas à s'y retrouver.

Prendre des hormones synthétiques qui n'existent pas dans la nature est le meilleur et le plus sûr moyen de déconcerter votre corps et de le précipiter dans un état de déséquilibre. Ces médicaments sont fabriqués non pas parce que leurs effets sont supérieurs à ceux des hormones naturelles mais parce qu'ils peuvent être brevetés, et les médicaments brevetés sont vendus plus chers que les substances naturelles. Plus loin dans ce livre, nous vous expliquerons comment les symptômes de Denise auraient pu être soignés sans créer de nouveaux problèmes. Dans ce chapitre, nous allons étudier l'équilibre hormonal sur le plan moléculaire afin que vous compreniez le rôle des hormones et mesuriez à quel point un changement même minime dans l'équilibre hormonal peut avoir des conséquences dramatiques sur votre santé.

∿ DIRIGER LA SYMPHONIE HORMONALE

La fonction de vos hormones est déterminée d'abord et avant tout par leur configuration moléculaire, exactement comme une clef ne s'adapte qu'à une seule serrure. Si vous modifiez l'une des gorges de la clef, celle-ci n'entrera plus dans la serrure. De même une modification extrêmement minime de la configuration moléculaire d'une hormone peut modifier son action. Les hormones stéroïdes se ressemblent mais elles ont des effets différents. Lorsqu'on observe le schéma moléculaire des stéroïdes – prégnénolone, progestérone, androsténédione, œstrogènes, testostérone, DHEA et cortisols – ceux-ci vous paraissent quasiment semblables, avec simplement une ou deux différences infimes ici ou là.

Néanmoins ces particularités – un atome d'hydrogène ici, un atome de carbone là – sont responsables de ce qui différencie l'homme de la femme, la grossesse de la stérilité, la fatigue de l'énergie, les symptômes de la préménopause de la bonne santé.

Les mouvements coordonnés qu'exigent la fabrication et la dispersion des hormones dans le corps peuvent être comparés à ceux d'un orchestre dont tous les instruments doivent jouer ensemble afin de créer harmonie et équilibre. Il en faut peu pour que la symphonie hormonale se transforme en cacophonie. Si les œstrogènes jouent trop fort, on n'entendra pas la progestérone. Si le « registre » du cortisol est trop haut, il couvrira celui de la progestérone et de la DHEA. Si celui de la prégnénolone est trop bas, les autres hormones risquent de ne pas intervenir au moment voulu et de rater une note.

Les hormones stéroïdes sont produites dans les glandes surrénales et les ovaires à partir du cholestérol. Mais il y a de plus en plus de raisons de penser que certains stéroïdes sont fabriqués ailleurs dans le corps. Nous savons par exemple que les œstrogènes peuvent être fabriqués par les cellules adipeuses et nous avons la preuve que la progestérone est fabriquée dans les cellules de Schwann, l'enveloppe protectrice située à l'extérieur de la gaine de myéline des fibres nerveuses cérébro-spinales.

Toutes les parties du corps (le cerveau, les os, la circulation sanguine, la digestion, le foie, les reins, les nerfs, les muscles, les organes reproducteurs et le système immunitaire) sont sous l'influence des stéroïdes. Ces hormones ont un puissant effet sur la capacité du corps à résister au cancer, aux maladies cardiaques, respiratoires, cérébrales et circulatoires, ainsi qu'à l'arthrite et à l'ostéoporose.

Les stéroïdes sont intimement liés les uns aux autres : chacun d'eux dérivant d'un autre stéroïde ou se transformant en un autre afin de répondre aux besoins du corps. Par exemple, à partir de la progestérone, votre corps peut produire de la DHEA, du cortisol et de l'œstriol. L'androsténédione peut être transformée en testostérone et œstrone, et la testostérone peut devenir à son tour de l'œstriol, de l'œstradiol et de l'androsténédione (reportez-vous à la figure 2.1 pour une représentation visuelle de ces relations). Vu le nombre d'interrelations possibles, il est facile d'imaginer l'importance des répercussions que peut avoir sur le corps l'absence d'une de ces hormones ou sa présence à un taux anormal.

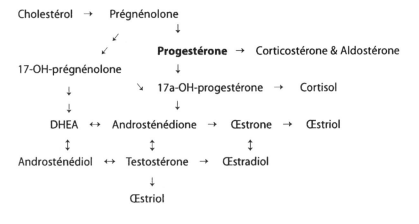

Schéma 2.1. Voies hormonales.

Principales voies des hormones stéroïdes dans l'ovaire. Chaque flèche représente le travail d'une enzyme spécifique et indique la direction de l'action. Dans quelques cas seulement l'action est réversible, comme l'indique une double flèche.

Mais les hormones elles-mêmes ne représentent qu'une partie du tableau. Pour induire la transformation d'une hormone en une autre et faciliter ensuite la transcription du message hormonal dans la cellule, il faut une combinaison spécifique de vitamines, de minéraux et d'enzymes. S'il vous manque l'une des substances nécessaires à cette transformation, comme la vitamine B6 ou le magnésium, par exemple, cette carence peut perturber l'équilibre hormonal. Des problèmes thyroïdiens ou d'insuline, les toxines, une mauvaise alimentation, des facteurs liés à l'environnement, la prise de médicaments et le fonctionnement du foie influent sur les nutriments et l'équilibre hormonal.

Votre état émotionnel joue aussi un rôle dans la symphonie hormonale. Si vous êtes soumise à un stress permanent, par exemple, vos glandes surrénales sécrètent des quantités importantes de cortisol. Si vous avez besoin de plus de cortisol que la normale, votre corps devra compenser en produisant plus de progestérone, nécessaire à la fabrication des cortisols. Le cortisol stimule aussi la production de cholestérol, la structure de base de toutes les hormones stéroïdes. Il entre en concurrence avec la progestérone au niveau osseux. Ces deux hormones envoient des messages inverses aux cellules osseuses : la progestérone stimule la construction de l'os neuf alors que le cortisol l'inhibe. Un stress chronique et un excès de médicaments à base de cortisol peuvent contribuer à l'ostéoporose. Un stress permanent induit un besoin chronique de cortisol qui peut entraîner un surmenage des glandes surrénales et des symptômes similaires à ceux de la fatigue chronique.

De la même façon, stress et déséquilibre hormonal perturbent le cerveau et les signaux qu'il envoie aux glandes endocrines. L'équilibre des hormones stéroïdes peut avoir à son tour des conséquences sur l'état émotionnel. Un excès de testostérone stimule l'agressivité et la colère alors qu'un excès d'œstrogènes induira passivité et hypersensibilité. La DHEA peut provoquer un sentiment de bien-être et la progestérone avoir une action relaxante. Les œstrogènes qui stimulent les cellules cérébrales peuvent provoquer une agitation excessive et une confusion des idées. A l'opposé, un déficit en œstrogènes peut entraîner une dépression. De nombreux patients disent qu'ils ont l'esprit plus vif lorsqu'ils prennent de la prégnénolone. Et des centaines de femmes ont reconnu devant nous que l'utilisation d'une crème à base de progestérone réduisait leur anxiété.

La régulation des taux hormonaux dépend avant tout du cerveau et plus précisément de l'hypothalamus et de l'hypophyse. Si ces zones sont lésées, si elles sont affectées par un désordre génétique, si elles envoient au reste du corps des messages confus ou contradictoires, si elles ne remplissent plus leur fonction du fait du vieillissement, les concentrations hormonales en subiront les conséquences. Chez la femme, l'hormone lutéinique (ou LH, de l'anglais *luteinizing hormone* – NDLT) produite par l'hypophyse permet la libération de l'ovule. Le docteur Hanley reçoit de plus en plus de patientes ayant des taux de LH insuffisants, signe que le cerveau ne fonctionne pas correctement en ce qui concerne les hormones. Elle note le même phénomène chez ses patients, ce qui n'a rien d'étonnant. Chez l'homme, la LH stimule la production de testostérone. La majorité des patients du docteur Hanley âgés de trente ans et plus, dont elle a fait vérifier les taux hormonaux, avaient un taux de LH inférieur à la normale. Ce qui signifie que dans bien des cas la stérilité n'est pas imputable à un dysfonctionnement des ovaires ou des testicules mais au fait que ces gonades mâles et femelles ne reçoivent pas le message cérébral. On peut émettre l'hypothèse que le stress et les produits chimiques présents dans notre environnement perturbent le fonctionnement du cerveau mais nous n'en aurons la preuve qu'après avoir effectué des recherches et des tests dans ce domaine.

∾ LE MYTHE DES TAUX HORMONAUX « NORMAUX » CHEZ LA FEMME EN PÉRIODE DE PRÉMÉNOPAUSE

Amy est un ingénieur électricien de quarante et un ans qui aime les décisions basées sur des faits et des chiffres rigoureux. Elle consulta son médecin car elle souffrait de bouffées de chaleur et avait grossi sans raison. Il prescrivit un dosage hormonal à effectuer au milieu du cycle menstruel. Comme le dosage indiquait un taux plus bas que la normale des différentes hormones mesurées dans le sang, il fit refaire un examen le mois suivant à la même période du cycle. Cette fois, les taux étaient normaux, à l'exception d'un excès de testostérone. Il fit effectuer un second dosage de la testostérone dont le taux se révéla normal. Amy jugea que des résultats aussi contradictoires ne permettaient pas un traitement hormonal fiable. Le médecin conseilla alors un test salivaire dont les résultats s'avérèrent aussi contradictoires que les précédents.

Lorsque vous êtes en période de préménopause, il peut être difficile, voire impossible, de mesurer avec précision le taux de vos hormones. En effet, ceux-ci fluctuent beaucoup, en particulier au cours des quelques années qui précèdent la ménopause. Vous pouvez faire pratiquer trois dosages hormonaux dans la même journée ou la même semaine et obtenir des quantités variables. Nous reviendrons sur le sujet plus loin dans ce livre, sachez seulement pour l'instant que les taux hormonaux varient fortement d'une femme à l'autre sans qu'on puisse parler d'anormalité et qu'il ne faut donc pas s'affoler quand ceux-ci sont trop élevés ou insuffisants.

Si l'on mesure les taux hormonaux d'une centaine de femmes en période de préménopause en choisissant le même jour au cours du cycle, les résultats peuvent varier du simple au quadruple. A l'opposé, la température du corps est très stable (autour de 37 °C). Quelques dixièmes de degrés de plus ou de moins peuvent indiquer un problème. La mesure du pH est encore plus précise. Les proportions de calcium et de

43

phosphore varient de 5 % maximum. Mais ce n'est pas le cas des taux hormonaux. Voilà pourquoi nous vous conseillons de vous familiariser avec vos symptômes. Ce sont eux qui vous guideront et vous permettront de déterminer s'il y a ou non déséquilibre hormonal. Dans certains cas précis, des dosages hormonaux s'avéreront utiles. Mais nous voulons vous tranquiliser au cas où l'on vous annoncerait que le taux de vos hormones est « anormal ».

∿ LES HORMONES EN TANT QUE MESSAGERS

Nous avons comparé l'équilibre hormonal à une symphonie mais il est possible aussi de considérer chaque hormone comme un messager. De nombreux facteurs interviennent dans la réception du message. Nous allons maintenant étudier quelques-uns des problèmes que pose cette transmission en utilisant une analogie : celle d'un messager du temps jadis chargé de remettre un message à une reine dans son château.

1. Le message peut ne pas atteindre le récepteur visé. Le messager ayant été tué par des brigands, il ne rejoindra jamais la reine. Pour pouvoir agir, l'hormone doit pénétrer dans la cellule afin d'atteindre les récepteurs qui s'y trouvent. Si les conditions régnant à l'extérieur de la cellule ne sont pas favorables, elles empêcheront le passage de l'hormone. Dans le cas de l'hormone pancréatique (ou insuline), par exemple, ce phénomène s'appelle résistance à l'insuline et entraîne un diabète. L'insuline est présente mais se trouve dans l'impossibilité de transmettre son message à la cellule.

2. La reine est absente du château. (Les récepteurs sont absents de la cellule cible.) Le messager a réussi à atteindre le château mais la reine s'est absentée et visite un autre pays. Trois princesses proposent de prendre le message mais le messager refuse car ses instructions précisent qu'il ne doit le remettre qu'à la reine. Pour pouvoir agir, l'hormone doit pénétrer dans la cellule et se lier ensuite aux récepteurs préformés qui s'y trouvent. La formation des récepteurs cellulaires dépend étroitement du patrimoine génétique. En cas de problème génétique, les récepteurs hormonaux peuvent être trop ou pas assez nombreux ou encore inadéquats. L'hormone est alors inefficace.

Un exemple extrême de cette absence de récepteurs a été cité dans une revue médicale. Il s'agissait d'un homme de vingt-neuf ans totalement privé de récepteurs œstrogéniques. Chez l'homme comme chez la femme, les œstrogènes ont pour effet, entre autres, de transmettre un message à la plaque osseuse afin qu'elle cesse de se développer peu après la puberté. Les taux d'œstrogènes de cet homme étaient normaux mais comme il ne possédait pas de récepteurs, ses os étaient dans l'incapacité de recevoir le message hormonal et ils poursuivaient leur croissance. Il avait donc des membres inférieurs et supérieurs anormalement longs, ce qui augmentait considérablement les risques de fracture.

Le docteur Zava, spécialiste de la recherche sur le cancer du sein, rapporte le cas d'une femme qui ne possédait pas de récepteurs de la progestérone (anomalie génétique rare) alors que son taux de progestérone était normal. Elle développa un cancer du sein peu après l'âge de vingt ans et en mourut quelque temps plus tard.

Un autre exemple concerne le récepteur de la progestérone lui-même. Les œstrogènes stimulent la formation des récepteurs de la progestérone dans les cellules des ovaires et des seins. La progestérone ne peut délivrer son message à ces cellules que si les œstrogènes ont préparé le terrain. Les cellules cancéreuses du sein ne feront pas preuve de positivité pour les récepteurs de la progestérone à moins qu'elles ne possèdent également des récepteurs d'œstrogènes. Le contraire n'est pas vrai : les récepteurs des œstrogènes ne nécessitent pas la présence de progestérone. Néanmoins, ils semblent sensibilisés par la prise de progestérone chez une femme souffrant d'un déficit de cette hormone.

3. La reine (le récepteur) est présente mais occupée à recevoir d'autres messagers, donc indisponible. Après avoir pénétré dans le château, le messager découvre que la reine a une réunion avec ses ministres, qu'elle n'est donc pas disponible pour recevoir son message. Des hormones porteuses de messages différents peuvent néanmoins occuper les mêmes récepteurs. On dit alors que ces hormones entrent en concurrence pour occuper les mêmes sites récepteurs. C'est le cas du cortisol et de la progestérone. Comme leurs structures moléculaires sont quasiment identiques, ces hormones peuvent occuper les mêmes récepteurs des ostéoblastes (les cellules osseuses qui sont chargées de fabriquer l'os nouveau) donc entrer en concurrence. Le message adressé aux ostéoblastes par la progestérone stimule la formation de l'os neuf alors que le message des glucocorticoïdes l'inhibe. La première protège donc de l'ostéoporose alors que les seconds peuvent l'induire. D'une manière générale, un excès de cortisol, qui neutralise l'action de la progestérone, peut occasionner *de facto* un déficit en progestérone.

De la même façon, les progestatifs ou composés synthétiques *progesterone-like*[2] peuvent eux aussi occuper les récepteurs de la progestérone des ostéoblastes. Bien qu'ils soient plus puissants que la progestérone sur d'autres sites, les progestatifs stimulent la formation de l'os nouveau à un degré moindre. De plus, comme les progestatifs sont des intrus sur les voies métaboliques habituelles des hormones, ils s'obstinent à occuper ces récepteurs et, même à faible dose, inhibent donc le message de la progestérone.

4. La reine ne comprend pas le message ou elle le transmet mal. (Des facteurs génétiques peuvent modifier le message hormonal.) Le messager délivre son message à la reine mais celle-ci n'ayant pas ses lunettes le comprend mal. Elle fournit une information erronée à ses généraux qui, à cause de cette erreur, perdent la bataille. Lorsqu'une hormone s'unit à son

2. Qui ont une activité semblable à celle de la progestérone. (NDLT)

récepteur à l'intérieur de la cellule, elle se retrouve dans le noyau cellulaire où elle occupe un site génétique spécifique afin de créer une réponse chromosomique précise, qui va entraîner certaines modifications des activités de la cellule. S'il y un problème génétique au niveau du gène qui stimule l'hormone, le message hormonal sera déformé. Le message sera reçu mais l'action qu'il était censé entraîner ne sera pas celle qui était prévue.

5. *Le messager est retardé ou bloqué.* (Le manque de cofacteurs appropriés peut perturber le message[3].) Le messager est bien parti mais, en chemin, son cheval est tombé et s'est cassé une patte ou alors une tempête a obligé le messager à se mettre à l'abri pendant plusieurs jours. La plupart des activités cellulaires sont médiatisées par les enzymes, vitamines, minéraux et autres nutriments. Si les nutriments ne sont pas disponibles, l'activité enzymatique est réduite. Le message hormonal induit la production d'enzymes mais celles-ci ne peuvent pas agir correctement car l'un des cofacteurs manque.

6. *Le message peut ne jamais arriver à destination.* Le messager est bien parti mais à mi-chemin, il a été fait prisonnier par une rivale de la reine et gardé en otage. De même que la présence de vitamines et de minéraux est importante pour obtenir une réponse optimale, la présence de facteurs inhibants l'est tout autant car ils peuvent bloquer la réponse optimale. Un excès de fer interfère avec les enzymes dans l'ensemble de l'organisme. En cas d'hémochromatose, anomalie génétique qui entraîne une surcharge de fer dans les tissus, on observe des symptômes tels que douleurs articulaires et maladie coronarienne, ainsi qu'une incidence plus élevée de cancer du foie et du côlon. Un excès de fer inhibe les messages enzymatiques et bloque l'action des autres minéraux dans l'organisme. Le fluor a le même effet : non seulement il

---

3. Cofacteur ou coenzyme : petite molécule nécessaire à l'activité des enzymes. (NDLT)

contrecarre la formation de l'émail dentaire, provoquant une fluorose dentaire (qui se manifeste par une décoloration des dents) mais il entraîne aussi une augmentation de la calcification osseuse ; l'os nouveau étant de moins bonne qualité, les risques de fracture ultérieurs augmentent. L'activité des hormones qui participent au remodelage osseux est normale mais la nature de l'os formé sous l'influence d'un excès de calcium est de moins bonne qualité à cause de ce facteur toxique.

Une alimentation déséquilibrée et les toxines présentes dans l'environnement inhibent généralement l'action des messagers hormonaux.

7. L'intensité sonore du message peut baisser ou augmenter. Le messager délivre son message à la reine en criant si fort que deux princesses l'entendent et agissent de leur côté. Ou alors il parle trop bas et comme la reine est dure d'oreille, elle ne remarque pas qu'il lui transmet un message et ne passe pas à l'action. L'un des phénomènes les plus troublants s'agissant des hormones est que leur intensité, ou leur taux, altère l'effet de leurs messages. En cuisine, un peu de sel relève la saveur d'un plat mais trop de sel nuit au goût. Le contact de la main de quelqu'un peut être agréable ; si la pression est trop forte, elle risque d'être douloureuse. Si l'on vous murmure « Je t'aime », cela vous fera plus plaisir que si l'on vous hurle la même phrase dans l'oreille.

Même si les œstrogènes et la progestérone ont généralement des effets antagonistes au niveau des cellules, les œstrogènes, à partir du moment où ils sont nécessaires à la formation des récepteurs, amplifient l'action de la progestérone et la progestérone peut amplifier l'action des œstrogènes en augmentant la sensibilité des récepteurs des œstrogènes. Lorsqu'une femme souffre depuis longtemps d'un déficit en progestérone, le retour d'une faible dose de progestérone va augmenter temporairement la sensibilité des récepteurs œstrogéniques. Voilà pourquoi tant de femmes ont les seins tendus quand elles commencent à utiliser une crème à base de progestérone. Dès que le taux de progestérone redevient normal, les effets des œstrogènes sur les seins sont neutralisés et la tension mammaire disparaît. Le « contact » initial de la progestérone augmente temporairement la sensibilité des récepteurs des œstrogènes des seins alors que des concentrations plus élevées réduisent cette sensibilité.

Le docteur David Zava a observé qu'un excès de progestérone entraîne une élévation du taux de cortisol, ce qui peut augmenter la rétention d'eau. D'après lui, cela expliquerait le gonflement mammaire que l'on observe parfois en cas de supplémentation en progestérone à long terme ou d'administration de progestérone à haute dose.

Le message hormonal dépendant de facteurs aussi multiples, on comprend facilement que pour rétablir l'équilibre hormonal, il ne suffit pas de pallier la carence d'une seule hormone ou de tenter de réajuster les hormones en se référant à un dosage hormonal. On aura beau vous prescrire des tonnes d'hormones, cela ne suffira pas à rééquilibrer votre corps si vous êtes stressée en permanence, exposée à des toxines ou si vous avez une mauvaise alimentation. Pour reprendre l'analogie utilisée plus haut, vous pouvez envoyer tous les messagers que vous voulez à la reine, si le pont-levis est détruit, aucun d'eux ne parviendra jusqu'à elle. Voilà pourquoi nous insistons tant dans ce livre sur le fait que l'équilibre hormonal exige aussi une vie équilibrée.

∾ HORMONES NATURELLES CONTRE HORMONES DE SYNTHÈSE

Récemment, lors d'une conférence, le docteur Lee a été pris à partie par un important producteur de plantes médicinales qui lui a reproché de parler de crème à base de progestérone « naturelle » alors que cette hormone avait été fabriquée en laboratoire et qu'il s'agissait donc d'un produit synthétique. C'est là une confusion sémantique que nous entendons fréquemment. En réalité, la progestérone est bien plus naturelle pour votre corps que n'importe quelle plante pour la bonne raison que votre organisme produit la même substance. En effet, la progestérone fabriquée en laboratoire a une structure moléculaire identique à l'hormone produite par votre corps. Peu importe que ce soit l'organisme ou un chimiste qui la fabrique à partir d'un extrait de plante ou autre. Si la molécule est identique, l'hormone l'est aussi. Dans ce contexte, la source de la progestérone est secondaire.

D'habitude, lorsque nous employons le mot « synthétique », nous nous référons à une chose produite artificiellement et qui ne se trouve donc pas dans la nature, comme les matières plastiques et les médicaments. L'« hormone » Provera par exemple est fabriquée à partir des mêmes substances que la progestérone naturelle mais sa structure moléculaire ayant été modifiée en laboratoire, le Provera ne ressemble à rien de ce qui existe dans la nature. Tandis que la progestérone naturelle fabriquée en laboratoire est identique à celle que fabrique le corps. En d'autres termes, ce qui différencie un produit naturel d'un produit synthétique c'est qu'on le trouve dans la nature et qu'il est naturel pour le corps humain.

On peut appliquer la même distinction aux œstrogènes. Pris séparément, les deux types d'œstrogènes présents dans le Premarin sont naturels (on les trouve dans la nature) et non synthétiques, mais tous les œstrogènes du Premarin ne sont pas naturels pour l'être humain. Le fabricant a beau clamer haut et fort dans sa publicité que le Premarin est naturel, ce produit est composé pour moitié d'œstrone, un œstrogène humain, et pour moitié d'un extrait d'urine de jument gravide. C'est donc un produit naturel à condition que vous soyez moitié femme, moitié jument ! Il est regrettable que la recherche ait si souvent porté sur le Premarin car nous n'avons pas de connaissances de base précises sur les effets d'un œstrogène humain opposé à ceux d'un œstrogène d'équidé. De plus, une recherche récente a montré que l'« urine de jument » présente dans le Premarin contient plus d'une centaine de substances actives, y compris une quantité mesurable de progestérone. Ces révélations brouillent encore plus les pistes de la recherche sur les œstrogènes.

Au lieu de prescrire de l'urine de jument, pourquoi ne pas proposer des œstrogènes naturels synthétisés en laboratoire à partir de graisses végétales extraites de l'igname sauvage (une plante tropicale à gros tubercule farineux) ou du soja ? Ces œstrogènes naturels – œstrol, œstradiol et œstriol – peuvent être administrés sous forme de crèmes, de comprimés ou de patchs.

Les plantes ne fabriquent pas d'hormones humaines mais certains composés végétaux ont des effets hormonaux. On les appelle phytohormones ou hormones végétales. Bien qu'elles ne soient pas identiques à nos hormones, elles peuvent avoir une certaine activité hormonale. Nous reviendrons plus loin sur leur rôle.

Certaines plantes fabriquent des substances quasiment identiques au cholestérol animal et aux hormones animales mais elles n'ont pas d'effets hormonaux. De tels composés, nommés stérols, peuvent être facilement modifiés en laboratoire afin de devenir semblables aux hormones humaines. C'est le cas par exemple de la diosgénine extraite de tubercules d'igname et du soja.

En 1938, le docteur Russell E. Marker a découvert comment transformer la diosgénine contenue dans l'igname sauvage en progestérone (se reporter à la figure 2.2.). Comme ce produit est identique à la progestérone humaine, nous l'appelons progestérone « naturelle », c'est-à-dire naturelle pour les êtres humains. Nous ne disons pas qu'elle est « naturelle » parce qu'il s'agit d'un dérivé chimique d'une plante.

Depuis la découverte du docteur Marker, d'autres hormones stéroïdes ont été fabriquées à partir de la diosgénine. C'est le cas de la digoxine.

Les phytohormones que l'on trouve dans les plantes ont beau être fabriquées par la nature, elles ne sont pas pour autant naturelles pour votre organisme. Les phythœstrogènes peuvent être utiles car ils se comportent comme des œstrogènes faiblement actifs et occupent les récepteurs des œstrogènes, si bien qu'ils sont capables de vous protéger

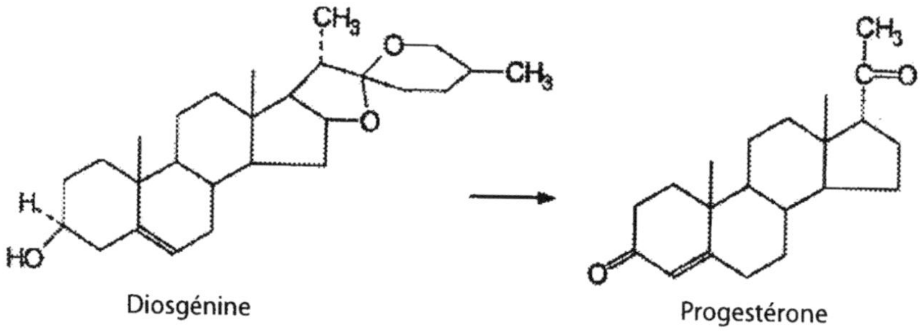

Diosgénine   Progestérone

Figure 2.2. Conversion de la diosgénine en progestérone.

La molécule de diosgénine peut être convertie en molécule de progestérone en laboratoire mais pas dans le corps humain.

d'un excès d'œstrogènes issus de l'environnement ou endogènes. Chez une femme souffrant d'un déficit en œstrogènes, ils peuvent compenser légèrement ce déséquilibre.

D'une manière générale, mieux vaut se soigner avec des plantes plutôt que de prendre des médicaments car elles agissent en douceur et ont moins d'effets secondaires. Il a fallu des millions d'années au corps humain pour évoluer et au cours de ce processus, il s'est merveilleusement adapté à la nourriture et aux remèdes que lui proposait la terre. Mais il existe aussi dans la nature des plantes toxiques pour l'homme

– comme certains champignons vénéneux et le sumac vénéneux, par exemple. Il ne suffit pas que Dame Nature fabrique une plante pour que celle-ci vous convienne. Si vous désirez utiliser des plantes pour équilibrer vos hormones, nous vous recommandons de consulter un herboriste expérimenté et qualifié.

Certaines personnes affirment aussi que la véritable progestérone fabriquée à partir de l'igname sauvage ou du soja ne contient pas les enzymes nécessaires à son utilisation dans l'organisme. Il s'agit là d'une assertion infondée. Une hormone est et reste une hormone. Les enzymes dont elle a besoin sont produites par les cellules réceptrices et non dans les ovaires et les glandes surrénales qui sécrètent l'hormone.

∾ L'ESCROQUERIE À L'IGNAME SAUVAGE

Il y a quelques années, Virginia Hopkins a reçu un coup de fil du directeur d'un magasin de produits diététiques de son quartier qui vendait des crèmes à base de progestérone. Son correspondant lui expliqua qu'une de ses clientes, nommée Sally, se trouvait dans le magasin, dans un fauteuil roulant, et qu'elle était furieuse. Pouvait-il lui passer sa cliente qui désirait lui poser quelques questions ? Sally raconta à Virginia que dix mois plus tôt, elle avait demandé à l'un des employés du magasin de lui conseiller un traitement capable de soigner son ostéoporose. L'employé lui avait vendu un exemplaire de *Guérir la ménopause : tout ce que votre médecin ne vous a probablement pas dit* et un pot de crème « à la progestérone ». Sally avait suivi à la lettre les conseils du livre concernant l'application de cette crème. Neuf mois plus tard, elle avait été victime d'une fracture de la hanche et les examens qu'elle avait subis faisaient ressortir une perte de la densité osseuse. Elle était dans tous ses états car la crème n'avait pas donné les résultats escomptés.

Virginia demanda à Sally quelle quantité de sodas et de viande elle consommait, si elle avait fait de la musculation, si elle n'avait pas de problèmes digestifs, etc. Rien dans ses réponses ne pouvait expliquer pourquoi la progestérone n'avait pas eu d'effet. Puis Virginia voulut savoir quelle crème Sally avait utilisée. Et il apparut alors qu'il ne s'agissait nullement de progestérone !

Sally avait utilisé un produit contenant de la diosgénine, vendu dans un pot portant la mention « extrait d'igname sauvage ». Même si les chimistes sont capables de fabriquer en laboratoire de la progestérone à partir de la diosgénine, cela n'implique pas que votre corps puisse faire la même chose. Les fabricants qui vendent de la diosgénine ou de la diosgénine baptisée « extrait d'igname sauvage » ou encore de la *Dioscorea* (le terme latin pour l'igname sauvage mexicain) sous forme de crème ou de cachets en prétendant qu'elle a les mêmes vertus que la progestérone ne disent pas la vérité. Sally est un exemple tragique de l'imprécision qui permet ce genre d'affirmations mensongères et de tromperies sur la marchandise. La diosgénine coûtant nettement moins cher que la véritable progestérone, c'est la cupidité et non l'ignorance qui explique ces pratiques.

On ajoute aussi de la diosgénine à de nombreuses crèmes contenant de la véritable progestérone et le pot porte alors la mention « dioscorea » ou « extrait d'igname sauvage ». Bien souvent, il s'agit d'un procédé destiné à entretenir la confusion entre igname sauvage et progestérone. Dans la plupart des cas, ces crèmes ne contiennent pas suffisamment de diosgénine pour que celle-ci ait un effet sur l'organisme. Néanmoins, nous ne savons pas d'une manière précise quelle est l'action de la diosgénine ni si elle est correctement absorbée à travers la peau. Nous recommandons donc aux femmes enceintes ou allaitantes de ne pas utiliser de crème contenant de la diosgénine, de la racine d'igname ou d'autres ingrédients actifs dont les effets sont encore inconnus.

Pour tout compliquer, il y a trente ans, les premiers fabricants de crèmes à base de progestérone ont présenté la progestérone contenue dans leur produit comme de l'« extrait d'igname sauvage » afin de satisfaire la FDA[4]. Comme de nombreux fabricants les ont imités ensuite, on trouve sur le marché plusieurs crèmes à base de progestérone véritable dont l'étiquette porte la mention « extrait d'igname sauvage ». Assurez-vous donc de l'origine de la progestérone qui entre dans la composition de la crème que vous achetez et reportez-vous à la page 368 afin de consulter la liste des crèmes que nous vous conseillons d'utiliser.

On rencontre la même confusion en ce qui concerne la DHEA. Les fabricants mettent de la diosgénine – ou « extrait d'igname sauvage » – dans une gellule et prétendent que c'est de la DHEA. C'est absolument faux ! Ces laboratoires ont pratiqué de nombreux tests afin de mesurer les taux hormonaux avant et après l'utilisation de ces produits et le seul résultat tangible se résume à une légère augmentation du taux de cholestérol.

Il est clair que les ignames sauvages ont un certain nombre d'effets sur l'organisme. Bien des femmes reconnaissent que cela les « requinque ». Après avoir étudié l'igname sauvage en laboratoire, le biochimiste David Zava pense que ce tubercule peut stimuler dans une certaine mesure les glandes surrénales. Une feuille d'épinard contient plus de dix mille composants différents. L'igname sauvage mexicain en contient au moins autant, si ce n'est plus. Les Chinois ont utilisé pendant des centaines d'années une variété d'igname sauvage afin de traiter les problèmes de santé féminins, il y a donc de grandes chances que l'igname ait des effets bénéfiques. Lesquels exactement ? Nous l'ignorons. Il faut donc savoir que l'igname sauvage, ou diosgénine, n'est pas de la progestérone, qu'il ne se transformera pas en progestérone dans votre organisme et qu'il ne possède pas les effets

---

4. La Food and Drug Administration ou FDA est l'organisme qui a pour mission de tester l'innocuité des aliments, additifs alimentaires, médicaments et cosmétiques aux Etats-Unis et de délivrer les autorisations de mise sur le marché. (NDLT)

bénéfiques de la progestérone. Si vous désirez essayer l'igname sauvage, achetez la variété chinoise, vérifiez son origine et consultez à ce sujet un herboriste qualifié.

ᕔ LES PHYTOHORMONES

On appelle phytohormones des composés végétaux ayant des effets hormonaux comparables à ceux de la progestérone, des œstrogènes, des androgènes ou des corticoïdes. La fonction des phytohormones est extrêmement complexe et inclue probablement d'autres facteurs végétaux qui, par synergie, accroissent leurs effets hormonaux. Lorsqu'on ingère ces végétaux, les composés qui ont des effets hormonaux sont absorbés et stimulent les récepteurs hormonaux, généralement à un degré moindre que les hormones humaines. En cas de déficit hormonal, ils peuvent avoir des effets bénéfiques. Les phytohormones font partie du folklore médical et sont vénérées pour des bienfaits tels que l'accroissement de la fertilité, l'amélioration de la santé du nouveau-né et le soulagement des symptômes liés à un déficit hormonal. Parmi les végétaux dont les effets hormonaux sont connus, citons le *Vitex* (gattilier), la réglisse, la salsepareille, des légumineuses comme le soja et la variété de gui européen.

Les femmes qui ont une alimentation végétarienne, riche en légumes et en fruits de toutes sortes, donc en phytohormones, souffriront probablement moins des symptômes de la préménopause et de la ménopause. Celles qui présentent un léger déficit en œstrogènes, se traduisant par des bouffées de chaleur et une sécheresse vaginale, peuvent souvent se contenter de prendre des plantes contenant des phytœstrogènes. Par conséquent, une alimentation adaptée ou des compléments à base de plantes permettront, dans bien des cas, d'éviter la prescription d'œstrogènes. Tout au long de ce livre, nous vous proposerons des traitements à base de plantes adaptés aux symptômes de la préménopause.

ᕟ LES XÉNOHORMONES

Les xénohormones ou xénobiotiques sont des produits chimiques tels que les pesticides ou les matières plastiques qui ont envahi notre environnement et exercent une influence sur tous les êtres vivants (les insectes, les poissons, les reptiles, les amphibiens, les oiseaux et les mammifères). Elles perturbent la fonction de reproduction et l'équilibre hormonal de toutes ces créatures, y compris l'homme. La plupart des xénohormones ont des effets œstrogéniques sur lesquels nous reviendrons dans le chapitre 15.

ᕟ APPRENEZ À CONNAÎTRE VOS SYMPTÔMES

Comme les taux hormonaux varient considérablement en période de préménopause, les dosages hormonaux et les tests salivaires sont peu fiables au cours de cette période. Chaque femme a donc intérêt à observer ses symptômes afin de dégager des constantes. Ces symptômes apparaissent-ils à un moment précis du cycle menstruel ou quotidiennement ? Sont-ils liés à l'absorption de certains aliments ou au stress ? L'exercice physique entraîne-t-il une amélioration ou une aggravation des troubles ?

Tenir un journal quotidien vous permettra de déceler ces constantes. Vous pouvez dresser une liste de vos symptômes et les cocher en fin de journée ou noter vos observations sur un calendrier. Chaque femme a sa manière à elle de traiter la question. L'important étant de déterminer ce qui vous arrive afin d'utiliser ces informations pour retrouver un équilibre.

Les chapitres suivants vont vous permettre de vous familiariser avec les œstrogènes et la progestérone, deux hormones interdépendantes qui jouent un rôle primordial dans l'équilibre de votre organisme. Nous jetterons aussi un bref coup d'œil aux cortisols et aux androgènes ou hormones mâles, en particulier la DHEA, l'androsténédione et la testostérone.

Chapitre 3

~

LES ŒSTROGÈNES :
ANGES DE VIE, ANGES DE MORT

Comme les œstrogènes ont de multiples effets sur l'organisme – aussi bien bénéfiques que nocifs – ils ont été surnommés « anges de vie et anges de mort » par le docteur Ercole Cavalieri, scientifique qui les a étudiés pendant trente ans. Nous reviendrons sur les travaux du docteur Cavalieri dans le chapitre 12.

L'image choisie par ce chercheur est éloquente. Il y a un monde en effet entre l'état de santé, le bien-être et la vision de la vie d'une femme selon qu'elle souffre d'un excès ou d'une insuffisance d'œstrogènes. Trop d'œstrogènes, par exemple, provoque des ballonnements, des insomnies et une hypersensibilité ; trop peu, indolence et dépression. Il existe de nombreux moyens de conserver un équilibre œstrogénique au cours de la préménopause et nous espérons que lorsque vous refermerez ce livre, vous trouverez cela aussi simple que de modifier légèrement votre alimentation, faire du sport ou utiliser une crème à base de progestérone.

Le mot « œstrogènes » est un terme générique qui s'applique à un nombre important de composés ayant des propriétés œstrogéniques : œstrogènes humains, animaux, de synthèse, phytœstrogènes et xénœstrogènes. Les principaux œstrogènes humains sont l'œstradiol, l'œstrone et l'œstriol.

A la puberté, une élévation de la concentration des œstrogènes permet le développement et le maintien des organes sexuels féminins et des caractéristiques sexuelles secondaires, ainsi que le maintien des cycles menstruels et de la grossesse. Le rôle primordial des œstrogènes consiste à contrôler la croissance et la fonction de l'utérus : ils provoquent la prolifération de l'endomètre (la muqueuse riche en vaisseaux qui tapisse l'utérus), le préparant ainsi à la grossesse.

Les œstrogènes exercent aussi une action sur les ovaires, le col de l'utérus, les trompes de Fallope, le vagin, les organes génitaux externes et les seins. Ils interviennent dans la modification des cordes vocales et les dépôts de graisse au niveau des seins et des hanches. L'émergence des œstrogènes à la puberté stoppe la croissance des os longs chez le garçon comme chez la fille. Chez cette dernière, on observe un pic de croissance staturale juste avant la puberté mais ensuite, dès que la concentration des œstrogènes est plus élevée, la croissance cesse.

En règle générale, les œstrogènes stimulent la croissance cellulaire. Les messages qu'ils envoient à l'organisme permettent le développement des tissus fortement irrigués de l'utérus pendant la première partie du cycle menstruel et sont en partie responsables de la maturation du follicule ovarien.

Compte tenu du rôle des œstrogènes sur la croissance des cellules, une concentration trop élevée de ces hormones facilite l'apparition du cancer. Voilà pourquoi il est si important que vous utilisiez une crème à base de progestérone si vous présentez les symptômes d'une dominance en œstrogènes (voir liste p. 61-62) ou si vous prenez un traitement hormonal substitutif à base d'œstrogènes. La progestérone permet à votre corps de contrôler l'action des œstrogènes sur la croissance cellulaire. Nous reviendrons plus en détail sur les relations entre œstrogènes et cancer du sein dans le chapitre 12.

L'effet stimulant des œstrogènes sur la croissance cellulaire facilite la cicatrisation des blessures. Une étude récente, publiée dans la revue *Nature Medicine*, montre que les blessures guérissent plus lentement chez la femme âgée mais en laissant une cicatrice moins importante. Lorsque l'on donne des œstrogènes à ces patientes, la guérison est plus rapide. Les jeunes rates castrées cicatrisent plus lentement que les autres mais si l'on applique localement un œstrogène, la blessure se referme plus vite.

L'excès d'œstrogènes a tendance à entraîner des carences en zinc, magnésium et vitamines B, trois substances importantes pour le maintien de l'équilibre hormonal. Le magnésium, appelé parfois nutriment antispasmodique, joue un rôle essentiel dans la prévention des crises cardiaques.

L'expression « dominance en œstrogènes », inventée par le docteur Lee à l'occasion de son premier livre sur la progestérone naturelle, décrit l'état d'une femme qui peut avoir une insuffisance, un excès ou un taux normal d'œstrogènes mais très peu ou pas du tout de progestérone pour contrebalancer les effets des œstrogènes dans l'organisme. Voici une liste des symptômes et états associés à une dominance en œstrogènes.

Accélération du processus de vieillissement
Baisse de la libido
Cancer de la prostate
Cancer de l'endomètre (utérin)
Cancer de l'utérus
Cancer du sein
Carence en magnésium
Carence en zinc
Désordres auto-immuns tels que le lupus érythémateux et la thyroïdite, et peut-être la maladie de Sjögren

Dysfonctionnement thyroïdien, imitant l'hypothyroïdisme

Dysplasie du col de l'utérus

Etat dépressif s'accompagnant d'anxiété ou d'agitation

Excès de cuivre

Fatigue

Favorise la formation de caillots sanguins (augmentation du risque d'embolie)

Fibromes utérins

Hypoglycémie

Idées confuses

Insomnie

Irritabilité

Maladie biliaire

Mains et pieds froids dus à un dysfonctionnement thyroïdien

Maux de tête

Métabolisme paresseux

Ostéoporose

Ovaires polykystiques

Perte de cheveux

Perte de mémoire

Perte osseuse de la préménopause

Prise de poids, plus particulièrement au niveau de l'abdomen, des hanches et des cuisses

Puberté précoce

Règles irrégulières

Rétention d'eau, ballonnements

Sautes d'humeur

Sécheresse oculaire

Seins fibrokystiques

SPM

Stérilité

Symptômes allergiques, dont l'asthme, l'urticaire, les éruptions cutanées et la congestion des sinus

Tension mammaire

ᴖᴖ LES CAUSES DE LA DOMINANCE EN ŒSTROGÈNES

A proprement parler, il est possible que tous les humains – hommes, femmes et enfants – souffrent d'une dominance en œstrogènes tant ces hormones sont présentes dans notre environnement. Il faudrait vivre dans une bulle pour échapper à l'excès d'œstrogènes auquel nous sommes confrontés quotidiennement à cause des pesticides, des matières plastiques, des déchets industriels, de la pollution automobile, de la viande que nous consommons, des savons, des lessives et de la plupart des matériaux d'ameublement (moquettes, lambris et meubles). Vous pouvez souffrir par intermittence de sinusite, maux de tête, sécheresse occulaire, asthme ou avoir les mains et les pieds froids, et ignorer que ces troubles sont dus à une exposition aux xénœstrogènes. Ce phénomène entraînera à la longue des problèmes plus chroniques comme l'arthrite ou les symptômes de la préménopause et pourra même favoriser directement ou indirectement l'apparition d'un cancer.

La figure 3.1 décrit les diverses sources et causes de la dominance en œstrogènes.

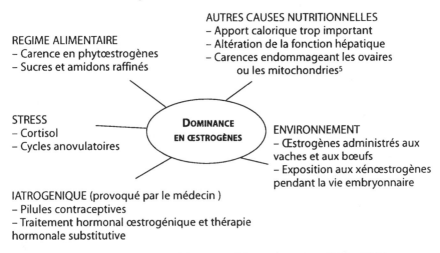

AUTRES CAUSES NUTRITIONNELLES
– Apport calorique trop important
– Altération de la fonction hépatique
– Carences endommageant les ovaires
   ou les mitochondries[5]

REGIME ALIMENTAIRE
– Carence en phytœstrogènes
– Sucres et amidons raffinés

STRESS
– Cortisol
– Cycles anovulatoires

DOMINANCE EN ŒSTROGÈNES

ENVIRONNEMENT
– Œstrogènes administrés aux
vaches et aux bœufs
– Exposition aux xénœstrogènes
pendant la vie embryonnaire

IATROGENIQUE (provoqué par le médecin)
– Pilules contraceptives
– Traitement hormonal œstrogénique et thérapie
hormonale substitutive

5. Organite cytoplasmique jouant un rôle fondamental dans la respiration cellulaire (NDLT)

Figure 3.1. Causes possibles de la dominance en œstrogènes.

Chez la femme en période de préménopause, l'absence d'ovulation constitue la meilleure preuve d'une dominance en œstrogènes. A partir de vingt-cinq ans, certains cycles menstruels peuvent être anovulatoires. Au moment de l'ovulation, le follicule ovarien se rompt, libérant un ovule (ou œuf) qui migre des trompes de Fallope jusque dans l'utérus. Ensuite, le follicule vide devient le corps jaune qui sécrète la progestérone. Si l'ovulation n'a pas lieu, votre corps ne fabriquera pas une quantité suffisante de progestérone. Votre cycle menstruel paraîtra normal mais le manque de progestérone entraînera certains symptômes du SPM : la tension et le gonflement mammaires, la prise de poids, les sautes d'humeur et les crampes...

Bien que le SPM ne soit pas dû uniquement à une dominance en œstrogènes, celle-ci constitue un facteur primordial du syndrome prémenstruel et les symptômes de la dominance en œstrogènes ressemblent beaucoup à ceux du SPM.

Le stress fait partie des nombreux facteurs capables de provoquer des cycles anovulatoires. Fort de la sagesse acquise au cours de son évolution, le corps sait pertinemment que le stress ne crée pas un environnement propice à la grossesse. En règle générale, des exercices physiques trop violents et un régime hypocalorique occasionnent des cycles anovulatoires. Mais toutes les formes de stress auront le même effet et en particulier le stress émotionnel. Le docteur Hanley a remarqué que les femmes tenues de travailler et d'élever leurs enfants ainsi que celles qui sont employées dans des entreprises exigeantes et hautement compétitives ont plus de cycles anovulatoires que la moyenne. Elle a aussi observé que l'ovulation cesse lorsqu'une femme subit des violences physiques ou psychologiques ou encore lorsque ses patientes ont eu une maladie grave.

Une dominance en œstrogènes associée au stress risque d'engendrer un cercle vicieux : la dominance en œstogènes induite par le stress provoque insomnie et anxiété, ce qui augmente l'activité des glandes surrénales qui, à leur tour, accroissent encore la dominance en œstrogènes. Une femme prisonnière de ce cycle infernal pendant plusieurs années sera en permanence « surexcitée mais fatiguée » (ou « fatiguée mais surexcitée »), état éventuellement en mesure d'occasionner un dysfonctionnement des glandes surrénales, un déséquilibre du taux de sucre sanguin et une fatigue si débilitante qu'elle peut entraîner un diagnostic de fatigue chronique. L'un des buts de ce livre est de vous aider à reconnaître un tel cycle afin que vous puissiez en sortir avant d'être totalement exténuée.

L'exposition aux xénohormones au cours de la vie embryonnaire endommage les follicules ovariens et entraîne plus tard dans la vie une défaillance folliculaire. C'est là sans doute l'une des principales causes des cycles anovulatoires chez les femmes en période de préménopause ainsi que de l'épidémie de stérilité observée chez les femmes de cette tranche d'âge. Les effets combinés d'une faible concentration de progestérone liée aux cycles anovulatoires et d'une exposition aux xénohormones suffisent amplement à créer une dominance en œstrogènes. A la longue, apparaîtra un syndrome de la préménopause : SPM, seins fibrokystiques, fibromes, règles irrégulières ou endométriose.

Une autre cause malheureusement répandue de la dominance en œstrogènes est l'hystérectomie (ou ablation de l'utérus) qui entraîne une ménopause déclenchée chirurgicalement. Même lorsque les ovaires sont intacts, leur réserve de sang est gravement compromise par l'ablation de l'utérus et ils cessent en général de fonctionner deux ans après l'intervention. Mais les femmes ayant subi une hystérectomie ne sont pas pour autant au bout de leurs peines. Victimes d'une pratique médicale erronnée, il n'est pas rare qu'on leur prescrive uniquement des œstrogènes et pas de progestérone. Entre une thérapie hormonale substitutive uniquement œstrogénique, les œstrogènes fabriqués dans les cellules lipidiques et les œstrogènes présents dans l'environnement, la dominance en œstrogènes est garantie.

Une supplémentation en œstrogènes chez une femme qui n'en a nul besoin ou qui n'a pas de progestérone pour en équilibrer les effets augmente la rétention d'eau, le gonflement et les kystes mammaires, les migraines, l'état dépressif, le stockage des graisses, les troubles biliaires et le risque de cancers hormonodépendants ; chez des femmes n'ayant pas subi d'hystérectomie, cette supplémentation peut occasionner des règles trop abondantes.

∿ LA VÉRITÉ SUR LES RECHERCHES CONCERNANT LES ŒSTROGÈNES

Plus vous approcherez de la ménopause, plus les médecins traditionnels voudront vous prescrire des œstrogènes. Nous espérons que vous résisterez à ces efforts tendancieux et que vous vous renseignerez avant d'accepter ou non de suivre un traitement hormonal.

Si vous faites confiance à ce que vous racontent les média, vous croirez dur comme fer que les œstrogènes représentent la panacée universelle à pratiquement tous les symptômes du vieillissement, en particulier à l'ostéoporose, à la maladie d'Alzheimer et aux maladies cardiaques. L'astucieux marketing et les stratégies publicitaires de laboratoires pharmaceutiques pesant plusieurs milliards de dollars ont créé une situation extravagante autour de la recherche sur les œstrogènes. Des douzaines de petites études sur les œstrogènes, non publiées et réalisées dans des endroits perdus par des scientifiques inconnus, sont accueillies à grand tapage par les média populaires. Elles ressemblent à s'y méprendre à ces brèves soi-disant médicales que diffusent les chaînes de télévision locales ou publient les journaux régionaux. Ces reportages émanent de l'industrie pharmaceutique. Les informations fournies ne sont ni examinées de près ni remises en question par les journalistes qui se contentent de les régurgiter. Pour eux, il s'agit là simplement d'« informations médicales », capables de satisfaire les gros annonceurs (en particulier, les directeurs des laboratoires pharmaceutiques qui dépensent des milliards de dollars chaque année). Nombre d'articles superficiels et sans fondement scientifique, vantant indirectement des médicaments, sont publiés par des magazines grand public sponsorisés par les dollars des laboratoires pharmaceutiques. Nous ne saurions trop vous conseiller de vous méfier des informations véhiculées par ces média.

L'une des conséquences les plus bizarres de ces informations médicales, émanant des laboratoires pharmaceutiques, est l'usage du mot « œstrogènes » employé pour qualifier tout traitement hormonal substitutif. Les média vantent les miracles des œstrogènes mais lorsque l'on se réfère aux recherches sur lesquelles ils s'appuient, on découvre presque toujours que les femmes en question prennent aussi des progestatifs de synthèse. Ce mensonge délibéré est destiné à minimiser les dangers des œstrogènes. En d'autres termes, les soi-disant résultats miraculeux des œstrogènes supposent bien souvent l'usage de progestérone ou de progestatifs de synthèse associés au traitement œstrogénique, ou encore que les femmes auxquelles on a prescrit un tel traitement ont un mode de vie plus sain que celles qui ne prennnent pas d'hormones.

Prenons l'exemple des études portant sur le rôle des œstrogènes dans la maladie d'Alzheimer. On sait aujourd'hui que les femmes ayant un statut socio-économique et un niveau d'études élevés courent moins de risques que les autres d'être atteintes par la maladie d'Alzheimer. Mais ce facteur n'a pas été pris en compte dans les recherches menées à ce jour et il n'y a eu dans ce domaine ni études à long terme ni expérimentation en double aveugle (au cours de laquelle ni les sujets testés ni les chercheurs ne savent qui reçoit ou non le produit étudié). En outre, ces recherches ne fournissent aucune donnée sérieuse sur le nombre de femmes qui prenaient un progestatif en plus des œstrogènes et sur celles qui n'avaient pas subi d'hystérectomie – toutes choses égales par ailleurs.

Nul doute que les œstrogènes aient un effet stimulant sur le cerveau, qu'ils améliorent la mémoire et en conséquence, les symptômes liés à la maladie d'Alzheimer. Mais à long terme la dominance en œstrogènes peut avoir les effets inverses sur le cerveau, provoquer une surexcitation chronique entraînant la mort des cellules, un risque accru de caillots sanguins (donc d'attaques) et des déséquilibres au niveau des liquides cellulaires qui peuvent occasionner des maux de tête.

Les œstrogènes sont des hormones merveilleuses et utiles à condition qu'on les prescrive uniquement lorsque cela s'avère nécessaire, à très faibles doses et sous leur forme naturelle (c'est-à-dire : identique à celle que fabrique l'organisme). Les principaux symptômes d'un déficit en œstrogènes sont les bouffées de chaleur, les sueurs nocturnes et la sécheresse vaginale. Cette insuffisance peut aussi provoquer fatigue, problèmes de mémoire et imprécision de la pensée – mais la dominance en œstrogènes entraîne les mêmes symptômes. La vessie contient des récepteurs des œstrogènes et est donc sensible à ces hormones. Une insuffisance d'œstrogènes peut occasionner ou aggraver des problèmes de vessie et du système urinaire. La plupart des contraceptifs hormonaux provoquent des problèmes urinaires, peut-être parce qu'ils bloquent l'action des œstrogènes endogènes.

On peut remédier aux symptômes d'une insuffisance d'œstrogènes en changeant de mode de vie (augmentation de l'exercice physique et modification du régime alimentaire), en utilisant de la progestérone naturelle qui est un précurseur des œstrogènes ou encore grâce à des plantes possédant des propriétés œstrogéniques. Ces solutions seront abordées en détail plus loin dans ce livre.

Les œstrogènes en excès sont transformés dans le foie. Si cet organe souffre d'un dysfonctionnement lié à une consommation d'alcool trop importante ou à la prise de certains médicaments, par exemple, votre taux d'œstrogènes sera trop élevé. Voilà pourquoi une dominance en œstrogènes peut parfois disparaître en adoptant un mode de vie plus sain.

Si vous avez besoin d'une supplémentation en œstrogènes, vous pouvez utiliser un œstrogène naturel administré sous forme de crème, de patch ou de gellules. Les œstrogènes, et en particulier l'œstriol, ne sont pas aussi facilement absorbés par la peau que la progestérone, leur action est donc aussi efficace lorsqu'on les utilise sous forme de comprimés. En cas de bouffées de chaleur et de sueurs nocturnes, deux symptômes qui affectent l'ensemble de l'organisme, nous vous conseillons de prendre un œstrogène quotidiennement et de procéder par tâtonnements jusqu'à ce que vous découvriez la dose minimale capable de rétablir l'équilibre hormonal. Si vous ne souffrez que de sécheresse vaginale, une très petite quantité de crème œstrogénique, utilisée localement une ou deux fois par semaine, devrait mettre fin à ce symptôme. L'œstriol, qui a peut-être un rôle protecteur vis-à-vis du cancer du sein, permet de conserver une muqueuse vaginale en bon état et protège contre les infections du système urinaire lorsqu'il est utilisé sous forme de crème vaginale.

Il est certain qu'un traitement œstrogénique peut aider les femmes souffrant d'une insuffisance réelle d'œstrogènes et qu'appliquées sous forme de crème ou de patch pendant les quelques années qui précèdent la ménopause, ces hormones sont en mesure de ralentir la perte osseuse. En fait, nombre d'études ont démontré que les femmes un peu fortes, qui produisent donc plus d'œstrogènes au niveau des cellules lipidiques, jouissent d'une meilleure densité osseuse.

Mais dès que l'on dépasse, même légèrement, la dose nécessaire, les œstrogènes deviennent un possible promoteur du cancer. Vous devez donc conserver cette information à l'esprit, lorsque vous prenez des œstrogènes, et toujours associer de la progestérone à ce traitement afin de maintenir l'équilibre hormonal. Les médecins conventionnels ont tendance à prescrire uniquement des œstrogènes afin de pallier aux symptômes de la préménopause ou de la ménopause. C'est là une pratique dangereuse, irresponsable et lourde de conséquences.

Dans le prochain chapitre, vous allez découvrir comment la progestérone peut neutraliser les dangers des œstrogènes, quels effets bénéfiques elle peut avoir sur l'organisme et pourquoi il est préférable de garder ses distances par rapport aux progestatifs de synthèse, y compris ceux qui entrent dans la composition des pilules.

Chapitre 4

─── ∾ ───

Progestérone et progestatifs : la grande protectrice et les grands mystificateurs

« J'ai eu l'impression que mon corps poussait un immense soupir de soulagement. »

« J'ai réussi à remettre ma vie sur les rails et mes symptômes ont disparu. »

« Je croyais avoir perdu pour de bon la faculté de penser mais j'ai à nouveau les idées claires, et même plus claires qu'avant. »

« J'ai passé une seconde échographie et mon fibrome a diminué de moitié. Mon médecin m'a dit que je n'aurais pas besoin d'une hystérectomie. »

« Je n'ai plus de SPM ni de seins tendus et je contrôle mes émotions au cours de la semaine qui précède mes règles. »

« Après avoir pris pendant trois mois de la progestérone, de l'acide folique et de la vitamine B6, les examens ont montré que ma dysplasie avait disparu. »

« Depuis que j'utilise de la crème à base de progestérone, je n'ai plus de maux de tête. »

« J'ai perdu cinq kilos, qui étaient surtout dus à la rétention d'eau, et je ne me sens plus gonflée comme un ballon. »

« J'ai retrouvé le sommeil, je suis beaucoup moins anxieuse et cafardeuse. »

« Nous tenons à vous annoncer que nous venons d'avoir un petit garçon en parfaite santé. »

C'est là le genre de lettres, télécopies et coups de fil que reçoivent quotidiennement les docteurs Lee et Hanley de la part de patientes dont les symptômes de la préménopause ont été résolus grâce à l'utilisation d'une crème à base de progestérone naturelle. Cela paraît trop beau pour être vrai et pourtant il s'agit seulement d'un cas où l'on fournit au corps ce dont il a besoin pour conserver son équilibre. Vous savez maintenant à quel point notre environnement est saturé d'œstrogènes, vous ne vous étonnerez donc pas qu'une femme se sente mieux en utilisant de la progestérone.

Voici une lettre caractéristique, choisie parmi celles que reçoit le docteur Lee.

« Je m'appelle Erica. J'aurai quarante-trois ans au mois d'août. J'ai eu mes premières bouffées de chaleur à quarante ans. Comme elles étaient de plus en plus fortes et nombreuses, j'ai commencé à surveiller mes règles. Alors que, jusque-là, mes règles avaient été très régulières, elles survenaient maintenant avec cinq jours d'avance ou trois jours de retard. Un an plus tard, j'ai eu mes premières sueurs nocturnes. Je souffrais aussi d'une perte de la mémoire à court terme et de terribles insomnies. A certains moments du cycle, ma tension augmentait, ce qui ne m'était encore jamais arrivé. Et quatre mois avant de découvrir votre livre, j'avais perdu tout intérêt pour les rapports sexuels.

Lorsque je me suis enfin décidée à consulter un médecin, j'avais mes règles depuis treize jours. Il m'a dit que j'étais définitivement entrée dans la périménopause et m'a prescrit une pilule mini-dosée. Cette pilule a soulagé mes symptômes mais a eu aussi de désastreux effets secondaires. J'ai pris du poids, mes seins étaient très douloureux et je souffrais en permanence de gaz intestinaux. Mes règles s'accompagnaient de gros caillots de sang et j'étais constamment ballonnée. Au bout d'un an, la pilule qu'on m'avait prescrite ne me fit plus aucun effet. J'avais à nouveau des bouffées de chaleur, des sueurs noctures et des insomnies insupportables. Mon médecin me donna une pilule plus fortement dosée que j'arrêtai au bout de deux mois car les effets secondaires étaient encore pires qu'avec la première.

C'est alors que je découvris votre livre. Je le lus d'une traite, puis le relus en soulignant les passages qui me concernaient. Sans attendre, je me rendis dans une boutique diététique pour acheter une crème à base de progestérone. J'ai commencé ce traitement le 25 décembre, qui coïncidait avec le douzième jour de mon cycle, et ce fut là mon plus beau cadeau de Noël.

Peu après le début du traitement, j'ai eu à nouveau envie de faire l'amour. Je ne souffrais plus de sueurs nocturnes, ni de perte de mémoire. Je parvins à perdre du poids. Plus étonnant encore, je n'avais plus aucun symptôme du SPM. Ceux-ci ne sont d'ailleurs jamais réapparus et mes seins ne sont plus douloureux même avant mes règles.

J'ai offert votre livre à ma mère. Ma sœur, qui a subi une hystérectomie, l'a lu, elle aussi, et est allée s'acheter un tube de crème à base de progestérone. J'en ai parlé à tout le monde autour de moi, mes amies, mes collègues de travail. Découvrir votre livre est la meilleure chose qui pouvait m'arriver. Merci infiniment ! »

La progestérone n'est pas une appellation générique mais une hormone produite par le corps jaune après l'ovulation (voir figure 4.1) et en faible quantité par les glandes surrénales. Elle est synthétisée chez l'être humain grâce à une voie biosynthétique qui part du cholestérol et aboutit à la progestérone en passant par la prégnénolone. La progestérone est à son tour un précurseur des corticoïdes et de la testostérone.

Pendant la grossesse, d'importantes quantités de progestérone sont aussi synthétisées par le placenta.

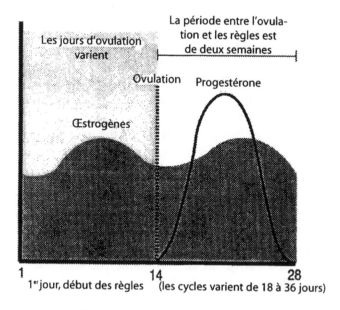

Figure 4.1. Le cycle menstruel.

Sur ce graphique, la progestérone est mesurée en nanogrammes et les œstrogènes en picogrammes, ce qui représente 1/1 000 de nanogramme. En d'autres termes, les œstrogènes sont beaucoup plus puissants que la progestérone. Si ce diagramme était représenté à l'échelle, la ligne de la progestérone occuperait deux pages de la taille de celle-ci alors que la ligne des œstrogènes serait quasiment invisible tout en bas du graphique. Remarquez aussi que l'ovulation peut apparaître à n'importe quel moment entre le 3ᵉ et le 14ᵉ jour du cycle menstruel mais que la période entre l'ovulation et les règles est invariablement de deux semaines.

La progestérone est une molécule spécifique fabriquée par les mammifères, qui a des effets sur tous les tissus de l'organisme y compris l'utérus, le col de l'utérus, le vagin, le système endocrinien (hormonal), les cellules cérébrales, la synthèse de la gaine de myéline des nerfs périphériques, les cellules osseuses, la production d'énergie et de chaleur

74

physiologique (thermogenèse), le système immunitaire, la survie et le développement de l'embryon, ainsi que la croissance et le développement du fœtus. Même si la progestérone est appelée hormone sexuelle, elle n'entraîne pas de caractéristiques sexuelles secondaires et ne peut donc être qualifiée d'hormone mâle ou femelle.

Comme la progestérone est un composé extrêmement liposoluble, elle est très bien absorbée lorsqu'on l'applique sur la peau ou lorsqu'elle est administrée par voie percutanée. D'après le docteur David Zava, elle est de loin la plus lipophile (de *lipos* : graisse et *philein* : aimer) des hormones stéroïdes. Elle circule dans le sang, véhiculée par des substances liposolubles telles que les membranes cellulaires des globules rouges. Près de 70 à 80 % de la progestérone fabriquée par les ovaires est véhiculée par les globules rouges et ne peut donc être mesurée lors d'une analyse du sérum (ou plasma) sanguin. Cette quantité de progestérone est biologiquement active (utilisable par l'organisme) et passe rapidement dans la salive après avoir été filtrée à travers les glandes salivaires, si bien qu'elle peut être mesurée avec précision par un dosage salivaire. Les 20 à 30 % de progestérone restants sont liés à une protéine et peuvent donc apparaître à l'occasion d'une analyse du plasma sanguin. Néanmoins, seuls 1 à 9 % de cette progestérone-là sont utilisables par l'organisme. Voilà pourquoi les dosages salivaires sont plus précis et pertinents que les analyses de sang chaque fois que l'on veut mesurer la progestérone biodisponible.

A la ménopause, la chute des concentrations de progestérone est proportionnellement beaucoup plus importante que celle des œstrogènes. Alors que les œstrogènes ne régressent que de 40 à 60 % par rapport au taux normal moyen, la concentration de progestérone peut quasiment tomber à zéro. En outre, les cycles anovulatoires entraîneront une baisse de la concentration de progestérone au cours de la préménopause.

L'un des rôles les plus importants et les plus puissants de la progestérone consiste à équilibrer ou à s'opposer aux œstrogènes. Lorsque le taux de progestérone est stable, il est plus facile de faire face à un excès d'œstrogènes. Voici une liste de quelques-uns des effets sur l'organisme d'un excès d'œstrogènes, comparés aux effets antagonistes de la progestérone lorsque la concentration de cette hormone est adéquate.

Effets des œstrogènes	Effets de la progestérone
Déclenchent la prolifération de l'endomètre	Maintient l'activité sécrétoire de l'endomètre
Stimulent les seins	Protège contre les kystes mammaires
Augmentent les graisses corporelles	Aide à l'utilisation des graisses pour produire de l'énergie
Augmentent la rétention hydro-sodée	Agit comme un diurétique naturel
Occasionnent dépression et maux de tête	Agit comme un antidépresseur naturel
Interfèrent avec l'hormone thyroïdienne	Facilite l'action de l'hormone thyroïdienne
Augmentent les risques de caillots sanguins	Normalise la coagulation sanguine
Font baisser la libido	Restaure la libido
Altèrent le contrôle de la glycémie	Normalise la teneur du sang en glucose (glycémie)
Entraînent une perte du zinc et une rétention du cuivre	Normalise les concentrations de cuivre et de zinc
Réduisent l'oxygénation des cellules	Rétablit l'oxygénation correcte des cellules
Accroissent le risque de cancer de l'endomètre	Protège contre le cancer de l'endomètre

Effets des œstrogènes	Effets de la progestérone
Accroissent le risque de cancer du sein	Aide à la protection contre le cancer du sein
Freinent légèrement la fonction des ostéoclastes	Stimule le remodelage de l'os par les ostéoblastes
Réduisent la tonicité vasculaire	Rétablit la tonicité vasculaire
Accroissent le risque de troubles auto-immuns	Fonctionne comme précurseur des corticostéroïdes
Sont à l'origine des récepteurs de la progestérone	Augmente la sensibilité des récepteurs des œstrogènes
Augmentent le risque de cancer de la prostate	Aide à la protection contre le cancer de la prostate
	Permet la survie de l'embryon

∾ RÔLES ET RÉCEPTEURS DE LA PROGESTÉRONE

La progestérone constitue un facteur primordial dans la bio-synthèse des autres hormones et elle a aussi d'autres fonctions importantes dans l'organisme comme le montre le tableau 4.2.

Tout savoir sur la préménopause

Cholestérol   ⟶   Prégnénolone
            ↓
          Progestérone

Voies biosynthétiques	**Effets sur la reproduction**	**Effets intrinsèques**
Androsténédione	Maintient la fonction sécrétoire	Agit comme un léger
Testostérone	de l'endomètre	diurétique
Œstrone, œstradiol,	Aide à la survie de l'embryon	Aide à l'utilisation des
œstriol	Aide au développement du	graisses pour la production d'énergie
Tous les cortisols et	fœtus pendant toute la gestation	tion d'énergie
corticostéroïdes	Accroît la libido	Agit comme un antidépresseur naturel
Aldostérone		presseur naturel
		Facilite l'action de l'hormone thyroïdienne
		Normalise la coagulation sanguine
		Normalise la teneur du sang en glucose
		Normalise les taux de zinc et de cuivre
		Maintient l'oxygénation correcte des cellules
		Protège contre les kystes mammaires, le cancer du sein et de l'endomètre
		Hydrate la peau (localement)
		S'oppose aux effets secondaires des œstrogènes

Tableau 4.2. Rôles de la progestérone naturelle.

La progestérone a des effets importants sur tous les systèmes de l'organisme. Entre autres, elle agit comme précurseur des hormones stéroïdes, maintient la gestation, assure d'autres fonctions dans la reproduction et assure aussi de nombreuses fonctions intrinsèques de régulation.

Les hormones ne délivrent leurs messages qu'à l'endroit où les récepteurs sont disponibles et à condition qu'ils le soient. La liste des récepteurs de la progestérone illustre les rôles multiples que joue cette hormone. En l'état actuel des connaissances, voici les aires qui possèdent des récepteurs de la progestérone.

Sites	Symptômes/actions bénéficiant de la progestérone
Cerveau	
Cerveau limbique	Symptômes émotionnels/ psychologiques, épilepsie
Hypothalamus	Cycles menstruels (GnRH : gonadolibérine), bouffées de chaleur et libido (noyau ventro-médian)
Aire pré-optique	Libido (pulsion sexuelle)
Tegmentum ventral	Libido (pulsion sexuelle)
Méninges	Maux de tête
Hypophyse	Hormones gonadotropes
Nerfs périphériques	Restauration de la gaine de myéline
Système respiratoire	
Muqueuse du rhinopharynx	Rhinite, mal de gorge, sinusite, pharyngite, laryngite
Poumons	Asthme
Peau	Sécheresse et désépaississement de la peau, dermatoses, alopécie
Œil	Glaucome
Seins	Lésions mammaires, maturation cellulaire et vitesse de reproduction
Trompes	Congestion, dysfonctionnement
Cavité utérine	Endométriose, fibromes
Col utérin	Transformations de la muqueuse du col utérin
Testicules	Production de testostérone
Surrénales	Production des corticostéroïdes

RÔLES DE LA PROGESTÉRONE

Procréation

– Maintient l'activité sécrétoire de l'endomètre afin qu'il puisse nourrir un potentiel ovocyte fécondé
– Permet l'accès du sperme à la muqueuse du col utérin
– Permet la survie de l'embryon
– Bloque l'ovulation du second ovaire (quand elle a eu lieu dans le premier)
– Empêche le rejet immunitaire de l'embryon qui porte l'ADN « étranger » du père
– Permet le développement complet du fœtus tout au long de la grossesse
– Facilite l'utilisation des graisses pour la production d'énergie pendant la grossesse
– Active la fonction des ostéoblastes afin d'augmenter la construction de l'os neuf
– Permet la différenciation sexuelle de l'embryon au cours de son développement
– Accroît la libido au moment de l'ovulation

Effets précurseurs

– Principal précurseur des corticostéroïdes, des œstrogènes et de la testostérone (produite par les testicules)

Effets intrinsèques

– Protège contre les kystes mammaires
– Protège contre le cancer de l'endomètre, du sein, des ovaires et de la prostate
– Normalise la coagulation sanguine (un excès d'œstrogènes entraîne une coagulation sanguine anormale) et protège contre l'embolie

– Agit comme un diurétique naturel (un excès d'œstrogènes
    entraîne la rétention d'eau)
– Agit comme un antidépresseur naturel et soulage les
    manifestations de l'anxiété
– Normalise la teneur du sang en glucose
– Rétablit à un niveau normal l'oxygénation cellulaire (les
    œstrogènes le font baisser)
– Normalise les concentrations de zinc et de cuivre
– Soutient l'action hormonale de la thyroïde (les œstrogènes
    interfèrent dans l'utilisation des hormones thyroïdiennes)
– Facilite l'utilisation des graisses pour produire de l'énergie
    (les œstrogènes convertissent en graisses les calories
    alimentaires)
– Stimule la formation de l'os neuf par l'intermédiaire des
    ostéoblastes (s'oppose à l'ostéoporose)
– Maintient les fonctions normales de la membrane cellulaire
– Rétablit la sensibilité normale des récepteurs des
    œstrogènes
– A des effets anti-inflammatoires
– Utile dans certaines crises d'épilepsie
– Diminue la fréquence des désordres immunitaires
– Augmente la température du corps
– Aide au métabolisme des graisses pour la production
    d'énergie
– Prévient l'hypertension
– Prévient les candidoses (infections par une levure) à doses
    physiologiques
– Augmente la production d'immunoglobuline E (IgE) qui
    protège contre les infections respiratoires et vaginales, et
    les réactions allergiques

Il est clair que la progestérone est indispensable au bon fonctionnement de l'organisme. Nous trouverez dans le chapitre 16 des instructions détaillées qui vous permettront de déterminer si vous avez besoin ou non d'utiliser une crème à base de progestérone et si oui, en quelle quantité.

⌇ IL NE FAUT PAS ABUSER DES BONNES CHOSES

Qu'arrive-t-il lorsqu'on utilise trop de progestérone à long terme ? La même chose que pour les autres hormones : les bienfaits apportés par l'utilisation d'une dose physiologique en cas de déficit sont alors inversés (la dose physiologique reproduit celle que fabriquerait un corps en bonne santé et équilibré contrairement à la dose pharmacologique – ou mégadose – administrée dans la plupart des traitements médicamenteux). Un excès de progestérone épuise les récepteurs ou réduit leur sensibilité si bien que les bénéfices escomptés sont souvent perdus.

A doses physiologiques, la progestérone accroît certaines défenses immunitaires normales de l'organisme et bloque la réaction de rejet d'un tissu étranger dans l'utérus, condition nécessaire à la survie de l'embryon en cas de fécondation (les spécialistes des greffes d'organe étudient actuellement cette propriété anti-rejet de la progestérone). Mais une dose trop élevée de progestérone supprimerait ou inverserait cette action positive.

Pendant la grossesse, la progestérone joue un rôle important dans le développement des tissus spécialisés permettant la lactation. Les femmes qui utilisent trop de progestérone peuvent donc avoir les seins qui grossissent considérablement. Même si ce phénomène semble positif aux yeux de certaines d'entre elles, utiliser une dose excessive de progestérone dans ce but n'est nullement recommandé. En effet, lorsque le taux de progestérone redeviendra normal, les effets disparaîtront et la personne en question risque de se retrouver avec des seins pendants (un effet que connaissent bien les femmes qui ont allaité leurs enfants).

La concentration de progestérone des cellules cérébrales est vingt fois supérieure à celle du sérum sanguin. Au niveau du cerveau, la progestérone réduit l'excitabilité des cellules. Lorsque son taux est normal, elle permet une amélioration de la concentration. On peut utiliser une concentration moyennement élevée de progestérone comme anticonvulsif. Au cours des années 50, elle était conseillée comme médication anticonvulsivante. Une étude récente, menée en Suède, démontre que les femmes souffrant d'épilepsie cataméniale (dont les symptômes s'aggravent en période prémenstruelle) ont un faible taux de progestérone et un taux élevé d'œstrogènes. Les recherches portant sur l'épilepsie animale ont prouvé que la progestérone est anticonvulsivante et que ses métabolites ont un effet stabilisateur sur le système nerveux. Le fait que les symptômes de l'épilepsie cataméniale ne s'améliorent pas pendant la grossesse, alors que les concentrations de progestérone sont élevées, suggère qu'un taux élevé d'œstrogènes joue aussi un rôle important dans l'apparition des crises.

Les personnes présentant un taux de progestérone supérieur à la normale pendant plus de six mois deviennent léthargiques et même déprimées. Ce phénomène apparaît généralement avec la progestérone micronisée administrée par voie orale ou avec des crèmes trop dosées. Heureusement, ces effets disparaissent dès que le taux de progestérone redevient normal.

La progestérone a été utilisée dans le cadre de recherches destinées à prévenir l'hyperplasie endométriale (ou croissance excessive de la muqueuse utérine) et empêcher la menstruation et l'ovulation (une augmentation de la progestérone donne à l'autre ovaire la consigne de ne pas ovuler). Elle a été approuvée par la FDA en tant que traitement de l'aménorrhée (ou absence de menstruation). Cependant, lorsqu'elle est administrée oralement, la progestérone est véhiculée vers le foie où elle est convertie à 80-90 % en métabolites qui seront éliminés par l'organisme. Seuls 10 à 20 % de la progestérone administrée sous cette forme sont réellement utilisés par l'organisme Voilà pourquoi les médecins choisissant ce mode d'administration sont tenus de prescrire des doses élevées allant jusqu'à 200 mg par jour pour obtenir des résultats. Comme certains de ces métabolites pénètrent dans la circulation générale et ont des effets secondaires indésirables, mieux vaut éviter ce type de traitement.

Les crèmes, qui agissent à travers la peau, constituent le meilleur et le plus sûr moyen de procurer à l'organisme la dose physiologique correcte de progestérone dont il a besoin.

Le docteur David Zava rapporte qu'une dose trop élevée de progestérone provoque un inconfort et des ballonements abdominaux qui, d'après lui, seraient imputables à un effet négatif sur le système digestif. Ce chercheur a aussi démontré qu'un excès de progestérone peut entraîner une élévation des concentrations de cortisol et induire des symptômes tels qu'une augmentation de l'appétit et du poids, en particulier autour de l'abdomen.

Pour déterminer l'exact dosage de progestérone dont vous avez besoin, reportez-vous au chapitre 16.

❧ PROGESTATIFS

Après avoir consulté trois médecins du Middlewest incapables de l'aider, Stephanie décida de prendre l'avion et de venir voir le docteur Hanley. Un an plus tôt, son gynécologue lui avait conseillé une méthode contraceptive basée sur l'utilisation d'implants contenant un progestatif de synthèse, insérés sous la peau de l'avant-bras. Ces petits tubes qui diffusent lentement un progestatif dans le système sanguin pendant plusieurs mois constituent un moyen contraceptif pratique et fiable.

Pendant les premiers mois, tout sembla aller pour le mieux. Puis Stéphanie commença à avoir des saignements irréguliers qui, à la longue, devinrent si fréquents qu'elle saignait quasiment en permanence. Elle téléphona à son gynécologue qui lui répondit que ces symptômes étaient normaux et lui conseilla de ne pas s'inquiéter. Elle se faisait néanmoins du souci et ces saignements affectaient sa vie sexuelle. Son sommeil était, lui aussi, perturbé et après six mois de traitement, elle ne dormait plus que cinq heures maximum par nuit si bien qu'elle se sentait fatiguée en permanence. Elle souffrait par intermittence de fortes douleurs abdominales, comme si elle avait une horrible crampe musculaire et une sensation de brûlure interne. Lorsqu'elle retéléphona à son médecin, celui-ci lui dit que son insomnie n'était pas liée au progestatif et il insista pour qu'elle conserve les implants. Au bout de neuf mois, devant la persistance des troubles, on les lui retira enfin. Cette opération devait soi-disant être indolore et ne pas laisser de cicatrice. En réalité, son bras doubla de volume et la fit souffrir pendant plusieurs jours, et elle conserva une vilaine cicatrice boursouflée de la taille d'un demi-dollar. Plus grave encore, ses symptômes ne disparurent pas : elle continuait à peu dormir et à saigner.

Le docteur Hanley fit suivre à Stéphanie une cure détoxiquante destinée à soutenir son foie et elle l'adressa à un spécialiste de chirurgie plastique afin de vérifier que tous les implants avaient été retirés. Ce dernier découvrit deux capsules dans son bras. Après retrait de ces dernières, les saignements cessèrent. Mais Stéphanie était toujours insomniaque et avait des cycles menstruels irréguliers. Le docteur Hanley donna à sa patiente deux mois pour qu'elle élimine les progestatifs, puis elle lui prescrivit une crème à base de progestérone naturelle et des plantes pour soigner ses troubles du sommeil. Elles mirent sur pied ensemble un régime alimentaire et un programme d'exercices physiques afin d'éliminer les toxines de son organisme et de rétablir les rythmes du sommeil. Trois mois plus tard, Stéphanie avait retrouvé son équilibre – et elle utilisait maintenant un diaphragme.

Les progestatifs sont des analogues synthétiques de la

progestérone, c'est-à-dire qu'ils ont certains effets semblables à ceux de la progestérone (ou effets *progesterone-like*). Comme le montre bien la figure 4.3, la molécule modifiée chimiquement est différente de celle de la progestérone. Depuis 1950, les progestatifs ont été largement utilisés dans les pilules et les traitements hormonaux de substitution.

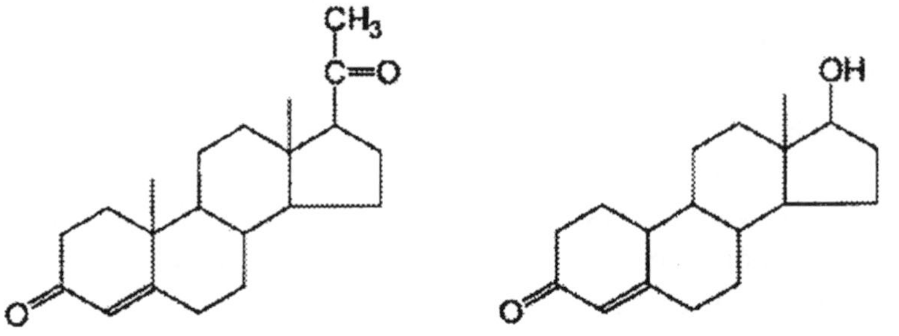

Progestérone
(pregn-4-ene-3,20-dione)

19-Nortestostérone
(17 bêta-hydroxy-19-norandrost-4-en-3-one)

Figure 4.3. Structure moléculaire de la progestérone
et de la 19-nortestostérone.

Ces représentations moléculaires de la progestérone et de la 19-nortestostérone, progestatif synthétisé à partir de la testostérone et largement utilisé dans les pilules contraceptives, illustrent leurs différences. Il est clair que la 19-nortestostérone n'est pas de la progestérone. Néanmoins, de nombreux auteurs d'ouvrages médicaux nomment progestérone ou type de progestérone de tels progestatifs. Il s'agit là d'une erreur sémantique qui entraîne une immense confusion dans l'esprit des médecins qui les lisent.

Les grands laboratoires pharmaceutiques ne commercialisent pas la progestérone dans le cadre des thérapies hormonales substitutives car il s'agit d'une substance naturelle. Ils ne peuvent donc ni la breveter, ni obtenir des droits exclusifs sur sa commercialisation, ni la faire payer un prix exorbitant. (Récemment, quelques laboratoires pharmaceutiques ont tout de même réussi à faire breveter de la progestérone naturelle présentée sous forme de comprimés micronisés et d'un gel vaginal.) Il est possible qu'une crème progestéronique puisse être utilisée comme contraceptif mais des études sérieuses sur le dosage et l'efficacité d'un tel traitement n'ont pas été réalisées.

Les progestatifs sont généralement fabriqués à partir de progestérone ou de testostérone, ce qui entraîne toutes sortes d'effets secondaires désagréables et parfois même dangereux pour la santé. Les effets secondaires les plus communs liés à la prise de progestatifs sont les suivants : ballonements (en particulier de l'abdomen), seins douloureux, sautes d'humeur, fatigue, dépression, éruptions et sécheresse cutanées, sécheresse et picotements oculaires, prise de poids, diarrhée, constipation, anxiété, douleurs musculaires et articulaires.

On ne trouve pas de progestatifs dans la nature et ils sont étrangers au corps humain. Généralement, ils sont plus puissants que la progestérone. Non seulement ils ont des effets secondaires indésirables mais ils sont loin d'exercer toutes les actions bénéfiques de la progestérone naturelle. Contrairement à celle-ci, certains progestatifs se lient à d'autres types de récepteurs et à la testostérone et produisent en conséquence des effets différents de ceux de la progestérone. Qui plus est, ils inhibent la production progestéronique normale et entrent en compétion au niveau des récepteurs de la progestérone, en bloquant certains. Si l'on prend un progestatif, la pilule par exemple, une supplémentation en progestérone naturelle aura peu ou pas du tout d'effet.

∾ ÉVITEZ L'INFARCTUS EN NE PRENANT PAS DE PROGESTATIFS

Alors qu'en période de préménopause les femmes sont rarement victimes d'un infarctus, après la ménopause, cette affection est aussi commune chez les femmes que chez les hommes. Même après la ménopause, la nature de la crise cardiaque est différente chez l'homme et chez la femme : chez cette dernière l'infarctus est plutôt occasionné par un spasme du muscle cardiaque que par des artères bouchées.

Une étude remarquable sur l'effet des hormones sur le spasme coronarien a été réalisée par K. Miyagawa et ses collaborateurs, chercheurs à l'Oregon Regional Primate Research Center. Ils ont pratiqué une ovariectomie sur dix-huit singes rhésus (animaux choisis parce que leur cœur ressemble le plus à celui de l'être humain) afin de simuler une ménopause et les ont mis sous œstrogènes. Puis, six d'entre eux ont été mis sous progestérone naturelle et six autres sous médroxyprogestérone (Provera). Quatre semaines plus tard, tous les singes ont subi une injection destinée à provoquer un spasme coronarien. Les singes traités au Provera et aux œstrogènes souffrirent d'un spasme continu qui aurait entraîné la mort, si on ne leur avait administré quelques minutes plus tard un médicament en mesure d'arrêter le spasme. Les singes traités à la progestérone naturelle recouvrèrent rapidement une circulation sanguine normale.

Ces découvertes ont été confirmées par les travaux de M. R. Adams menés à la Wake Forest University Bowman School of Medicine de Winston-Salem en Caroline du Nord. Au cours de leurs recherches sur la relation entre hormones et maladie cardiaque chez le singe, Adams et ses collaborateurs ont démontré que la médroxyprogestérone « peut annuler les effets positifs d'une thérapie œstrogénique sur le développement de l'athérosclérose des artères coronaires » (ou oblitération des artères coronaires).

Au National Heart and Lung Institute de Londres, au cours d'une étude menée par Peter Collins, on a enregistré les performances sur un tapis de jogging de femmes suivant des traitements hormonaux substitutifs différents. Cette fois encore, les femmes qui prenaient de la progestérone naturelle associée à des œstrogènes ont pu courir plus longtemps que celles qui prenaient de la médroxyprogestérone.

Pour les lectrices dont le médecin prétendrait encore que les progestatifs sont identiques à la progestérone, le tableau suivant permet de comparer leurs effets respectifs. Comme nous le disons toujours : « Si la progestérone et les progestatifs sont identiques, pourquoi a-t-on besoin d'une importante quantité de progestérone pour que la grossesse se passe bien alors que les progestatifs, même administrés en très faible quantité, sont contre-indiqués pendant la grossesse car ils entraînent des défauts de naissance ? »

Effets comparés de la progestérone et des progestatifs

Actions	Progestérone	Progestatif
Augmente les quantités d'eau et de sodium dans les cellules		✔
Entraîne une perte des électrolytes des oligoéléments de la cellule		✔
Occasionne l'œdème intracellulaire		✔
Occasionne un état dépressif		✔
Accroît le risque de défauts de naissance		✔
Entraîne l'hirsutisme facial et la chute des cheveux au niveau des tempes		✔
Occasionne la thrombophlébite, accroît le risque d'embolie		✔
Diminue la tolérance au glucose		✔
Occasionne des réactions allergiques		✔
Accroît le risque de jaunisse		✔
Entraîne acné, éruptions cutanées		✔
Protège contre le cancer de l'endomètre	✔	✔

Actions	Progestérone	Progestatif
Protège contre le cancer des ovaires et du sein	✔	
Normalise la libido	✔	
Combat l'hirsutisme et favorise la repousse des cheveux (tempes)	✔	
Améliore le profil lipidique	✔	
Améliore la fécondation in vitro	✔	
Améliore le remodelage de l'os neuf	✔	modestement
Accroît le risque de spasme coronarien		✔
Diminue le risque de spasme coronarien	✔	
Facilite l'activité de l'hormone thyroïdienne	✔	
Généralement efficace dans le traitement du SPM	✔	
Empêche l'implantation de l'ovule fécondé		✔
Indispensable pour mener une grossesse à terme	✔	
Indispensable à la myélinisation des nerfs	✔	
Rétablit les rythmes du sommeil	✔	
Précurseur des autres hormones stéroïdes	✔	
Indispensable aussi à l'homme	✔	

Chapitre 5

─────────── ❧ ───────────

L'ENFER DES XÉNOHORMONES : COMMENT NOUS Y ENTRONS ET COMMENT EN SORTIR

*D*arcy avait quarante-deux ans lorsqu'elle consulta le docteur Hanley à l'automne. En la voyant entrer dans son cabinet, le docteur Hanley se dit qu'elle souffrait sans doute d'une dominance en œstrogènes. En effet, Darcy avait le visage congestionné, des bourrelets de graisse à la hauteur de l'estomac et des hanches et quasiment aucune pilosité sur les bras. Elle se plaignit d'une multitude de symptômes : elle avait pris sans raison près de huit kilos pendant l'été, avait le souffle court et était facilement fatigable, ce qui la gênait beaucoup car elle aimait jardiner et faire de longues marches avec ses chiens sur la plage. Elle raconta au docteur Hanley que récemment, elle avait voulu donner un bain insecticide à l'un de ses chiens et avait été obligée de s'asseoir avant d'avoir terminé tellement elle se sentait groggy et fatiguée. Elle souffrait aussi de poussées d'urticaire et d'éruptions cutanées inexpliquées sur le cou, le torse et le dos.

Tout savoir sur la préménopause

Le docteur Hanley demanda à Darcy quel insecticide elle utilisait pour ses chiens. C'était un pesticide puissant qui agit comme un poison sur le système nerveux des êtres humains, des insectes, sans parler de celui des chiens. Les quantités entrant dans la composition d'un bain pour chien sont trop faibles pour engendrer des symptômes immédiatement perceptibles chez l'être humain et chez le chien. Mais Darcy avait utilisé ce produit une demi-douzaine de fois au cours de l'été et les effets s'étaient cumulés. Ses chiens portaient des colliers anti-puces qui contenaient un insecticide identique et elle avait fait traiter sa maison et sa cour contre les puces au milieu de l'été. Cela aurait amplement suffi à provoquer les symptômes dont elles souffrait. Mais elle utilisait aussi des pesticides, des fongicides et des herbicides puissants dans son jardin et des bombes anti-fourmis à l'intérieur de la maison. Ses roses à elles seules étaient traitées avec une demi-douzaine de produits chimiques.

« Je croyais que s'ils avaient été dangereux, ils n'auraient pas été mis en vente dans le commerce », dit-elle au docteur Hanley.

Darcy n'est pas la seule à ignorer les dangers des pesticides et de son obsession à éliminer tout ce qui rampe et pique. L'usage domestique des pesticides n'est pas réglementé. On trouve encore en rayon des milliers de produits chimiques n'ayant jamais été testés car ils ont été mis en vente avant la promulgation des lois destinées à protéger le consommateur contre les substances toxiques. Des centaines de nouveaux produits voient le jour chaque année et pourtant, seul un petit nombre d'entre eux sont contrôlés correctement.

Un herbicide en vogue, qui n'a jamais fait l'objet de tests approfondis et à long terme, bénéficie pourtant d'une publicité où l'on voit un bébé assis sur une pelouse traitée avec ce produit soi-disant inoffensif. Le fabricant s'est démené pour lancer son produit mais il a omis de consulter l'Agence pour la protection de l'environnement (U.S. Environmental Protection Agency ou EPA). Finalement, on s'est contenté d'un contrôle superficiel bien après la mise en vente sur le marché et le scientifique chargé du test était un ancien employé du fabricant. Comment de tels errements sont-ils possibles ? Des millions de consommateurs innocents et confiants utilisent ces produits en pensant qu'ils ne présentent aucun danger alors que nous serons vraisemblablement confrontés dans le futur à des problèmes aussi graves que ceux engendrés jadis par le DDT. Comme le gouvernement ne nous protège pas, il incombe à chacun d'assurer sa propre protection, celle de sa famille et de son entourage. Avoir recours aux pesticides, herbicides ou fongicides revient à jouer à la roulette russe avec sa santé. Le jeu n'en vaut pas la chandelle.

Darcy s'était littéralement immergée dans des xénohormones et des poisons du système nerveux pendant tout l'été et en subissait les conséquences. Les xénohormones sont des substances ayant des effets hormonaux que l'on ne trouve pas dans la nature mais avec lesquelles nous sommes en contact dans la vie quotidienne. Le docteur Lee s'est livré à des recherches approfondies sur la relation entre xénohormones et dysfonctionnement hormonal chez l'humain et en a tiré des informations utiles et enrichissantes.

Sources courantes des xénohormones
– Solvants et adhésifs
– Pesticides, herbicides et fongicides dérivés de la pétrochimie
– Pollution automobile
– Emulsifiants contenus dans les lessives, savons et cosmétiques
– Quasi-totalité des matières plastiques
– Déchets industriels tels que les polychlorobiphényles (PCB) et les dioxines
– Viandes provenant d'animaux auxquels on a administré des œstrogènes dans le but de les engraisser
– Œstrogènes et progestatifs de synthèse apparaissant dans l'urine des milliers de femmes qui prennent la pilule ou un

traitement hormonal substitutif. Ces substances sont éliminées dans les toilettes et se retrouvent éventuellement dans la chaîne alimentaire.

～ ÉLIMINEZ LES SOLVANTS DE VOTRE VIE

Les produits chimiques appelés solvants constituent une source importante de xénohormones. Tous les solvants organiques sont volatiles à température ambiante et lipophiles. Ils pénètrent très facilement à travers la peau et s'accumulent dans les tissus riches en lipides comme ceux du cerveau et de la gaine de myéline, ainsi que dans les tissus cellulaires présentant une surcharge graisseuse (obésité). Lorsque l'organisme est exposé à plusieurs solvants en même temps, les effets de ceux-ci peuvent s'additionner ou être potentialisés et risquent donc d'être encore plus toxiques.

On sait que l'exposition aux solvants est particulièrement importante dans certaines industries telles que la fabrication et la réparation automobiles, la fabrication des peintures et des vernis, l'industrie électronique, le nettoyage industriel, le dégraissage des métaux et le nettoyage à sec. Il faut ajouter à ces risques professionnels ceux liés à une exposition aux solvants à l'occasion de certains passe-temps (utilisation de la plupart des colles et exposition à la fibre de verre, par exemple).

L'utilisation de vernis à ongles et de dissolvant représente un des modes les plus insidieux d'exposition aux solvants. Alors que les jeunes filles sont particulièrement sensibles aux effets toxiques et xénohormonaux des solvants, elles collectionnent pourtant les flacons de rouge à ongles et s'en servent quotidiennement.

Parmi les effets immédiats d'une exposition aux solvants, il faut citer la dépression du système nerveux central (SNC) qui s'apparente à la fatigue et à la dépression ; les troubles de la psychomotricité et de l'attention ressemblant à un défaut de coordination et à une incapacité à se concentrer ; les migraines (maux de tête) ; les lésions capillaires du SNC ; l'anoxie cérébrale avec possibilité de lésions cérébrales irréversibles entraînant une baisse des fonctions cognitives. Une exposition prolongée aux solvants peut occasionner des troubles de l'humeur tels que la dépression, l'irritabilité, la fatigue, l'anxiété, l'incapacité à se concentrer, un défaut de coordination motrice, une perte de la mémoire à court terme. Les solvants peuvent également nuire au fœtus et doivent donc être absolument proscrits chez la femme enceinte.

ᴄ QUELQUES CLASSES GÉNÉRALES DE SOLVANTS ORGANIQUES

Les produits suivants devraient faire l'objet de contrôles systématiques :
– Alcools (par exemple le méthanol)
– Aldéhydes (par exemple l'aldéhyde acétique)
– Hydrocarbures aliphatiques (par exemple le n-hexane)
– Hydrocarbures aromatiques (par exemple le benzène)
– Hydrocarbures cycliques (par exemple le cyclohexane)
– Esters (par exemple l'acétate d'éthyle)
– Ethers (par exemple l'éther éthylique)
– Glycols (par exemple l'éthylène glycol)
– Hydrocarbures halogènes (par exemple le tétrachlorure de carbone, le trichloréthylène)
– Cétones (par exemple l'acétone, le méthyléthylcétone)
– Nitrohydrocarbures (par exemple le nitrate d'éthyle).

Toutes les xénohormones doivent être considérées comme toxiques ; la majorité d'entre elles ont des effets œstrogéniques aussi bien chez l'homme que chez la femme. (Voir figure 5.1.) Elles sont extrêmement puissantes et actives même à des doses infimes. Comme les xénohormones issues de l'industrie pétrochimique ne sont pas biodégradables, elles s'accumulent dans l'environnement aussi longtemps qu'elles sont fabriquées. Etant liposolubles, elles traversent facilement la peau et s'accumulent à la longue dans l'organisme.

Actuellement, les tests mesurant la toxicité de ces produits sur l'environnement se limitent à enregistrer les signes de toxicité chez les animaux directement exposés à cette agression ou les malformations apparaissant au niveau de leur progéniture. L'expérience du diéthylstilbestrol (DES) et les études à long terme sur l'animal montrent que la toxicité d'une xénohormone peut très bien n'apparaître qu'au cours de la seconde partie de la vie des descendants de l'animal exposé à ce produit. Cela signifie que les tests conduits actuellement ne font pas apparaître ces effets. En outre, les doses de xénohormones responsables de ces problèmes sont si infimes que les contrôles de routine sont incapables de les mettre en évidence. Par exemple, il suffit d'injecter à une rate gravide une dose de 0,064 µg/kg pour inhiber l'apparition des caractères sexuels masculins chez les mâles de sa progéniture. Dans certains cas, les doses de xénohormones entraînant des malformations ou des perturbations sexuelles peuvent être de l'ordre du nanogramme (10^{-9}). Ces doses sont inférieures à la sensibilité des tests utilisés.

De plus, la quantité importante de xénohormones pétrochimiques libérées dans l'environnement, ajoutée à leur persistance et à leur nature lipophile (facilitant leur absorption à travers la peau et leur accumulation dans les tissus adipeux), implique fatalement que ces multiples perturbateurs endocriniens s'accumulent à la longue dans les tissus-cibles. On trouve fréquemment des PCB, des dioxines, du DDT et un certain nombre de pesticides organochlorés dans les tissus mammaires des êtres humains. Ces observations ne font que confirmer nos craintes concernant les effets cumulatifs et synergétiques de ces produits.

Ainsi s'expliquerait que l'on n'enregistre pas des effets identiques dans la progéniture d'animaux exposés pourtant à la même xénohormone. Pour que les dommages deviennnent évidents il faut que soient réunis trois facteurs au moins : l'exposition à un environnement toxique, la prédisposition génétique et la période de vie au cours de laquelle l'exposition a eu lieu.

Les xénohormones engendrent des troubles hormonaux chez tous les êtres vivants et sont particulièrement dommageables aux ovaires et aux testicules au cours du stade embryonnaire. Une exposition chronique peut entraîner une perte des fonctions du follicule ovarien (baisse de la production de progestérone) et des cellules de Sertoli au niveau des testicules (baisse de production du sperme), donc induire des problèmes de stérilité, un cancer et un déséquilibre hormonal général. La plupart des xénohormones ayant des effets œstrogéniques, on assiste à une véritable épidémie d'excès d'œstrogènes dans le monde entier. Ces xénohormones influent sur l'organisme de plusieurs manières.

– Certaines se lient avec les récepteurs des œstrogènes et stimulent l'action œstrogénique.

– Certaines induisent la formation de récepteurs œstrogéniques supplémentaires.

– D'autres peuvent inhiber la capacité du foie à éliminer les œstrogènes.

– Un nombre réduit de xénohormones peuvent occuper les récepteurs des œstrogènes et inhiber leur action.

Les animaux constituent un signal d'alarme avant-coureur de la toxicité de notre univers œstrogénique. Ils jouent le même rôle que les canaris dans les mines de charbon et nous devons nous soucier de ce qui leur arrive. La liste des effets observés sur la physiologie et le comportement d'animaux sauvages exposés aux xénohormones ayant des propriétés œstrogéniques est pour le moins alarmante.

– Déformation du bec et amincissement de la coquille chez les oiseaux.

– Importante féminisation de l'appareil reproducteur, même chez l'oiseau mâle.

Exemples de xénœstrogènes

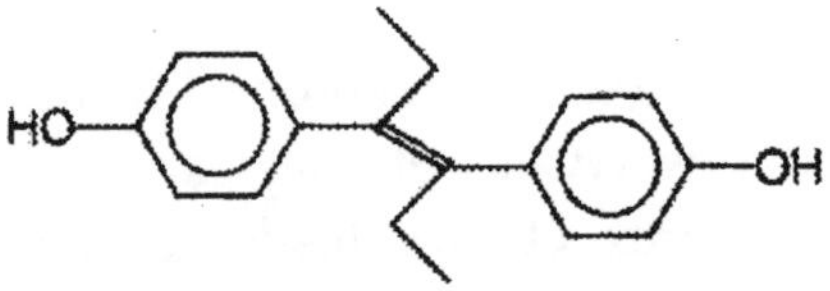

Diéthylstilbestrol (DES)

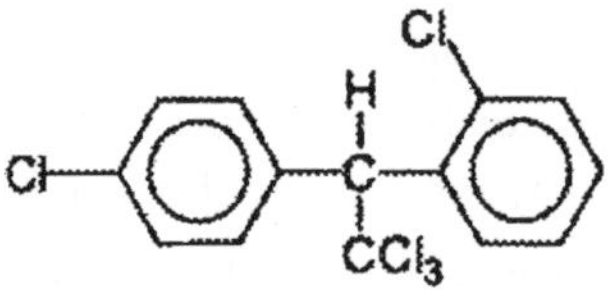

DDT

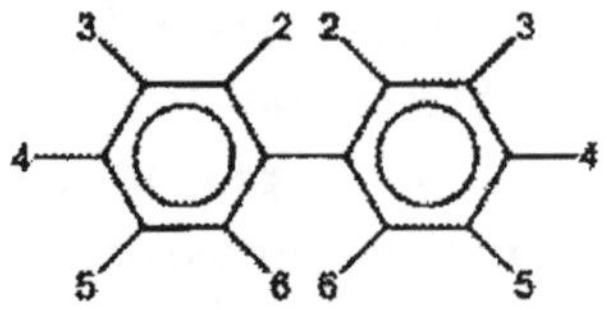

Structure du polychlorobiphényle (PCB)

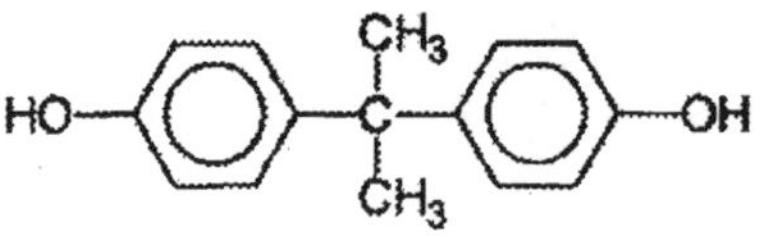

Bisphénol A

Œstrogène endogène

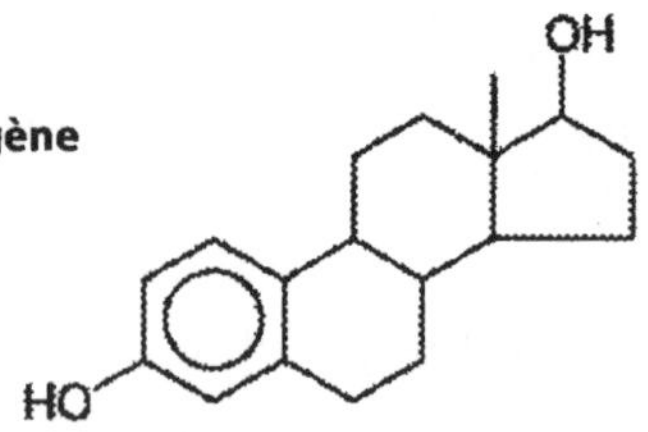

Œstradiol

Figure 5.1. Quelques xénœstrogènes comparés à l'œstradiol.

– Comportement de nidification anormal.
– Castration chimique chez l'oiseau mâle.
– Baisse de l'éclosion des œufs d'alligator.
– Ratios œstrogène/testostérone anormalement élevés chez la femelle alligator.
– Pénis anormalement petit et faible concentration de testostérone chez l'alligator mâle.
– Diminution de l'activité sexuelle chez le rat et augmentation de cette activité chez la rate.
– Inhibition des récepteurs d'œstrogènes, masculinisation des cellules nerveuses et femelles montant leurs congénères au moment du rut chez la rate.
– Production anormale de vitelline (protéine du jaune d'œuf) chez la tortue mâle.
– Modification des caractères sexuels chez la tortue, les poissons, les mollusques.
– Follicules « desséchés » dans les ovaires.

Il y a vingt ans environ, on s'est aperçu que les filles des femmes auxquelles on avait prescrit de l'œstrogène de synthèse DES pendant leur grossesse présentaient un risque plus élevé que la normale de malformations et de cancers des voies urogénitales (vagin, col de l'utérus, ovaires) lorsqu'elles atteignaient l'âge adulte. Ces dix dernières années, il est devenu évident que le DES n'est qu'un exemple parmi d'autres de ces composés pétrochimiques possédant de puissantes propriétés œstrogéniques et toxiques pour un grand nombre d'animaux tels que les amphibiens, crustacés, poissons, mammifères et oiseaux. Ces composés comprennent les pesticides de toutes sortes, les solvants, les matières plastiques et les adhésifs. Ils portent le nom de dioxine, DDT, bisphénol A, PCB, dieldrin, chlordane, etc. La figure 5.1. montre la similitude entre une molécule d'œstrogène et diverses xénohormones agissant comme les œstrogènes. Compte tenu de l'exposition à ces polluants présents dans notre environnement, il est vraisemblable que les humains seront tout autant affectés que les

99

animaux. Outre les effets nocifs des xénohormones sur la faune et la flore décrits dans le livre du docteur Théo Colborn *Our Stolen Future*, les recherches du docteur Lee sur l'épidémie actuelle de dominance en œstrogènes et de déficit de progestérone, observée chez les femmes des pays industrialisés, amènent à conclure que les xénohormones constituent un facteur important mais non reconnu dans le déséquilibre hormonal qui sévit aujourd'hui. L'hypothèse de travail est que les ovaires sont lésés par une exposition aux xénohormones au cours du développement embryonnaire. Si l'on constate de tels dommages chez les oiseaux, les cougars, les alligators, les grenouilles et les poissons, pourquoi n'en serait-il pas de même chez l'être humain ? Quand une femelle est exposée aux xénohormones au cours de sa grossesse, les femelles de sa progéniture présentent un dysfonctionnement manifeste des follicules ovariens préjudiciable à leur capacité de reproduction ultérieure. En effet, c'est lors des stades embryonnaires que les tissus se montrent le plus sensibles à la toxicité des xénohormones.

Les follicules ovariens constituent la principale source de progestérone chez la femme. Quand ils sont endommagés par les xénohormones au début de la vie embryonnaire, la production de progestérone finit par baisser chez l'adulte, induisant un arrêt de la phase lutéale (fausse couche précoce), des troubles du sommeil, une perte de la libido et une dominance en œstrogènes qui se traduira par des symptômes tels que les seins fibrokystiques, la rétention d'eau, un accroissement des dépôts de graisse au niveau des hanches et des cuisses et un risque accru de cancer œstrogénodépendant (du sein, des ovaires et de l'endomètre).

On sait aussi que les xénohormones ont des effets toxiques qui ne sont pas qu'œstrogéniques. Une exposition prénatale peut occasionner de multiples dysfonctionnements endocriniens, des malformations anatomiques et même des déficiences intellectuelles. Une étude remarquable de J. L. Jacobson, publiée en 1996 dans le *New England Journal of Medicine*, rend compte de la corrélation entre une déficience intellectuelle et une exposition intra-utérine au PCB, observée dans une population de deux cent douze enfants nés de mères habitant l'ouest du Michigan. On étudia l'alimentation des familles recrutées afin de faire ressortir la consommation de poissons du lac Michigan (connu pour être contaminé par les PCB), puis on releva à la naissance les taux de PCB contenus dans le sang du cordon ombilical, le sang et le lait de la mère. A l'âge de onze ans, les enfants les plus exposés aux PCB pendant la période prénatale avaient trois fois plus de chances d'avoir de faibles QI et deux fois plus de chances d'avoir deux ans de retard au niveau de la compréhension en lecture.

Qu'en est-il des enfants exposés aux xénohormones après la naissance ? Les xénohormones étant liposolubles et non biodégradables, une exposition continue devrait aboutir à une concentration progressive de xénohormones dans les tissus. Comme les xénohormones sont de puissants œstrogènes, on devrait pouvoir mesurer clairement leurs effets. Ce travail a été réalisé en 1993 par Devra Lee Davis du sous-secrétariat à la Santé et les représentants de nombreux centres de recherche qui ont prouvé le rôle joué par les xénohormones dans le déclenchement du cancer du sein, en recensant soixante-dix-huit exemples. Des observations pour le moins alarmantes, encore une fois.

Dans le numéro d'avril 1997 de *Pediatrics*, on a pu lire une étude de M. E. Herman-Giddens rapportant un changement significatif de l'âge d'apparition des caractères sexuels secondaires et des règles chez les petites filles âgées de trois à douze ans. L'étude portait sur 17 077 enfants dont la maturation pubertaire avait été classifiée par 225 cliniciens. L'âge moyen d'apparition des caractères sexuels secondaires (seins et pilosité pubienne) était de 8,8 ans pour les petites Noires et de 10 ans pour les petites Blanches. Ces caractères apparaissaient à l'âge de 5 ans chez 5,7 % des petites Noires et 1,9 % des petites Blanches. A l'âge de 11 ans, 28 % des jeunes Noires et 13,4 % des jeunes Blanches étaient réglées. Si l'on considère ces chiffres dans leur ensemble, on s'aperçoit que, de nos jours, la puberté apparaît deux ans plus tôt qu'il y a seulement dix ou vingt ans.

Il est intéressant – et pour le moins curieux – de constater que dans leurs conclusions, Herman-Giddens et ses collaborateurs se contentent de conseiller aux praticiens d'enregistrer ces nouvelles normes et de modifier en conséquence les critères de référence en matière de puberté précoce chez la fille. Prétendre que le développement pubertaire prématuré constitue une nouvelle « norme » et non une anomalie trahit une totale incompréhension du problème. Comme il est extrêmement improbable que le changement observé ne dépende pas de facteurs extérieurs – comme, par exemple, la présence des xénohormones dans l'environnement – il eût été souhaitable que l'étude débouche sur des recherches plus approfondies afin de déterminer les causes de ces pubertés précoces. Ne faudrait-il pas exiger une réduction significative de l'utilisation des xénohormones pétrochimiques, qui non seulement menacent notre santé mais le développement normal de l'humanité tout entière ?

Les effets nocifs observés chez les êtres humains surexposés aux xénohormones ayant des effets œstrogéniques sont résumés dans la liste suivante.

– Chez les garçons dont la mère a été exposée aux PCB, pénis de trop petite taille et/ou testicules qui ne descendent pas.
– Baisse de 50 % du nombre de spermatozoïdes depuis 1938.
– Augmentation de la fréquence des cancers des testicules et de la prostate.
– Effet potentialisateur ou stimulant sur le cancer du sein.
– Effet potentialisateur ou stimulant sur l'endométriose.
– Cancer de l'endomètre.
– Cancer du col de l'utérus chez les femmes dont les mères ont pris du diéthylstilbestrol (DES), puissant œstrogène de synthèse, pendant la grossesse.
– Syndrome prémenstruel (SPM).
– Seins fibrokystiques.

– Ostéoporose après la ménopause.
– Changement d'orientation sexuelle.
– Syndrome de la dominance en œstrogènes.

Les xénohormones ont un effet défavorable sur le développement du système reproducteur de l'embryon et du fœtus mâles et femelles. En particulier, les follicules de l'embryon femelle sont si endommagés qu'il y a perte précoce de la production de progestérone chez l'adulte. De telles femmes continueront à produire des œstrogènes et auront des cycles menstruels mais souffriront d'un déficit de progestérone et des symptômes de la dominance en œstrogènes. Les recherches du docteur Lee dans ce domaine depuis quinze ans établissent un parallèle entre les effets des xénohormones et les symptômes d'une carence en progestérone. Lorsque les jeunes générations d'aujourd'hui auront vieilli, nous risquons de découvrir que des millions de personnes sont incapables de procréer à cause d'une exposition excessive aux xénohormones dans l'utérus. La liste suivante énumère les problèmes de santé qui sont apparus ou se sont considérablement aggravés au cours des cinquante dernières années, c'est-à-dire depuis l'apparition de la pétrochimie.
– Les cancers du sein et de l'utérus sont plus fréquents et apparaissent chez des femmes de plus en plus jeunes.
– L'arrêt de la phase lutéale est actuellement la cause principale des fausses couches précoces et de la stérilité.
– Les seins fibrokystiques sont plus courants.
– Le SPM est en augmentation.
– L'ostéoporose féminine est aujourd'hui plus répandue et plus grave et apparaît quinze ans avant la ménopause (parfois même encore plus tôt), c'est-à-dire bien avant la chute des taux d'œstrogènes.
– La rétention d'eau et des graisses ainsi que d'autres nombreux signes et symptômes cliniques de la dominance en œstrogènes résultant d'un déficit de progestérone sont devenus monnaie courante.

– Prolactinémie et prolactinome (taux de prolactine élevé et tumeur de l'hypophyse sécrétante de la prolactine) augmentent d'une manière alarmante et pourraient, elles aussi, être liées à un dysfonctionnement endocrinien imputable à la pétrochimie.

– La fréquence des désordres auto-immuns tels que la maladie de Sjögren et le lupus érythémateux augmente en corrélation avec une dominance en œstrogènes.

Omniprésentes dans notre alimentation et notre environnement, les xénohormones sont d'ores et déjà considérées comme la cause probable du taux effrayant de mortalité d'espèces animales exposées à ces composants toxiques. Le destin des générations futures dépend peut-être de notre capacité à réduire d'une manière significative la contamination de notre environnement par les xénohormones issues de la pétrochimie.

Si nous voulons préserver notre santé et celle des générations futures, il nous faut restreindre l'exposition à ces substances qui ont une influence perturbatrice et destructrice. La lutte pour la disparition de ces produits chimiques de notre environnement est sans doute une des plus justes causes que vous puissiez choisir. En attendant que notre environnement redevienne plus sain qu'il ne l'est aujourd'hui, voici quelques conseils techniques pour limiter votre exposition aux xénohormones.

1. Ce qui semble le plus évident mais s'avère aussi le plus difficile : diminuez drastiquement le recours aux pesticides de toute nature, y compris les bombes anti-fourmis et anti-mouches et les pulvérisateurs insecticides pour les jardins et pelouses.

2. Supprimez ou diminuez la consommation des aliments risquant le plus d'avoir été contaminés par ces produits chimiques, tels que la viande, le lait et le café. Si vous consommez de la viande rouge, du poulet, des œufs, ces produits doivent être issus de l'agriculture biologique et ne renfermer ni hormones ni antibiotiques. Une alimentation composée de

légumes frais, de fruits frais et secs et de céréales issus de l'agriculture biologique constitue le meilleur gage d'une bonne santé et une assurance de longévité pour vous et votre environnement. Il vous appartient d'exiger de votre super-marché qu'il vous vende des produits biologiques et d'aider les agriculteurs locaux en achetant leurs produits. Reportez-vous au chapitre 14 qui énumère en détails nos conseils diété-tiques.

3. Evitez de vous exposer aux solvants, plastiques, cos-métiques et détersifs fabriqués à partir d'émulsifiants et de tensioactifs pétrochimiques, tout particulièrement si vous êtes enceinte, ainsi qu'aux tensioactifs comme le nonoxynol (ce sont des spermicides). N'entreposez pas et ne faites pas chauffer votre nourriture dans des récipients en matière plas-tique ; ne portez pas de vêtements en fibres synthétiques (on pense aussitôt au polyester) ; n'utilisez pas de désodorisants, d'assouplissants et de lessives parfumées.

4. Choisissez du carrelage ou du parquet plutôt que de la moquette. Les colles et les solvants contenus dans les moquettes dégagent des molécules toxiques pendant des années. Pour les mêmes raisons, évitez autant que possible les bois reconstitués et les panneaux de particules lorsque vous construisez une maison.

5. Evitez toutes les hormones sexuelles de synthèse.

---~---

Deuxième partie

QUAND VOTRE CORPS VOUS PARLE, ÉCOUTEZ-LE

Étiologie et traitement des symptômes associés à la préménopause

Chapitre 6

COMMENT (ET POURQUOI) SAUVER
VOTRE UTÉRUS

*L'*utérus (encore appelé matrice) est un organe remarquable
et puissamment musclé, pas plus gros qu'un poing chez une
femme qui n'a pas encore eu d'enfant mais pouvant atteindre
la taille d'une pastèque durant le dernier trimestre de la grossesse. Les femmes qui ont fait l'expérience des douleurs liées
au cycle menstruel, du travail et de l'accouchement, d'un
orgasme profond qui inclut l'utérus ou même de l'élancement
provoqué par un prélèvement de tissu à l'occasion d'un frottis vaginal connaissent parfaitement la force musculaire de
l'utérus. Et cet organe a aussi le pouvoir de faire de la vie un
paradis ou un enfer.

Chaque mois, durant des décennies, l'utérus répond aux
signaux hormonaux en élaborant une muqueuse sécrétoire
gorgée de sang – l'endomètre – qui s'élimine au moment des
règles s'il n'y a pas de signal de grossesse. Dans le cas
contraire, l'utérus s'élargit graduellement et devient un parfait
incubateur pendant les neuf mois de gestation.

Ce sont avant tout les œstrogènes qui stimulent le développement mensuel de la muqueuse utérine. Lorsque l'on

vieillit, les cellules deviennent beaucoup plus sujettes à des lésions qui peuvent, pour finir, évoluer vers un cancer. Cela est particulièrement vrai de la muqueuse utérine à croissance rapide. Compte tenu du renouvellement constant et relativement rapide des cellules de l'utérus, de la présence fréquente d'œstrogènes dans ce milieu et du rôle que jouent ces hormones dans le déclenchement du cancer, on pourrait s'attendre à un nombre élevé de cancers de l'utérus. Et pourtant, avant que les médecins ne prescrivent des traitements hormonaux de substitution contenant des œstrogènes non contrebalancés au cours des années 60, le cancer de l'utérus (ou cancer de l'endomètre) était rarissime. La nature a créé au niveau de l'utérus un milieu anticancéreux puissamment protecteur, qui reste presque toujours intact à moins qu'on ne le déséquilibre. Le cancer de l'endomètre apparaît d'une manière privilégiée cinq ans avant la ménopause, lorsque la production d'œstrogènes est encore importante et que les cycles anovulatoires entraînent un déficit de progestérone induisant donc une dominance en œstrogènes.

Le cancer de l'endomètre est l'un des plus faciles à prévenir : il suffit d'éviter les œstrogènes non contrebalancés.

∾ HYPERTROPHIE DE L'UTÉRUS ET FIBROMES

Lorsqu'une femme souffre d'un déséquilibre hormonal, l'utérus est l'un des premiers organes à en manifester les symptômes. L'hypertrophie de l'utérus et les fibromes utérins constituent les symptômes les plus courants du syndrome de la préménopause. Les femmes sujettes au SPM ont souvent des règles douloureuses (dysménorrhée) occasionnées dans la plupart des cas par la pénétration dans l'épaisseur du muscle utérin de fragments de l'endomètre (adénomyose). Quand la chute de l'endomètre survient (menstruation), le sang se déverse dans le tissu musculaire, occasionnant de fortes douleurs. La médecine allopathique traite ces douleurs avec des anti-inflammatoires non stéroïdiens tels que l'ibuprofène, sans se préoccuper du déséquilibre du métabolisme hormonal qui les a provoquées. Le problème peut être résolu en rétablissant un taux normal de progestérone qui restaurera le développement normal de l'endomètre, puis sa chute au moment des règles.

Une dominance en œstrogènes entraîne le développement de l'utérus ; privé des effets équilibrants de la progestérone, celui-ci ne reçoit pas les signaux en mesure d'arrêter cette prolifération. Chez certaines femmes, cet état provoque une hypertrophie de l'utérus qui appuie sur les autres organes (la vessie mais souvent aussi le système digestif) ainsi qu'un inconfort et des règles trop abondantes. Chez d'autres, il entraîne la formation de fibromes utérins, c'est-à-dire de tumeurs bénignes, fermes et formées de tissu fibreux. Certains fibromes peuvent atteindre la taille d'un pamplemousse ou d'un cantaloup, ils occasionnent des saignements constants et des règles abondantes qui ressemblent à des hémorragies.

Bien que les fibromes s'atrophient à la ménopause, la plupart des médecins n'ont rien de plus pressé que de conseiller une hystérectomie à leurs patientes souffrant d'un fibrome. Ils invoquent comme raison que l'ablation d'un fibrome risque d'endommager d'une manière irréversible l'utérus. Dans la plupart des cas, ce risque n'existe plus. Si l'on doit impérativement vous enlever un fibrome, cherchez un chirurgien capable de réaliser cette intervention sans pour autant pratiquer une hystérectomie. S'il s'agit de plusieurs fibromes de petite taille, ils peuvent être plus difficiles à opérer. D'un autre côté, étant plus petits, ils peuvent être plus facilement soignés sans avoir recours à la chirurgie.

Le docteur Hanley a traité une femme nommée Donna qui, pour des raisons financières et affectives, refusait une hystérectomie bien que son fibrome fût si volumineux qu'il provoquait des problèmes urinaires et intestinaux. Même après avoir été admise en urgence à l'hôpital, Donna avait refusé d'être opérée et elle vint consulter le docteur Hanley dans l'espoir de trouver une autre solution. En discutant avec Donna, le docteur Hanley découvrit que les symptômes associés à son fibrome étaient apparus au moment où sa patiente réussissait enfin à s'extraire d'une relation avec un homme qui la brutalisait sexuellement et physiquement.

Comme Donna était suivie par un psychologue et bien entourée sur les plans familial et amical, le docteur Hanley commença par modifier son alimentation, essentiellement constituée de laitages et de glaces. Elle lui fit suivre un régime alimentaire à base de fibres et de légumes, assorti de quelques plantes afin de détoxifier son organisme et de soutenir son foie. Compte tenu de la gravité du problème, elle prescrivit une injection de Lupron, afin de supprimer l'activité hormonale ovarienne durant trois mois et d'abaisser le taux global du milieu hormonal. Elle lui conseilla aussi d'utiliser une faible dose d'une crème à base de progestérone. En moins de quelques semaines, les problèmes urinaires et intestinaux disparurent et Donna dit au docteur Hanley qu'elle avait l'impression que son utérus s'était assoupli, signe que le fibrome avait diminué de volume. Sept mois plus tard, Donna avait retrouvé son équilibre et son fibrome avait maintenant une taille raisonnable.

L'histoire de Donna n'est pas courante. Confrontées à la même situation, la plupart des femmes auraient accepté de subir une hystérectomie bien avant que leur fibrome eût atteint une telle taille. Peu de patientes, il est vrai, craignent autant de se faire opérer. Néanmoins, Donna est un bon exemple de la manière dont une femme peut rééquilibrer son corps quand elle accepte le défi de travailler sur elle-même dans un but précis et lorsqu'elle a le courage de se tenir à la ligne de conduite qu'elle s'est fixée.

Aux Etats-Unis, près de 60 % des femmes atteignant l'âge de soixante-cinq ans auront subi une hystérectomie. Dans quelques rares cas, cette intervention soulagera une douleur pelvienne chronique et augmentera le plaisir sexuel. Mais pour la plupart des autres patientes, l'hystérectomie entraînera une baisse du plaisir sexuel et bien souvent, n'aura aucun effet sur les douleurs pelviennes. Pratiquée sur une femme en période de préménopause, l'hystérectomie occasionne une ménopause soudaine et une atrophie des ovaires. Cette opération accroît le risque de maladie cardiaque, d'ostéoporose et de problèmes de vessie, tels que l'incontinence et les infections urinaires chroniques.

∿ POURQUOI VOTRE UTÉRUS ENQUIQUINE VOTRE MÉDECIN ET L'INDUSTRIE PHARMACEUTIQUE

Les médecins omettent de dire à leurs patientes que les œstrogènes prescrits avant la ménopause font augmenter la taille d'un fibrome – et qu'après la ménopause, ce fibrome a de grandes chances de grossir (au lieu de s'atrophier d'une manière naturelle) si elles prennent des œstrogènes. Dans la plupart des cas, en période de préménopause, ne pas prendre d'œstrogènes et utiliser une crème à base de progestérone naturelle permet de réduire la taille d'un fibrome suffisamment pour modérer ou même éliminer les symptômes les plus gênants en attendant qu'il s'atrophie d'une manière significative au moment de la ménopause et cesse alors de poser un problème. Malheureusement, la majorité des médecins l'ignore.

Le monde médical traditionnel a évolué de telle manière qu'une hyperthrophie de l'utérus ou un fibrome utérin sont maintenant considérés comme une maladie. Si les médecins ne prescrivaient pas quasi systématiquement du Premarin et du Provera à la ménopause, la taille de votre utérus diminuerait naturellement après la ménopause. Comme ils se sentent obligés de vous donner ces médicaments, votre utérus devient un danger pour votre santé. Voilà comment les profits des laboratoires pharmaceutiques dictent la formation et la pratique médicales.

113

Si vous conservez votre utérus, votre médecin ne peut plus vous prescrire uniquement des œstrogènes. Afin de compenser leurs effets cancérigènes, il doit aussi vous donner du Provera (un progestatif de synthèse). Les premières tentatives de traitement hormonal substitutif (THS) des années 60 ne faisaient appel qu'à des œstrogènes et cette expérimentation sur les humains a coûté la vie à des milliers de femmes qui sont mortes d'un cancer de l'utérus (endomètre) au cours des années 60 et 70, jusqu'à ce que le corps médical comprenne que les œstrogènes non contrebalancés en étaient la cause. Il a fallu encore dix ans et tout un arsenal de campagnes publicitaires pour convaincre les femmes qu'à nouveau elles ne risquaient rien en prenant un THS car elles étaient maintenant protégées du cancer par l'ajout d'un progestatif de synthèse, le plus souvent du Provera.

Mais comme l'a si bien décrit Gail Sheehy dans son livre précurseur *The Silent Passage*, peu de médicaments rendent les femmes aussi malades que le Provera. Un grand nombre d'utilisatrices refusent d'en prendre après avoir fait l'expérience de ses effets secondaires (semblables à ceux d'un SPM grave et permanent) et préfèrent utiliser des œstrogènes non contrebalancés malgré le risque de cancer. Votre médecin trouve là une raison de plus de vous suggérer qu'une ablation de l'utérus résoudra tous vos problèmes. Il vous assure qu'après cette intervention, vous n'aurez plus à craindre un cancer de l'utérus et pourrez donc prendre des œstrogènes sans Provera. Il vous promet que ce traitement œstrogénique vous mettra à l'abri des maladies cardiaques, de l'ostéoporose et de la maladie d'Alzheimer. Au fond, vous dit-il, même si vous avez perdu votre utérus, le jeu en valait la chandelle… Malheureusement, il s'agit là de fausses promesses. Si vous acceptez de subir une hystérectomie et que l'on vous prescrit des œstrogènes, vos ennuis ne font que commencer.

On vous a fait croire qu'un traitement hormonal substitutif vous permettrait d'échapper aux maladies de la vieillesse. Mais ce n'est là qu'un château de cartes. Toutes ces affirmations fallacieuses, ces suppositions et ces raisonnements alambiqués s'appuient sur des décennies de campagnes publicitaires en faveur des œstrogènes, intelligentes mais foncièrement malhonnêtes. A cause du Premarin, le médicament le plus vendu aux Etats-Unis, votre utérus est devenu un problème. En réalité, ce n'est pas à vous qu'il pose problème mais à l'industrie pharmaceutique dont les bénéfices risquent de baisser si vous le conservez.

Jetons un bref coup d'œil à l'aspect économique d'une hystérectomie. L'ablation de l'utérus est un acte chirurgical majeur et coûteux qui entraîne une longue convalescence. Après l'opération, vous allez consulter votre médecin tous les six mois ou au moins une fois par an afin de renouveler votre traitement hormonal substitutif. Ce scénario fournit à votre médecin et à un laboratoire pharmaceutique un client à vie, ce dont rêvent tous les hommes d'affaires depuis le petit entrepreneur jusqu'au PDG d'une grande entreprise. En d'autres termes, l'ablation de l'utérus est une très, très bonne affaire.

En outre, persuadé que vous ne risquez plus rien maintenant que vous n'avez plus d'utérus, votre médecin vous prescrit des œstrogènes non contrebalancés qui risquent d'entraîner divers états pathologiques coûteux (mais profitables pour le médecin) tels que : seins fibrokystiques, prise de poids, rétention d'eau, hypertension, caillots sanguins, maladie biliaire, cancer du sein ou autres cancers hormonodépendants. Vous êtes devenue une vache à lait pour votre médecin. Chaque maladie engendrée par les œstrogènes non contrebalancés lui rapporte de l'argent. Quand une situation rapporte, on a tout intérêt à ce qu'elle se répète.

Examinons maintenant les autres possibilités. Retirer un fibrome utérin exige des compétences, une habilité chirurgicale et une patience que ne possèdent pas la plupart des gynécologues. Comme il s'agit d'une intervention plus longue et plus coûteuse qu'une hystérectomie, aux Etats-Unis, les compagnies d'assurance refusent souvent de la couvrir. Si un gynécologue obstétricien ne possède pas le savoir-faire nécessaire, il est obligé de confier sa patiente à un autre chirurgien. Ou alors il peut lui retirer l'utérus, procédure beaucoup plus simple (pour le chirurgien, pas pour vous).

Si l'on vous retire simplement un fibrome et que vous conservez votre utérus, après l'opération, votre gynécologue ne vous reverra plus qu'une fois par an pour effectuer un frottis vaginal.

Prenons maintenant le cas du médecin qui vous conseille d'utiliser une crème à base de progestérone. Vous n'avez pas besoin d'une ordonnance pour acheter cette crème et elle est d'un emploi facile. Vous ne serez pas obligée de consulter à nouveau ce médecin, si ce n'est pour subir un an plus tard une échographie qui montrera que votre fibrome n'a plus la grosseur d'une orange mais celle d'une noisette.

Les répercussions économiques de ce choix sont extrêmement différentes pour vous et pour votre médecin. Nous ne vous promettons pas que vous pourrez échapper à une hystérectomie car, dans certains cas, cette opération est indispensable. Mais nous vous recommandons fortement de réfléchir à la face cachée de ce type de situation avant de prendre une décision et de choisir la solution la mieux adaptée à votre cas.

Soigner l'utérus/les fibromes

Ce qu'il faut faire

– Utilisez une crème à base de progestérone naturelle (se reporter au chapitre 16).

– Suivez un régime à base d'aliments végétaux riches en fibres (20 à 30 g au moins de fibres par jour).

– Pour éliminer les toxines et soulager le foie prenez les plantes suivantes (en totalité ou en partie) : *Bupleurum* (buplèvre), *Sylibum marianum*, épine vinette ou hydrastis, racine de bardane, parelle, racine de pissenlit.

– Pour soigner l'utérus, prenez les plantes suivantes (en totalité ou en partie) : myrrhide odorante, feuilles de framboisier, poivre de cayenne, *Bupleurum* (buplèvre), achillée, *Vitex* (gattilier), alchémille vulgaire.

– Utilisez un cataplasme d'huile de ricin deux à quatre fois par semaine (de nombreux livres de phytothérapie expliquent comment fabriquer et utiliser un cataplasme d'huile de ricin).

Ce qu'il faut éviter

– Les œstrogènes non contrebalancés.

– Les produits laitiers.

– Les viandes issues d'élevages indusriels (ne consommez que des viandes biologiques d'animaux élevés en plein air sans médicament et sans nourriture contenant des pesticides).

– Le café (fortement traité au DDT).

∿ RÈGLES ABONDANTES, DOULOUREUSES, CAILLOTS DE SANG

« Je suis obligée de changer de tampon et de serviette hygiéniques toutes les heures ! Quand je vais au supermarché, je me demande toujours si je ne vais pas être obligée de placer mon pull autour de la taille avant de quitter le magasin ! » « Je tremblais et transpirais, et mes règles étaient si douloureuses qu'il a fallu que je me gare car je ne pouvais plus conduire. » « J'ai des caillots de sang au moment de mes règles, est-ce normal ? »

On peut dire que les symptômes décrits par ces trois femmes sont « normaux » dans le sens où ils ne sont pas nécessairement liés à une maladie grave. Mais ils révèlent tout de même un déséquilibre hormonal et l'incapacité de l'organisme à s'adapter en douceur à une baisse des messages hormonaux.

A l'approche de la ménopause, les femmes s'attendent à ce que leurs cycles menstruels deviennent plus courts, éventuellement moins réguliers et moins abondants. Les choses se passaient peut-être ainsi avant que nous soyons exposés aux xénohormones et consommions des aliments raffinés ; les femmes enregistraient alors simplement une baisse du thermostat hormonal. Mais de nos jours, les règles abondantes sont banales, même chez des femmes qui ne seront ménopausées que dix ans plus tard. Dans certains cas, ces ménorragies sont provoquées par la présence d'un fibrome mais elles sont également dues aux fluctuations hormonales de la préménopause et aux cycles anovulatoires, c'est-à-dire à une hyperstimulation de l'endomètre par les œstrogènes non contrebalancés.

Quand les règles sont vraiment très abondantes, elles s'accompagnent souvent de brèves douleurs inhabituelles liées au passage d'un caillot sanguin. Règles hémorragiques et caillots sanguins risquent d'angoisser une femme qui ignore que ces symptômes sont relativement courants de nos jours, donc considérés comme « normaux ». Si l'on se réfère à l'expérience des femmes qui nous ont précédées et qu'on les replace dans un contexte plus large, on ne peut pas dire que ces symptômes sont « normaux », pas plus qu'on ne peut considérer comme normal que les filles atteignent la puberté à dix ans. En réalité, ils témoignent d'une surexposition aux œstrogènes et éventuellement d'une exposition aux xénohormones dans la matrice.

Les règles trop abondantes et douloureuses surviennent chez tant de femmes (en particulier celles nées au moment du baby boom et actuellement en période de préménopause) que la télévision passe des spots publicitaires vantant les mérites de serviettes périodiques particulièrement performantes. Ces symptômes désagréables sont liés au moins en partie à une dominance en œstrogènes au niveau de l'utérus, les taux élevés d'œstrogènes stimulant exagérément la prolifération de l'endomètre. Il est possible aussi qu'ils résultent de signaux contradictoires émis par le cerveau, les glandes surrénales (sous forme d'hormones du stress) et les diverses xénohormones présentes dans l'environnement. Une alimentation pauvre en nutriments peut aussi provoquer une ménorragie.

Le docteur Carolyn DeMarco remarque que les femmes se plaignant de règles trop abondantes sont souvent débordées de travail et complètement dépassées par les événements. Elle conseille de vérifier leur taux de fer sanguin et de leur prescrire un complément de fer si la ménorragie persiste au-delà de quelques mois.

Si vous souffrez de douleurs pelviennes ou d'hyperménorrhée avant la préménopause, n'acceptez pas de subir une hystérectomie, même si votre médecin vous le conseille. Ces symptômes ont beau être gênants, ils ne dureront pas éternellement et ils ne sont pas suffisamment graves pour entraîner l'ablation d'un organe. Si vous acceptez de modifier votre mode de vie et d'analyser l'aspect émotionnel de votre déséquilibre hormonal, l'intervention médicale pourra être évitée dans la plupart des cas.

Règles abondantes, douloureuses et caillots de sang

Ce qu'il faut faire

– Maintenez autant que possible l'équilibre hormonal grâce à une alimentation équilibrée, des exercices physiques, des compléments et, si nécessaire, des hormones naturelles.

– En cas de règles douloureuses, prenez les plantes suivantes, en totalité ou en partie : viorne obier (*Viburnum opulus*), cardiaire (*Leonurus cardiaca*), giroflée des murailles (*Corydalis*), igname sauvage (*Dioscorea*), scutellaire, camomille, cenelle/houx noir (*Viburnum prunifolium*). Si ces douleurs apparaissent à un moment prévisible de votre cycle, utilisez ces plantes deux à quatre jours avant qu'elles ne surviennent.

– Prenez des bioflavonoïdes afin de renforcer les capillaires (1 000 mg par jour).

∿ APPRENEZ À CONNAÎTRE LE COL DE VOTRE UTÉRUS

Dans l'un des épisodes particulièrement amusants d'un feuilleton télévisé populaire, une jeune femme conseille à sa belle-mère ménopausée et déprimée à l'idée de vieillir de regarder le col de son utérus dans un miroir dans l'espoir de la réconcilier avec son corps. Il n'y a pas si longtemps, on ne regardait pas « là en bas », on n'aurait pas eu idée d'y toucher et l'on n'en parlait même pas. Lors d'un examen gynécologique, le médecin plaçait vos pieds dans les étriers, repoussait vos genoux vers votre menton et, caché derrière un rideau bleu, introduisait un spéculum glacial dans votre vagin pour effectuer un frottis vaginal. Puis il quittait la pièce et attendait que vous soyez rhabillée pour reprendre la consultation.

Aujourd'hui, dans la plupart des cabinets médicaux, lorsque vous êtes allongée sur la table d'examen vous contemplez la belle reproduction ou le macramé qui orne le plafond. Une bonne gynécologue vous aide à vous installer, utilise un spéculum tiède et vous permet de voir votre col grâce à un miroir. Lorsqu'elle palpe vos ovaires, elle vous explique ce qu'elle est en train de faire, elle peut même vous préciser la dimension de votre utérus (grand ou petit) et sa direction (basculé vers l'avant ou vers l'arrière). A certains égards, nous avons fait du chemin.

Le col fait partie de l'utérus. Situé à la base de cet organe, il communique avec le vagin et permet au nouveau-né de quitter la matrice lorsqu'il vient au monde. L'ouverture du col est l'un des miracles du corps : si étroit en temps normal qu'il ne peut laisser passer un doigt, le col se dilate au début du travail suffisamment pour livrer passage à un nouveau-né.

Quand une femme palpe son col, elle découvre une forme qui s'apparente à celle du nez ou du menton. Comme eux, le col peut avoir une taille et une forme différentes selon les individus. Sa couleur, sa forme et sa direction se modifient en fonction des phases de votre cycle menstruel ou de votre niveau d'excitation sexuelle.

De nombreuses femmes ne consultent un gynécologue que pour faire effectuer un frottis vaginal annuel. Ce frottis consiste à prélever des cellules superficielles à l'entrée du col et à étaler ces prélèvements sur des lames de verre avant de les adresser à un laboratoire. Le frottis cervico-vaginal de dépistage est classé selon cinq types. Le type P I est normal (bénin), le type P II révèle une inflammation ou une irritation, le type P III, une dysplasie qui peut aller de faible à sérieuse, le type P IV révèle un état précancéreux ou cancéreux, le type P V, un cancer invasif. Malheureusement, les frottis vaginaux ont un taux très élevé (jusqu'à 70 %) de faux positifs, c'est-à-dire indiquant un état plus grave que celui qui existe réellement, et un taux tout aussi élevé de faux négatifs, indiquant un problème moins grave que celui qui est en cause. Il existe un nouveau test de dépistage (*Thin Prep*) dont les résultats sont plus précis mais encore sujets à de nombreuses incertitudes lorsque le frottis est qualifié de « positif ».

ᴄᴖ DÉMYSTIFIER LA DYSPLASIE

C'est quand le frottis vaginal révèle une dysplasie (ou croissance anormale des cellules du col) que les médecins ont le plus tendance à conseiller une intervention chirurgicale. On comprend qu'une femme soit effrayée d'apprendre qu'elle est dans un état « précancéreux ». Néanmoins, il faut savoir que lorsqu'on souffre d'une dysplasie, on est encore très loin du cancer et que le cancer du col fait partie de ceux qui évoluent le plus lentement. En d'autres termes, à moins que votre frottis vaginal soit du type IV ou V, bien souvent, il n'y a pas de raison de s'affoler et de se faire aussitôt opérer. Prenez le temps de faire pratiquer un second frottis de dépistage dans un autre laboratoire et demandez l'avis d'un second médecin. Six à huit fois sur dix, le second frottis s'avérera négatif.

Dans bien des cas, la dysplasie est due à une infection des cellules du col provoquée par un papillomavirus (*human papillomavirus* ou HPV), une maladie sexuellement transmissible responsable de lésions cutanées ou muqueuses (verrues, condylomes) de la zone génitale et du col. Lorsque votre frottis est de type P II et que vous avez des verrues génitales, votre médecin peut demander une biopsie car certaines sous-classes du papillomavirus peuvent être précancéreuses ou cancéreuses alors que d'autres sont totalement bénignes.

Lorsque vous souffrez d'une dysplasie, il est important que vous vous demandiez pourquoi votre corps n'a pas su se protéger du HPV ou de l'inflammation. Un frottis de dépistage de type P II, dénotant une inflammation ou irritation du col, peut être provoqué par des rapports sexuels traumatisants ou non désirés, les tampons, les préservatifs, les douches vaginales et les spermicides (présents dans les préservatifs ou utilisés avec les diaphragmes et les capes cervicales). Un déficit de progestérone peut aussi contribuer à la dysplasie, le col de l'utérus étant alors plus sensible aux irritations.

Une cervicite (infection ou inflammation du col), une infection à chlamydia et un traumatisme sexuel peuvent, dans un premier temps, faire penser à une dysplasie. Fumer augmente les risques d'irritation du col et éventuellement, de dysplasie. Le docteur Hanley a remarqué que quand une femme a un rapport sexuel insatisfaisant et qu'elle n'en dit rien pour ne pas déplaire à son partenaire, cela a un effet traumatisant sur son corps et tout particulièrement sur le col de l'utérus. Il arrive aussi que l'extrémité du pénis vienne cogner contre le col et occasionne un traumatisme local. Tous ces problèmes peuvent être à l'origine d'un frottis anormal de type P II ou P III. Lorsque l'on a écarté l'hypothèse d'une infection virale ou d'un cancer, la meilleure solution consiste à refaire un frottis trois ou six mois plus tard. Les femmes souffrant d'infections à chlamydia à répétition doivent s'assurer qu'elles ne sont pas réinfectées par leur partenaire.

Quand l'une de ses patientes a un frottis vaginal de type P II, la plupart du temps, le docteur Hanley lui conseille d'utiliser pendant quelques semaines de l'aloès (*Aloe vera*) ou de l'acidophilus administré sous forme de douches ou d'ovules. Elle lui prescrit de l'acide folique (5 à 10 mg par jour), de la vitamine A (10 000 UI par jour), de la vitamine B6 (25 à 50 mg par jour) et de la vitamine B12 , 800 à 1 000 µg. Elle recommande d'appliquer directement sur le col de la vitamine A, cinq soirs par semaine pendant quinze jours, d'interrompre le traitement pendant deux semaines, puis de le reprendre pendant un mois. Vous pouvez acheter des suppositoires de vitamine A dont vous briserez la capsule ou de la vitamine A liquide. Comme ce traitement contient de hautes doses d'acide folique (la dose normale étant de 400 µg), il est préférable de consulter un professionnel de la santé si vous décidez de le suivre.

La fille du docteur Lee a eu une dysplasie. Son médecin voulait l'adresser à un chirurgien pour qu'il pratique une conisation, opération majeure qui exige une anesthésie générale et consiste à enlever une partie du col utérin. Le docteur Lee lui a proposé d'essayer d'abord un traitement comprenant de la progestérone, 400 µg d'acide folique et 50 mg de vitamine B6 par jour. Trois mois plus tard, sa dysplasie avait disparu.

En cas d'infection, le docteur Hanley recommande une douche à base d'eau oxygénée (un quart de tasse d'eau oxygénée pour deux tasses d'eau) deux soirs d'affilée avant le coucher. Ou une douche d'hydrastis qui permet d'éliminer la plupart des organismes en quelques jours.

∾ DYSPLASIE ET HORMONES

La dysplasie du col de l'utérus était une affection relativement rare avant la prise de contraceptifs oraux. Nous savons aujourd'hui que la pilule accroît de 50 % au moins le risque de dysplasie et de 25 % au moins celui de cancer du col. Une étude, réalisée en 1994 par le docteur Giske Ursin de l'université de Caroline du Sud et publiée dans la revue médicale *Lancet*, révéla que la prise de la pilule, ne serait-ce que pendant un à six mois, multiplie par trois le risque de cancer du col. D'après Ursin, les résultats de cette étude expliquent pourquoi le nombre de cancers du col a doublé aux Etats-Unis entre le début des années 70 et le milieu des années 80, une évolution parallèle à l'usage généralisé des contraceptifs oraux.

Ces troubles sont imputables à une exposition excessive aux œstrogènes et un déficit de progestérone mais aussi sans doute au fait que la pilule épuise les réserves de vitamines B, et tout particulièrement celles d'acide folique. En cas de frottis vaginal anormal, il faut donc cesser de prendre des contraceptifs oraux.

Il est clair que quand vous ne prenez pas la pilule, les bénéfices à long terme que vous en tirez sur le plan de la santé compensent largement les inconvénients des autres méthodes contraceptives. Vous pouvez vous reporter au chapitre 11 pour en savoir plus sur les contraceptifs oraux.

Les médecins font preuve d'une coupable négligence en prescrivant des œstrogènes non contrebalancés à des femmes en période de préménopause qui présentent des symptômes de déséquilibre hormonal. Il y a de grandes chances qu'elles reviennent consulter moins d'un an plus tard à cause d'un frottis vaginal positif de type P III. La prochaine étape étant l'hystérectomie, suivie par une prescription de Premarin et de Provera. Mais vous n'êtes nullement obligée de vous engager dans cette voie.

Lorsque le docteur Hanley reçoit une patiente ayant un frottis de dépistage de type P III qui refuse une intervention chirurgicale (ou préfère essayer un traitement alternatif avant de s'y résoudre), elle commence par lui demander de réfléchir à la nature de ses relations sexuelles et lui propose de modifier son alimentation en évitant si possible les produits laitiers (le chapitre 14 fournit des conseils détaillés dans ce domaine). Aux compléments vitaminiques préconisés plus haut, elle ajoute 30 mg de zinc par jour, 500 mg de vitamine C par jour, un mélange d'antioxydants et des polyvitamines.

Comme une dysplasie de type P III peut être occasionnée ou aggravée par une prolifération cellulaire excessive liée à une dominance en œstrogènes, elle recommande souvent l'usage d'une crème à base de progestérone. Certaines patientes demandent si elles peuvent appliquer la progestérone directement sur le col. Bien que ce ne soit pas nécessaire, si vous le faites, assurez-vous avant que la crème que vous utilisez ne contient ni conservateur chimique carcinogène ni plantes œstrogéniques mais uniquement de la progestérone.

En cas de frottis vaginal de type P II, il est courant qu'un médecin recommande une conisation, c'est-à-dire une opération au cours de laquelle un fragment du col utérin en forme de cone est enlevé à l'aide d'un scalpel ou d'un laser. Il s'agit d'un acte chirurgical majeur effectué sous anesthésie générale, souvent suivi de complications telles qu'une infection et des saignements permanents. Il n'est pas rare qu'une conisation agisse sur la fécondité en perturbant la production de glaire cervicale. Elle peut aussi provoquer une fausse couche, le col étant incapable de rester fermé. L'utilisation d'un laser a beau passer pour une technique de pointe, les résultats risquent d'être tout aussi destructeurs.

Soigner le col de l'utérus

Ce qu'il faut faire en cas de dysplasie

– Une douche vaginale avec de l'aloès (*Aloe vera*) ou de l'acidophilus avant le coucher.

– Prenez de l'acide folique (400 μg ou 5 à 10 mg par jour), en vous faisant suivre par un professionnel de la santé.

– Prenez de la vitamine B6 (25 à 50 mg par jour), de la vitamine B12 (800 à 1 000 μg par jour), de la vitamine E (400 UI par jour), de la vitamine A (10 000 UI par voie orale chaque jour et localement sur le col).

– Utilisez une crème à base de progestérone naturelle (se reporter au chapitre 16).

Ce qu'il faut faire en cas d'inflammation ou d'infection du col

– Une douche contenant 1/4 de tasse d'eau oxygénée pour 2 tasses d'eau, deux soirs d'affilée avant le coucher.

– Prenez de la vitamine A, 10 000 UI par jour (par voie orale et/ou appliquée directement sur le col).

Ce qu'il faut éviter

– Les œstrogènes non contrebalancés.

– La pilule contraceptive.

– Les spermicides (gel du diaphragme et préservatifs).

– Les douches du commerce.

– Les tampons.

– Les rapports sexuels non désirés ou traumatisants.

Chapitre 7

—— ∼ ——

CYCLES, FOLLICULES ET OVAIRES

*A*manda souffrait de douleurs pelviennes au milieu du cycle menstruel, de ballonnements prémenstruels très gênants et de céphalées chroniques. L'examen gynécologique permit de déceler un ovaire hypertrophié et l'échographie révéla un kyste important sur l'ovaire droit. Comme certains kystes ovariens peuvent devenir cancéreux et que les analyses de sang n'étaient pas concluantes, le gynécologue d'Amanda lui proposa une exploration chirurgicale afin de déterminer si le kyste était ou non cancéreux. Lorsque Amanda pénétra dans le cabinet du docteur Hanley, elle lui déclara en se tenant le ventre à deux mains : « Je ne veux pas qu'ils m'enlèvent mes ovaires ! »

Après avoir lu le compte rendu du gynécologue, le docteur Hanley questionna en détail Amanda sur les problèmes de santé survenus dans sa famille et sur son mode de vie, puis elle lui proposa un test AMAS. Le test AMAS (abréviation pour *antimalignan antibody in serum*) est un test remarquable et révolutionnaire qui permet de détecter, avec une grande fiabilité, la présence d'une tumeur maligne, même microscopique, n'importe où dans l'organisme. Reportez-vous au chapitre 12 pour de plus amples informations sur ce test.

Il n'y avait jamais eu de cancer des ovaires dans la famille d'Amanda ; elle semblait présenter une légère dominance en hormones mâles (androgènes) ; et elle exigeait beaucoup d'elle-même car elle travaillait avec un directeur qu'elle n'aimait pas, assumait une relation difficile avec son ex-mari et s'occupait seule de ses trois enfants en bas âge. Le docteur Hanley sentit qu'une fois que le test AMAS aurait permis d'écarter l'hypothèse d'une tumeur maligne (ce qui fut effectivement le cas), sa patiente allait pouvoir effectuer un travail sur elle-même pour rééquilibrer son corps, au lieu de subir une intervention chirurgicale pour un kyste ovarien qui pouvait très bien ne pas être cancéreux.

Amanda avait des dons artistiques mais elle était obligée de travailler à plein temps en tant que cadre dans une entreprise pour gagner sa vie. Même si elle considérait l'éducation de ses enfants comme une activité créative et s'attelait avec eux à des travaux artistiques, elle avait besoin de temps et de solitude pour mener à bien ses propres projets dans ce domaine. Elle se sentait piégée par son travail et réprimée sur le plan artistique. Le docteur Hanley lui conseilla de trouver un lieu dans sa maison où, quelques heures par semaine, elle pourrait exercer son art. Elle reconvertit donc une partie de la buanderie en atelier où elle pouvait modeler des statues en terre glaise le matin de bonne heure. Tout en sculptant, elle réfléchit au moyen de faire évoluer sa situation professionnelle et d'échapper à son patron tyrannique.

Comme Amanda avait une alimentation déséquilibrée (pizzas, pain blanc et produits laitiers) le docteur Hanley l'aida à adopter une alimentation plus saine et lui prescrivit quelques plantes et des compléments afin de normaliser son taux de glucose et de soutenir son foie. Elle la poussa à tenir un journal intime ou à dessiner plusieurs jours par semaine et à mettre en place des activités où elle pourrait prendre de l'exercice avec ses enfants.

Modifier sa vie d'une manière positive n'était pas chose facile pour une personne aussi surmenée et surchargée de travail qu'Amanda mais ses efforts furent rapidement récompensés : peu après le début du traitement, les maux de tête et les ballonnements prémenstruels diminuèrent. Au bout de trois mois, ses symptômes s'étaient atténués de manière significative. Une échographie montra que son kyste avait diminué de moitié et un nouveau test AMAS s'avéra négatif. Elle décida de continuer à travailler avec le docteur Hanley plutôt que de subir une intervention chirurgicale.

Un an plus tard, certains de ses cycles se passaient tout à fait normalement et d'autres s'accompagnaient encore de douleurs, ballonements et maux de tête tout à fait supportables. Elle était consciente qu'en s'occupant d'elle-même et en tenant un journal de ses symptômes, elle avait réussi à équilibrer la tendance de son organisme à fabriquer des kystes. Elle avait découvert un rapport direct entre ces troubles et le fait de ne pas prendre soin d'elle-même et cette prise de conscience constitua une forte motivation pour continuer dans la bonne voie.

ᷲ ACCROCHEZ-VOUS AUTANT QUE POSSIBLE À VOS OVAIRES

Les ovaires sont l'équivalent anatomique des testicules et ont la même fonction : ils constituent une source d'énergie et de libido, engendrée par les hormones qu'ils sécrètent. La médecine emploie d'ailleurs le terme de castration ausi bien pour qualifier l'ablation des ovaires que celle des testicules, avec tout ce qu'implique ce mot lourd de sens. Même si votre médecin vous assure qu'une ovariectomie va résoudre tous vos problèmes, cette intervention peut avoir des effets aussi profonds sur une femme que l'ablation des testicules chez l'homme. Il est possible que votre médecin ait raison mais uniquement dans le sens où castrer un homme résoudra, en effet, tous ses « problèmes

Un homme castré ne fabrique pratiquement plus de testostérone, il sera donc moins agressif, sa libido baissera ou disparaîtra, il prendra du poids et développera une ostéoporose un an ou deux après l'intervention. Une femme ayant subi une ablation des ovaires ne fabrique pratiquement plus d'œstrogènes, de progestérone et d'androsténédione ; elle a de grandes chances d'être déprimée, de perdre quasiment tout appétit sexuel et si elle prend du Premarin, de faire de la rétention d'eau et de devenir hyperanxieuse. Même si elle suit un traitement hormonal substitutif, l'ovariectomie est un facteur de risque d'ostéoporose et de maladie cardiaque. Si on ne lui prescrit que du Premarin, cas de la plupart des femmes ayant subi une hystérectomie (partant du fait que si l'on retire les ovaires, on retire aussi l'utérus), ce sera un facteur de risque de cancer du sein, notamment cinq ans après l'intervention. Une femme castrée sera privée des faibles quantités d'hormones qu'auraient sécrétées ses ovaires, même après la ménopause ; ce sont ses surrénales qui prendront le relai, fabriquant les hormones stéroïdes nécessaires, et elles seront surmenées par cette activité supplémentaire. Même si on fournissait à une femme ayant subi une ablation des ovaires la totalité des hormones stéroïdes, cet apport artificiel ne serait pas aussi bien régulé qu'avant l'intervention.

Dans de rares cas, l'ovariectomie s'impose : cancer des ovaires, kystes ovariens présentant un risque élevé d'être précancéreux ou kystes si volumineux qu'ils occasionnent des douleurs et résistent aux traitements. Mais la plupart de ces interventions ne sont pas nécessaires.

Les médecins ont tendance à préconiser cette opération car ils redoutent le cancer des ovaires et considèrent l'ovariectomie comme un acte chirurgical préventif. Bien que ce cancer soit relativement rare, il effraie ceux qui ont pu en observer les méfaits. En effet, on ne le diagnostique que lorsqu'il a atteint un stade avancé et les rémissions sont extrêmement rares dans le cadre de la médecine allopathique. Si un médecin considère le cancer des ovaires comme une maladie terrifiante et juge qu'une femme qui a passé l'âge de procréer n'a plus besoin de ses ovaires, on comprend qu'il conseille une ovariectomie. Mais il oublie qu'après l'opération, un cancer peut apparaître dans la cavité pelvienne, tout aussi grave pour sa patiente que le cancer des ovaires. Voilà pourquoi la prévention est si importante, en particulier lorsqu'il y a eu un cas de cancer des ovaires dans votre famille immédiate. Le risque de cancer des ovaires augmente si l'on a pris un inducteur d'ovulation (contre la stérilité) comme le Chlomid, utilisé une pilule contraceptive ou si l'on n'a pas eu d'enfant (donc ovulé pendant tous les cycles). Reportez-vous aux chapitres 12 et 14 pour en savoir plus sur la prévention du cancer.

∿ BREF APERÇU DE CE QUE NOUS SAVONS SUR LES OVAIRES

Vous serez sans doute étonnée d'apprendre que la science médicale sait bien peu de chose sur le fonctionnement des ovaires et tout aussi étonnée de découvrir que ces organes sont stimulés dans le but de produire et de libérer des hormones. Nous en savons assez néanmoins pour vous fournir quelques informations de base qui vous permettront de conserver vos ovaires et de les conserver en bon état.

Quand les cycles menstruels sont réguliers et normaux, les ovaires libèrent un ovule dans la trompe de Fallope. Ce phénomène s'appelle l'ovulation et survient aux alentours du quatorzième jour du cycle (voir figures 7.1 et 7.2). Mais revenons en arrière afin de découvrir ce qui se passe avant cette date.

Au moment où l'ovocyte contenu dans l'ovaire répond aux signaux hormonaux émis par le cerveau, la couronne cellulaire qui l'entoure augmente de taille et, après maturation, aboutit à un follicule qui se déplace vers la surface de l'ovaire. Tout en se développant, le follicule sécrète des œstrogènes. Chaque mois, cent vingt follicules environ sont impliqués

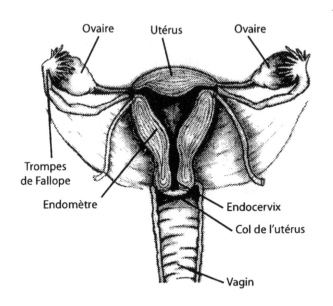

Figure 7.1. Vue de face du système de reproduction.

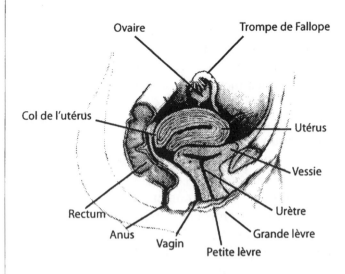

Figure 7.2. Vue de profil du système de reproduction.

dans le processus de maturation des ovocytes mais, en principe, un seul d'entre eux réussira à libérer un ovule (ovulation) avant les autres. Au moment de l'ovulation, le follicule rompu se transforme en corps jaune et sécrète d'importantes quantités de progestérone, ce qui empêche une ovulation ultérieure des follicules restant au niveau des deux ovaires.

Quand le follicule expulse un ovule, celui-ci ne tombe pas directement dans la trompe de Fallope ; il se trouve encore à une certaine distance (toutes proportions gardées) de la trompe et c'est cette dernière qui le capte – comment ? on ne le sait pas encore précisément. Le docteur Lee a eu pour patiente une femme qui n'avait plus d'ovaire droit et plus de trompe gauche. Lorsqu'elle s'est remariée à quarante ans, elle pensait être stérile et s'est néanmoins retrouvée enceinte. D'une manière ou d'une autre, un ovule de l'ovaire restant avait réussi à atteindre la trompe de Fallope située de l'autre côté de son corps et avait migré dans l'utérus. Neuf mois plus tard, elle accoucha d'un petit garçon en bonne santé.

∾ QU'EST-CE QUI VIEILLIT EN PREMIER ? LES OVAIRES OU LE CERVEAU ?

Les chercheurs qui étudient la biochimie du vieillissement ne parviennent pas à tomber d'accord sur ce qui provoque la ménopause. Survient-elle lorsque les signaux hormonaux émis par le cerveau et permettant la maturation du follicule commencent à faire défaut ? Ou est-ce l'ovaire et ses follicules qui cessent de répondre aux ordres émis par le cerveau ? Nous découvrirons sans doute un jour que les deux phénomènes interviennent dans ce processus, auxquels il faut ajouter les prédispositions génétiques et les effets de l'environnement.

En se basant sur les patientes qu'elle reçoit quotidiennement, le docteur Hanley pense que la quantité de xénohormones ou xénœstrogènes présents dans l'environnement est telle qu'ils bloquent l'hormone lutéinisante (LH), une hormone hypophysaire qui transmet aux ovaires l'ordre de libérer l'ovule et de sécréter de la progestérone. Elle reçoit régulièrement des patientes d'une quarantaine d'années dont le taux de LH est inférieur à la normale. Ces femmes ont des difficultés à tomber enceinte, sont plus sujettes au SPM, aux règles abondantes et aux cycles menstruels anormaux. Le docteur Hanley en déduit que leurs ovaires sont capables de fabriquer des hormones mais qu'ils ne sont pas suffisamment stimulés par le cerveau pour accomplir leur travail.

Lorsqu'il n'y a pas d'ovulation (ce que l'on nomme cycle anovulatoire), la production de progestérone est fortement réduite, parfois même inexistante, car c'est le follicule rompu, alors appelé corps jaune, qui constitue la source quasi exclusive de progestérone au cours de chaque cycle. On imagine facilement la fragilité de l'équilibre hormonal quand on sait que la libération d'un œuf minuscule joue un rôle majeur dans son maintien.

Une femme n'ovule régulièrement tous les mois que pendant dix à quinze ans, entre l'âge de vingt ans et celui de trente-cinq ans. Avant la puberté, il n'y a pas d'ovulation. Pendant la période pubertaire, certains cycles sont ovulatoires, d'autres non et en période de préménopause, cette irrégularité réapparaît. Les femmes qui font des efforts physiques trop intenses, celles qui ont une alimentation très pauvre en calories (ou en graisses), celles qui sont stressées ou malades sont sujettes aux cycles anovulatoires. Ceux-ci entraînent un déséquilibre hormonal et plus particulièrement, une dominance en œstrogènes.

Même quand il n'y a ni ovulation, ni sécrétion de progestérone, si la concentration d'œstrogènes est suffisante pour développer la muqueuse gorgée de sang de l'utérus, les règles surviendront. En d'autres termes, l'arrivée des règles ne signifie pas qu'il y ait eu ovulation. Les cycles menstruels ne dépendent pas que de la progestérone, encore qu'ils soient plus réguliers et s'accompagnent de moins de symptômes gênants chaque fois que cette hormone est présente dans l'organisme, à cause de l'ovulation ou d'un apport extérieur.

Parfois, l'ovulation se produit mais il existe un dysfonctionnement au niveau du follicule et la production de progestérone se tarit plus vite que lors d'un cycle normal. Dans ce cas, la dominance en œstrogènes réapparaît pendant les jours qui précèdent les règles en dépit de l'ovulation. Même s'il y a fécondation, l'ordre émis par l'hormone spécifique libérée par l'ovule fécondé (hormone gonadotrope chorionique ou HCG) peut ne pas entraîner une élévation de la progestérone suffisante pour que l'œuf s'implante. La grossesse s'interrompt sans que la femme en ait conscience.

ᦇ VOS OVAIRES TRAVAILLENT POUR VOUS TOUT AU LONG DE LA VIE

Contrairement à une idée répandue dans le corps médical conventionnel, l'activité des ovaires ne s'interrompt pas définitivement à la ménopause. Comme la plupart des glandes, l'ovaire est une structure complexe possédant une multitude de fonctions. La fine couche superficielle, appelée thèque, produit les ovules. Elle cesse d'être fonctionnelle lorsque l'on vieillit. La couche interne, appelée stroma ovarien, fabrique toutes les hormones stéroïdes et nous possédons de plus en plus d'éléments tendant à prouver qu'elle continue à fonctionner jusqu'à un certain point durant toute la vie. L'ensemble des concentrations hormonales baisse d'une manière naturelle avec l'âge. Aux alentours de la ménopause, le stroma se met à produire plus d'androsténédione, une hormone mâle qui peut, si nécessaire, être convertie en œstrogènes au niveau des cellules adipeuses. Les femmes qui présentent les symptômes d'une dominance androgénique, tels qu'une pilosité importante de la lèvre supérieure, un front dégarni et un ventre proéminent, sont souvent privées des enzymes ou des coenzymes (habituellement vitamines et oligoéléments) nécessaires pour convertir l'androsténédione en œstrogènes.

Les travaux du docteur David Zava ont démontré que la résistance à l'insuline, liée à une concentration élevée d'insuline dans le sang, joue un rôle primordial dans le blocage de la conversion de l'androsténédione en œstrogènes et bloque aussi les voies biochimiques à travers lesquelles les hormones sont synthétisées. La résistance à l'insuline est due, dans la plupart des cas, à l'obésité.

∿ VOS OVAIRES S'EXPRIMENT DE BIEN DES MANIÈRES

Lorsqu'une femme se plaint de douleurs pelviennes chroniques et que l'échographie révèle des kystes ovariens hypertrophiés, cela suffit souvent à justifier une ovariectomie. Vous devez donc savoir que, dans la plupart des cas, la présence de kystes ovariens est un phénomène normal, que les kystes hypertrophiés sont courants et rarement cancéreux.

Les kystes font partie du processus ovulatoire. Avant l'ovulation, un certain nombre de follicules (entre quelques-uns et plusieurs centaines) se développeront à l'intérieur de l'ovaire, suffisamment pour devenir semblables à un kyste. Normalement, un seul follicule libère un ovule dans la trompe de Fallope. Les autres se transformeront de manières diverses : ils seront soit réabsorbés par l'ovaire, soit dissous à l'extérieur de celui-ci.

Lorsqu'un nombre important de follicules migrent vers la surface de l'ovaire sans qu'il y ait ovulation, il n'y a pas de production de progestérone. Comme l'hypothalamus contrôle à la fois les œstrogènes et la progestérone, lorsque la concentration de progestérone ne s'élève pas, il ordonne à l'hypophyse de sécréter une quantité plus importante d'hormone folliculostimulante (FSH) en libérant une substance appelée gonadolibérine (GnRH). La FSH stimule l'ovaire pour qu'il reprenne sa tâche de maturation d'un ovocyte. L'élévation de la concentration de FSH a pour unique conséquence d'accroître la production d'œstrogènes. Les follicules deviennent des kystes et, stimulés par la FSH, ils se développent de plus en plus lors des cycles suivants. Certains kystes ovariens libèrent du sang et du liquide dans la cavité pelvienne et peuvent alors occasionner des douleurs. Quand la concentration de progestérone retrouve un niveau normal pendant quelques mois, les kystes sont en général réabsorbés sans incident.

Les kystes ovariens, normaux ou anormaux, présentent des variations étonnantes. Ils peuvent surgir pratiquement en l'espace d'une nuit et disparaître aussi rapidement. Ils peuvent atteindre la taille d'un citron, et même plus, avant de disparaître. Si un kyste mesure plus de quatre centimètres, votre médecin va certainement vous annoncer qu'il est anormal et qu'il faut donc le retirer. Le choix le plus rationnel et qui offre le plus de garanties consiste à observer l'évolution de ce kyste pendant quelques mois afin de voir s'il disparaît – ce qui arrive dans la plupart des cas.

Certains kystes sont remplis de liquide, d'autres acquièrent une consistance plus solide au fil des cycles. Généralement, plus le kyste est solide en son centre, plus il a de chances de devenir cancéreux. Pour des raisons encore mal connues, il arrive qu'un follicule fabrique des cellules de l'épiderme, des dents, des cheveux ou d'autres tissus. Stimulés par la FSH, ces tissus peuvent se développer à l'intérieur d'un kyste. Ces kystes dermoïdes sont rares. Comme ils ne sont pas réabsorbés, ils se développent chaque mois et doivent être extirpés chirurgicalement.

Les femmes avec un taux élevé d'œstrogènes et un faible taux de progestérone, ainsi que celles qui ont un taux élevé d'androgènes, ont parfois des ovaires polykystiques (présentant de nombreux kystes). Dans ce cas, un nombre élevé de petits follicules non développés se logent sous la couche superficielle de l'ovaire qui s'hypertrophie et prend un aspect bosselé.

～ L'ASPECT ÉMOTIONNEL DES OVAIRES

Lorsque le docteur Hanley reçoit une femme qui a un kyste ovarien, elle lui demande toujours s'il n'y pas eu récemment un événement traumatisant dans sa vie. Elle s'est aperçue que, particulièrement chez les femmes en période de préménopause, les traumatismes et les changements soudains se reflètent sur les ovaires. Il suffit qu'un événement angoissant ou qui exige un effort d'adaptation survienne à un certain moment du cycle pour que la symphonie hormonale se transforme en cacophonie, temporairement ou d'une manière chronique.

Lorsqu'une femme atteint la quarantaine, elle court plus de risques que précédemment de développer ce qu'on appelle un kyste fonctionnel. En effet, l'orchestration de la symphonie hormonale laisse à désirer et le follicule ne libère plus d'ovule. Ce type de kyste peut passer complètement inaperçu ou occasionner une gêne et devenir chronique. Il peut entraîner certains symptômes tels qu'une respiration saccadée ; des règles trop rapprochées, trop abondantes ou trop faibles ; ou encore une douleur pelvienne unilatérale qui peut aller du léger pincement à la douleur forte et lancinante.

Un voyage de l'autre côté de l'océan, par exemple, suffit parfois à provoquer ces symptômes. Néanmoins, le docteur Hanley a observé que les femmes souffrant d'un kyste fonctionnel ont, dans la plupart des cas, subi un choc psychologique : infidélité de leur compagnon ou de leur mari, divorce, problèmes de santé chez un de leurs enfants ou problème financier imprévu. Dédramatiser une telle situation en se confiant à une amie ou à un membre de la famille, en consultant un psychologue ou en tenant un journal constitue un remède miracle pour soigner les kystes fonctionnels ou prévenir leur apparition.

Le docteur Hanley a aussi remarqué que si un événement traumatisant engendre de la colère, que celle-ci soit dirigée contre quelqu'un ou contre soi-même, parce que l'on a refusé de regarder la vérité en face, le pardon a un important pouvoir de guérison. Nous ne pardonnons pas aux autres pour leur bien mais pour notre propre bien. C'est le seul moyen réellement efficace d'évacuer la douleur et la rage afin de ne pas les recréer à l'intérieur de notre corps.

ᐱ FABRIQUER DES ŒSTROGÈNES APRÈS LA MÉNOPAUSE

Si vous observez les femmes autour de vous, vous remarquerez que celles qui ont entre quarante et soixante-dix ans sont, en grande majorité, plutôt bien en chair et vous vous ferez la même remarque quasiment dans toutes les régions du monde si vous voyagez. La production d'œstrogènes au niveau des cellules adipeuses explique peut-être pourquoi les femmes prennent du poids aux alentours de la ménopause quand elles laissent faire la nature : au moment où la production ovarienne d'œstrogènes chute, les cellules adipeuses prennent en partie le relais. Bien que notre environnement culturel nous pousse à penser exactement le contraire, l'embonpoint (et non l'obésité) chez les femmes qui ne vont pas tarder à être ménopausées constitue sans doute un mécanisme protecteur et bénéfique destiné à encourager la production d'œstrogènes au niveau des cellules adipeuses afin de prévenir la perte osseuse et la baisse de l'activité cérébrale.

Les femmes très corpulentes au moment de la ménopause ont des taux d'œstrogènes plus élevés, moins de troubles ménopausiques et moins d'ostéoporose. Mais elles ont aussi plus de chances d'avoir un cancer du sein. Comme toujours, les choses s'équilibrent. Une prise de poids excessive est préjudiciable à la santé et entraîne de multiples déséquilibres, hormonaux entre autres. Les bouffées de chaleur apparaissent d'une manière privilégiée chez les femmes souffrant d'obésité, chez celles qui ont subi une ovariectomie et/ou chez les fumeuses.

A partir de soixante-dix ans, les femmes ont tendance à perdre à nouveau du poids. On peut supposer qu'à cet âge-là, la fonction ovarienne a tellement diminué que même la production d'androsténédione est très faible. En dépit de cette baisse drastique de la production hormonale, les femmes âgées de plus de soixante-dix ans, lorsqu'elles sont en bonne santé, font souvent preuve du même intérêt pour la vie qu'avant la puberté, allié cette fois à la sagesse et l'humour que l'on acquiert quand on a vécu sept décennies sur terre.

~ PRENEZ CONSCIENCE DE VOS OVAIRES

Les ovaires sont des glandes très actives. De nombreuses femmes perçoivent leur activité au moment de l'ovulation ; elles sentent un pincement ou une légère crampe au niveau des ovaires, lesquels sont situés au-dessus et de part et d'autre du nombril. On peut alors se tromper en croyant que l'on souffre de gaz ou d'une indigestion.

Savoir à quel moment survient l'ovulation est un merveilleux moyen de mieux connaître son corps et ses cycles. Cela vous permettra aussi de prendre conscience de votre fécondité. Vous découvrirez qu'au moment de l'ovulation, la glaire cervicale se modifie : au début, elle devient plus abondante ou plus « humide », puis elle se clarifie, prend un aspect filant, assez semblable au blanc d'œuf cru.

Si vous voulez savoir à quel moment vous ovulez, vous pouvez prendre votre température sous l'aisselle dès le réveil et avant de vous lever, en commençant par le dernier jour des règles. Vous découvrirez qu'au moment de l'ovulation, la température du corps s'élève de 4 à 5 dixièmes de degré.

Vous pouvez aussi acheter un mini-microscope et observer votre glaire cervicale. Quand vous ovulez, elle produit un motif qui ressemble à une fougère. S'il n'y a pas d'ovulation, la glaire reste normale.

A proprement parler, une femme ne peut être fécondée

qu'environ soixante-douze heures par cycle. Comme la durée de vie des spermatozoïdes est de soixante-douze heures maximum, il est théoriquement possible qu'il y ait fécondation avec du sperme présent dans les voies génitales deux ou trois jours avant l'ovulation. En conséquence, il peut y avoir conception six jours par mois. Les femmes capables de déterminer à quel moment survient l'ovulation grâce aux méthodes présentées plus haut peuvent les utiliser comme un contrôle des naissances, efficace à 98 % quand on l'observe scrupuleusement.

Une femme en période de préménopause, qui n'ovule donc pas nécessairement tous les mois, peut se servir de ses propres observations pour déterminer les cycles anovulatoires. Certaines femmes n'utilisent de la crème à base de progestérone que lorsqu'elles savent qu'elles n'ont pas ovulé, c'est-à-dire uniquement quand elles en ont besoin. C'est là un bel exemple d'équilibre hormonal basé sur la prise de conscience des mécanismes du corps. Toutes les femmes ne sont pas aussi à l'écoute de leur corps. Mais si c'est votre cas, cela constituera un avantage de plus dans le traitement de l'équilibre hormonal.

Nous espérons que si les femmes attachent plus d'importance à leurs organes de reproduction, y compris leurs ovaires, les médecins leur emboîteront le pas. Tout au long de votre vie, vos ovaires représentent une source précieuse d'énergie et de production d'hormones qui œuvre en harmonie avec votre corps, mieux que ne le feront jamais les traitements hormonaux de substitution.

Soigner les ovaires

Ce qu'il faut faire

– En cas de symptômes d'une dominance en œstrogènes, utiliser de la crème à base de progestérone naturelle (se reporter au chapitre 16).

– En cas de kystes fonctionnels, afin de détoxifier l'organisme et soutenir le foie, prenez le mélange des plantes suivantes (en totalité ou en partie) : buplèvre (*Bupleurum*), *Silybum marianum*, épine-vinette ou hydrastis, racine de bardanne, parelle, racine de pissenlit.

– En cas de kystes fonctionnels, pour soigner les kystes, prenez le mélange des plantes suivantes (en totalité ou en partie) : racine de bardane, viorne aubier (*Vibernum opulus*), racine de réglisse, racine de pissenlit, *Vitex* (gattilier), feuilles de framboisier.

– Prenez chaque jour des polyvitamines associées à des oligoéléments.

Ce qu'il faut faire pour rétablir l'ovulation

– Apprenez à gérer le stress et calmez-vous.

– Evitez les exercices physiques violents et les régimes alimentaires pauvres en calories.

– Prenez du *Vitex* (suivez la posologie indiquée sur l'emballage).

– Utilisez un peu de crème à base de progestérone du 5e au 26e jour du cycle pendant trois cycles afin de supprimer temporairement l'ovulation. Dans la plupart des cas, l'ovulation réapparaît à partir du 4e cycle.

– Assumez les chocs psychologiques grâce à une activité créative, une thérapie, un journal intime, etc.

– Mettez fin aux relations traumatisantes.

Ce qu'il faut éviter

– Les œstrogènes non contrebalancés et la dominance en œstrogènes.

– Les pilules contraceptives.

– Les inducteurs d'ovulation.

– Le talc au niveau de la zone génitale.

– Les produits laitiers.

– La viande provenant d'élevages industriels (consommez de la viande biologique ne contenant aucun résidu de pesticides ou de médicaments).

Chapitre 8

~

LE SPM : QUAND ELLE EST EN FORME, ELLE EST VRAIMENT FORMIDABLE MAIS QUAND ÇA VA MAL, ELLE N'EST PAS À PRENDRE AVEC DES PINCETTES

*L*e syndrome prémenstruel, ou SPM, est de loin la plainte la plus courante des patientes en période de préménopause. On estime généralement que 2,5 à 5 % des femmes souffrent d'un SPM grave et 33 %, d'un SPM modéré. Lorsque le syndrome prémenstruel a été décrit pour la première fois en 1931, on l'a qualifié d'« état de tension insupportable », description que la plupart des femmes accepteront jusqu'à un certain point. Un nombre restreint de femmes souffrent du SPM depuis qu'elles sont réglées mais dans la plupart des cas, ces symptômes apparaissent à partir de trente-cinq ans environ et ne cessent de s'aggraver jusqu'à la ménopause. Les symptômes les plus courants de cet état sont le ballonnement (et la rétention d'eau), la tension et les nodules mammaires, les maux de tête, les crampes, la fatigue, l'irritabilité, les sautes d'humeur et l'anxiété. Chez les femmes souffrant d'un SPM sévère, l'irritabilité et les sautes d'humeur peuvent se transformer en accès

147

de colère et de rage. Par définition, les symptômes du SPM apparaissent deux semaines avant la menstruation et ne disparaissent parfois qu'après les premiers jours des règles.

Autant vous le dire tout de suite : il n'existe aucune « pilule miracle » pour le SPM. De faibles quantités de progestérone peuvent en atténuer les symptômes et dans certains cas, elles suffisent à résoudre le problème car cette hormone compense les effets des œstrogènes présents dans l'environnement ainsi que les cycles anovulatoires. Mais le SPM dépend d'une multitude de facteurs et nécessite d'être traité aussi bien sur le plan physique qu'émotionnel. Nous reviendrons dans ce chapitre sur l'aspect émotionnel de ce syndrome.

Le stress joue presque toujours un rôle dans le SPM : il provoque un accroissement des concentrations de cortisol qui bloque les récepteurs de la progestérone. Voilà pourquoi un taux normal de progestérone ne signifie pas que l'organisme n'ait pas besoin d'un supplément de cette hormone afin de surmonter le blocage des récepteurs. A partir du moment où une femme prend en main son SPM, elle est mieux à même de gérer le stress et n'aura plus besoin de cet apport supplémentaire de progestérone.

Comme le SPM se manifeste à un moment du cycle où les concentrations de progestérone sont relativement élevées, on a longtemps pensé que cette hormone était responsable de ce syndrome. Théoriquement, les symptômes du SPM devraient être liés soit à un déficit de cette hormone (donc à une dominance en œstrogènes), soit à une concentration élevée de progestérone. Cette seconde hypothèse est peu vraisemblable car les concentrations de progestérone pendant la grossesse sont dix à vingt fois plus élevées que la normale enregistrée au milieu d'un cycle, sans que les symptômes du SPM apparaissent pour autant. Il est beaucoup plus plausible qu'il s'agisse d'un déficit de progestérone (donc d'une dominance en œstrogènes) puisqu'il y a une nette corrélation entre de nombreux symptômes du SPM et ceux de la dominance en œstrogènes, notamment la rétention d'eau, le gonflement des seins, les maux de tête, les sautes d'humeur, la perte de la libido et les troubles du sommeil.

La réponse d'une femme à ses propres cycles hormonaux est totalement individuelle, ce qui explique en partie la difficulté à déterminer les causes du SPM. Un certain taux d'œstrogènes peut n'avoir aucun effet sur une patiente et provoquer des ballonnements et de l'anxiété chez une autre. Certaines femmes supportent parfaitement les cycles anovulatoires alors que d'autres se plaignent de migraines et de colères immotivées lorsqu'elles n'ovulent pas. La prise de la pilule ou d'un traitement hormonal substitutif de la préménopause entraîne souvent des effets secondaires mais certaines patientes disent qu'elles s'en trouvent très bien. Voilà pourquoi il est si important que vous vous familiarisiez avec vos propres symptômes et ne laissiez personne vous dire que ce n'est qu'un « problème émotionnel » ou que vous avez simplement besoin d'un tranquillisant ou d'un antidépresseur.

On doit au docteur Katherina Dalton, chercheuse britannique, la première tentative de soigner le SPM avec de la progestérone, administrée sous forme d'ovules vaginaux ou de suppositoires rectaux hautement dosés. Malgré son succès, ce traitement n'obtint pas les résultats escomptés. Nous savons aujourd'hui que l'utilisation de doses élevées de progestérone entraîne la formation de métabolites (sous-produits du métabolisme) qui ne sont pas de la progestérone, inhibent les sites récepteurs de cette hormone et peuvent entraîner des effets secondaires indésirables ou bloquer les effets de la progestérone. Des doses de progestérone allant de 100 à 300 mg, administrées par voie orale, peuvent avoir des effets aussi fâcheux. (Ce type de traitement exige des doses considérables car le foie élimine immédiatement 90 % de la quantité ingérée.)

En dépit des limites et désavantages de ce mode d'administration, le docteur Joel T. Hargrove, du Vanderbilt University Medical Center, a publié des résultats indiquant un taux de réussite de 90 % du traitement du SPM avec des doses de progestérone naturelle micronisée, prise par voie orale.

Tout savoir sur la préménopause

Un article de Peter J. Schmidt, publié récemment dans le *New England Journal of Medicine*, rend compte d'une étude menée auprès de femmes traitées au Lupron, médicament qui supprime la production de toutes les hormones ovariennes. Aux femmes qui reconnaissaient que le Lupron améliorait les symptômes du SPM, Schmidt et ses collègues ont prescrit soit du Lupron et de l'œstradiol transcutané, soit du Lupron et 200 mg de progestérone administrée deux fois par jour sous forme d'ovules vaginaux. L'expérience, dans les deux cas, a duré dix semaines.

L'hypothèse de départ était que, grâce à la suppression par le Lupron des hormones fabriquées naturellement par l'organisme, les femmes de ces deux groupes allaient être exposées soit à l'œstradiol, soit à la progestérone, ce qui permettrait de déterminer laquelle de ces deux hormones était responsable du SPM. Cette approche ne tient pas compte du fait que les hormones stéroïdes dépendent d'un équilibre délicat et d'une orchestration où chacune d'elles joue un rôle. En outre, la suppression des hormones sécrétées par l'organisme et l'administration ininterrompue pendant dix semaines d'œstradiol ou de progestérone ne respectent pas la nature cyclique de la production hormonale. Sans compter que la dose massive de 400 mg de progestérone par jour suffirait à elle seule à totalement désorganiser le fonctionnement hormonal de n'importe quelle femme.

Les symptômes du SPM réapparurent dans les deux groupes. Des résultats qui n'ont rien de surprenant compte tenu des doses excessives de progestérone et du fait que l'administration de progestérone tend à stimuler les récepteurs des œstrogènes pendant les deux premiers cycles. Si l'on avait donné à ces femmes de la progestérone par voie transcutanée pendant la seconde moitié du cycle et durant trois mois, c'est-à-dire assez longtemps pour permettre une baisse de l'activation des récepteurs des œstrogènes par la progestérone, on aurait découvert une nette amélioration dans le groupe sous progestérone.

Au vu des résultats enregistrés, les chercheurs s'étonnèrent que les œstrogènes puissent provoquer les symptômes du SPM. Ils conclurent que « chez les femmes souffrant du syndrome prémenstruel, l'apparition des symptômes représente une réponse anormale à des modifications hormonales normales ». Plutôt que de qualifier d'« anormales » les femmes sensibles aux fluctuations hormonales, il serait plus précis de dire que la réponse aux fluctuations et déséquilibres hormonaux diffère d'une femme à l'autre et que certaines y sont plus sensibles que d'autres. Cependant, comme cette étude constituait une tentative à peine déguisée de promotion du Lupron pour le traitement du SPM, les fabricants de ce médicament avaient tout intérêt à traiter d'« anormales » les femmes sensibles aux fluctuations hormonales. C'est à peine croyable !

Une autre erreur typique commise par les médecins qui essaient de traiter le SPM avec de la progestérone consiste à prescrire un progestatif de synthèse, comme s'il s'agissait effectivement de progestérone. Donner un progestatif à une femme souffrant du SPM revient à jeter de l'essence sur un feu – la plupart des patientes verront leurs symptômes s'aggraver d'une manière dramatique.

Une crème à base de progestérone, utilisée selon la dose normale (15 à 30 mg par jour) deux semaines par mois, a un taux très élevé de réussite dans le traitement des symptômes du SPM. D'après le docteur Hanley, les femmes présentant un grave déficit de cette hormone ont intérêt à utiliser une dose de 100 mg par jour pendant un mois ou deux avant de réduire ces quantités. Le docteur Lee reçoit des centaines de lettres de femmes qui ne souffrent plus du SPM depuis qu'elles utilisent une crème à base de progestérone. Il a remarqué que ce traitement soulage tout particulièrement les femmes sujettes aux symptômes œdémateux du SPM (gonflement, ballonnement, rétention d'eau, prise de poids). Reportez-vous au chapitre 16 pour savoir comment utiliser la progestérone dans le traitement du SPM.

Le docteur Margaret Smith, chercheuse australienne connue pour ses travaux sur les hormones, a rapporté à l'occasion d'une conférence récente que la crème à base de progestérone constitue le traitement le plus efficace du SPM qu'il lui a été donné d'observer. Elle a aussi cité l'un de ses collègues médecins qui, après avoir consigné les taux hormonaux de cinquante de ses patientes pendant vingt ans, a découvert une corrélation significative entre le SPM et un faible taux de progestérone allié à un taux élevé d'œstrogènes.

Dans son programme de traitement du SPM, le docteur Hanley utilise avant tout de la crème à base de progestérone mais chez les femmes les plus jeunes, son objectif est de créer un équilibre global de l'organisme pour que la progestérone ne soit nécessaire qu'occasionnellement. Elle a observé que chez ses patientes de n'importe quel âge, l'utilisation de crème à base de progestérone éliminait souvent totalement les symptômes du SPM. La stratégie donnant les meilleurs résultats est celle qui associe progestérone naturelle, gestion du stress et alimentation équilibrée.

Au niveau somatique, le SPM dépend avant tout d'un déséquilibre hormonal lié au stress, à l'alimentation et aux toxines présentes dans l'environnement. Mais il existe aussi un accroissement réel et naturel de la sensibilité chez les femmes en période prémenstruelle, que nous aborderons plus en détail dans ce chapitre lorsque nous traiterons de l'aspect émotionnel du SPM.

∾ LE SPM ET LA FILIÈRE DU STRESS

Vous avez appris dans le chapitre 2 que le stress provoque une augmentation de la concentration de cortisol dans le sang, une hormone sécrétée avant tout par les surrénales en réponse à la peur, l'imminence du danger ou en cas de compétition. Un excès de cortisol accroît l'irritabilité et les explosions de colère. Cette hormone est également produite quand on s'oblige à travailler jour après jour malgré la fatigue. On peut la comparer à une source d'énergie complémentaire, semblable à un accumulateur qui prend le relais en cas de panne d'électricité mais ne doit pas être utilisé à long terme, sinon il se décharge et l'on perd aussi cette seconde source d'énergie. De la même manière, vous ne pouvez dépendre du cortisol et des surrénales pour outrepasser vos limites physiques et si vous agissez ainsi, vos organes vont s'épuiser et vous allez souffrir de fatigue chronique.

Comme le cortisol entre en compétition avec la progestérone pour occuper les mêmes récepteurs, il diminue l'activité de la progestérone et prépare le terrain pour la dominance en œstrogènes. Une concentration trop élevée de cortisol à long terme peut occasionner à elle seule une dominance en œstrogènes accompagnée des symptômes habituels du SPM.

Un taux de cortisol supérieur à la normale provoque aussi une brusque élévation de la glycémie (teneur du sang en glucose). Sur le coup, cet apport soudain de glucose va vous donner un coup de fouet, vous vous sentirez bien – mais vingt minutes plus tard vous allez vous précipiter vers le placard de la cuisine à la recherche d'une confiserie en barre, d'un paquet de gâteaux ou de chips afin de faire remonter votre taux de sucre et votre énergie. La majeure partie de ces aliments dénués de calories sera convertie en graisses et si vous prenez cette mauvaise habitude, vous n'allez plus cesser de vous battre à la fois pour maigrir et retrouver un regain d'énergie.

Les fluctuations de la teneur en glucose du sang créent une autre série de rétroactions négatives : l'élévation de la glycémie stimule la sécrétion d'adrénaline qui, à son tour, stimule celle de cortisol, ce qui provoque aussitôt un besoin de sucres rapides, et ainsi de suite.

Le stress élève aussi la concentration de prolactine, hormone responsable de la lactation. Ce taux élevé réduit la production de progestérone, ce qui a pour effet de stimuler plus encore la production de prolactine. Un exemple représentatif de la boucle de rétroaction prolactine-progestérone est fourni par une femme enceinte qui fabrique 300 mg de progestérone par jour au niveau du placenta pendant le dernier trimestre de la grossesse. A la naissance, la chute brutale de la progestérone provoque une élévation de la concentration de prolactine, qui stimule la lactation. Par conséquent, une concentration importante de prolactine supprime la production de progestérone et une faible concentration de progestérone peut à son tour stimuler la synthèse de la prolactine.

D'autres facteurs peuvent influer sur l'augmentation du taux de prolactine, entre autres l'hypothyroïdie ; l'herpès zostérien (causé par le zona) ; les œstrogènes ; les contraceptifs oraux ; et un certain nombre de médicaments comme la L-dopa (sigle de la dihydroxyphénylaline), la réserpine, les phénothiazines (médicaments antipsychotiques), les antidépresseurs tricycliques ; et, à un degré moindre, un médicament comme le Reglan (métochlopramide antiulcéreux) et les antihistaminiques de type H2 utilisés contre les brûlures d'estomac et vendus sans ordonnance tels que le Tagamet (cimétidine base) et le Zantac (ranitidine).

Les taux élevés de prolactine et les prolactinomes (tumeurs de l'hypophyse sécrétantes de prolactine) sont de plus en plus courants. En fait, les prolactinomes arrivent aujourd'hui en tête des tumeurs cérébrales intracrâniennes. Dans ce cas, il est recommandé d'essayer un apport de progestérone qui inhibera la sécrétion hypophysaire de prolactine.

Même si une concentration élevée de prolactine a des effets moins graves sur la progestérone que ceux du cortisol, elle participe au déséquilibre hormonal du SPM en réduisant la production de progestérone et c'est là un facteur qu'il faut prendre en compte lorsque l'on veut avoir une vue d'ensemble du problème.

Vous aurez beau apporter à votre corps toute la progestérone dont il a besoin, si cette hormone entre en concurrence avec le cortisol et la prolactine – en d'autres termes, si vous ne parvenez pas à gérer efficacemment le stress – vous serez obligée de faire appel, au moins en partie, à votre source d'énergie complémentaire. La progestérone peut représenter un antidote partiel à des taux trop élevés de cortisol et de prolactine, donc aux symptômes du SPM mais, au bout du compte, il faudra bien que la concentration de cortisol dans le sang redevienne normale.

～ LE SPM ET LES ACIDES GRAS ESSENTIELS

Les prostaglandines sont des substances analogues aux hormones qui assurent la régulation de l'intégralité des cellules de l'organisme à travers des interactions complexes intervenant à plusieurs niveaux. Bien que la médecine ait tendance à distinguer les « bonnes » prostaglandines des « mauvaises », elles sont toutes nécessaires et un déséquilibre de ces hormones peut favoriser les maladies cardiaques, un dysfonctionnement du système immunitaire, l'inflammation, les douleurs et le SPM. Si l'aspirine est autant appréciée c'est qu'elle bloque toutes les prostaglandines, réduisant par la même occasion de façon spectaculaire les phénomènes inflammatoires. Il s'agit d'un bon traitement pour un problème de courte durée, comme les maux de tête par exemple, mais prise à long terme, l'aspirine risque d'annihiler l'activité des prostaglandines. Les médecins qui conseillent à leurs patientes de prendre une aspirine par jour pour prévenir l'infarctus font fi de cet inconvénient majeur.

Quand il y a déséquilibre au niveau des prostaglandines, le risque de formation de caillots sanguins augmente, donc le risque d'embolie et d'infarctus. Comme la dominance en œstrogènes a les mêmes conséquences sur la circulation sanguine, si les effets des œstrogènes se combinent à ceux des prostaglandines, cela peut provoquer une aggravation des symptômes. Les compléments alimentaires comme l'huile de bourrache ou l'huile d'onagre contiennent une proportion importante d'acide gammalinoléique (GLA) en mesure de

stimuler les prostaglandines ayant une action anti-inflammatoire et de soulager les symptômes du SPM.

Le meilleur moyen de déséquilibrer les prostaglandines
et de créer un état inflammatoire chronique consiste à
consommer des aliments contenant des matières grasses
hydrogénées comme celles que l'on trouve dans la margarine
ou les biscuits, gâteaux et chips portant sur leur emballage la
mention « matière grasse partiellement hydrogénée ». Ces
matières grasses de synthèse bloquent les effets des huiles
naturelles qui jouent un rôle important dans la régulation des
prostaglandines. Les huiles végétales rances de ces aliments
industriels, même si elles sont « non hydrogénées », provoquent un déséquilibre des prostaglandines.

D'autres facteurs peuvent avoir un effet analogue, en
particulier une alimentation trop riche en sucre, une affection
virale comme l'herpès et – vous vous en doutez – le stress.
Les hormones du stress stimulent l'activité des prostaglandines sécrétantes d'inflammation (réaction défensive de
l'organisme), utiles en cas de blessure ou quand on lutte
contre une maladie mais qui risquent à la longue de provoquer
des troubles chroniques, tel que le SPM. L'inflammation élève
les concentrations d'œstrogènes et de cortisol et supprime la
production de progestérone.

Il est aussi possible qu'une carence en zinc entraîne un
déséquilibre des acides gras essentiels (EFA), puisque le zinc,
la vitamine C et certaines vitamines B sont nécessaires à la
conversion des huiles insaturées en acides gras essentiels.

Les compléments alimentaires contenant de l'huile de
bourrache ou d'onagre ou de graines de lin sont actuellement
à la mode. Au même titre que l'huile de potiron ou de noix, ils
peuvent s'avérer utiles pour traiter à court terme des symptômes liés à une inflammation, comme les maux de tête ou le
SPM, et ils jouent alors le même rôle que l'aspirine. Mais normalement, nous n'avons besoin que de faibles quantités
d'acides gras essentiels, présentes dans les fruits frais, les
noix consommées crues, les légumes et les céréales

complètes. Pour fournir à l'organisme les acides gras essentiels de la série oméga 3, il suffit de manger du poisson une ou deux fois par semaine. Consommer à long terme les importantes quantités d'acides gras essentiels présentes dans les compléments alimentaires, sans soigner la cause sous-jacente des troubles, revient à créer de nouveaux déséquilibres.

ᙉ LE SPM ET LA FILIÈRE ALIMENTAIRE

Vous savez maintenant que l'alimentation peut affecter les symptômes du SPM et l'équilibre hormonal. Si vous désirez échapper à ces symptômes, ne consommez plus d'aliments riches en calories et en sucres fabriqués à partir d'hydrates de carbone raffinés ni d'huiles insaturées ou hydrogénées. Les matières grasses partiellement hydrogénées bloquent l'activité anti-inflammatoire des prostaglandines et les sucres stimulent la production d'adrénaline, de cortisol et d'insuline, des hormones qui vont bloquer la progestérone et élever les concentrations de cortisol et de prolactine du sang.

Si vous ne voulez plus souffrir du SPM, mangez d'importantes quantités de légumes frais biologiques et des quantités modérées de fruits frais de même qualité. Nous aborderons plus en détail dans le chapitre 14 le régime alimentaire idéal pour l'équilibre hormonal. Retenez simplement pour l'instant que ne pas consommer de sucres et d'hydrates de carbone raffinés peut avoir des conséquences majeures sur les symptômes du SPM.

Le zinc et le cuivre sont deux oligoéléments importants qui s'équilibrent mutuellement. Un excès ou une carence de l'un de ces minéraux entraîne de sérieux problèmes de santé. Le docteur Ellen Grant, scientifique britannique spécialiste des hormones, pense que les explosions de colère et de fureur qu'on observe chez les femmes souffrant d'un SPM grave sont en corrélation avec une rétention de cuivre et une perte du zinc. On sait que les contraceptifs oraux font baisser la concentration de zinc et élèvent celle du cuivre. Une carence en zinc peut contribuer à un déséquilibre des acides gras essentiels et aggraver un état inflammatoire et les symptômes du SPM. Cette carence provoque aussi d'autres symptômes tels que : perte du goût et de l'odorat, ongles cassants et cuticules des ongles, grisonnement prématuré, chute des cheveux, acné, fatigue, stérilité, mémoire défaillante, déséquilibre de la glycémie et infections chroniques.

Parmi les symptômes d'un excès de cuivre, citons l'anxiété, la dépression, les sautes d'humeur, la diarrhée, les nausées et les vomissements, les douleurs articulaires et musculaires, l'élévation du taux de cholestérol, l'hypertension et l'insomnie. Certains médecins pensent que l'anorexie va de pair avec un excès de cuivre. Un empoisonnement par le cuivre peut entraîner des hallucinations, une schizophrénie paranoïaque et les symptômes de la sénilité.

Une carence en magnésium et en vitamine B6, deux nutriments jouant un rôle essentiel dans l'équilibre hormonal, peut aussi contribuer au SPM. Il est donc important de prendre chaque jour des polyvitamines ou si vous ne supportez pas cet apport vitaminique quotidien, au moins durant la période prémenstruelle. Il existe d'excellentes préparations à base de vitamines et d'oligoéléments destinées à soigner les symptômes du SPM.

∾ L'ASPECT ÉMOTIONNEL DU SPM

L'une des raisons pour lesquelles le SPM, dans bien des cas, ne s'estompe pas totalement malgré un complément d'hormones naturelles, une alimentation équilibrée et l'exercice physique s'explique par le fait que la composante émotionnelle de ce syndrome représente un enjeu majeur et sous-jacent dans la vie d'une femme. Le docteur Hanley a beaucoup travaillé sur cet aspect du SPM parce qu'elle pense que c'est souvent le seul moyen de parvenir à une guérison complète.

L'approche choisie par le docteur Hanley consiste à considérer que le SPM, avec ses brusques revirements émotionnels, est riche d'enseignement et peut nous servir de guide dans la vie. Elle l'appelle le don des déesses. Elle entend par là un moment du cycle où la femme est particulièrement sensible et a alors accès aux couches plus profondes de la connaissance intuitive. Cette connaissance s'avère souvent douloureuse et conflictuelle dans notre culture car la femme extériorise alors des sentiments qu'elle n'est pas censée avoir. En effet, une femme n'est pas censée se mettre en colère, on attend d'elle qu'elle soit en permanence douce et maternelle. Ce modèle entraîne un refoulement des émotions et une culpabilité au moment où la colère et la frustration se manifestent.

Quand une femme souffre d'un SPM aggravé par des conflits émotionnels, elle avoue au docteur Hanley : « Je ne suis plus moi-même. Je ne peux pas accepter ça plus longtemps. Je me mets en colère. Je suis déboussolée. Je ne me contrôle plus et je ne supporte plus rien. Je me conduis comme une garce ! Qu'est-ce qui m'arrive ? » Le docteur Hanley lui répond : « Rien de grave. Ce que vous vivez est riche d'enseignement et nous allons utiliser toutes sortes d'outils merveilleux afin de vous aider à découvrir ce qui provoque ces accès de colère. Vous allez apprendre à respecter votre sensibilité et à équilibrer votre corps, ce qui vous permettra de contrôler ce phénomène. » Le SPM vous fournit l'occasion d'avoir accès, durant quelques heures, un jour ou une semaine, à la part de vous-même qui n'est pas nécessairement douce ou heureuse, même si elle l'est en apparence, et vous donne aussi la possibilité de reconnaître l'existence de ces sentiments et d'agir sur eux.

A une lointaine époque, le sang menstruel n'était pas considéré comme une souillure ou une « malédiction » mais comme un liquide sacré utilisé au cours des rites et pour fertiliser la terre. Lorsqu'une femme avait ses règles, elle rejoignait ses sœurs dans une hutte construite à cet effet ; sa sensibilité accrue et sa capacité à accéder à un savoir plus profond servaient de guide à la tribu ou au village. Dans la Grèce antique, les femmes étaient consultées en tant qu'oracle au moment de leurs menstrues. On respectait et on tenait compte de leurs rêves, pensées et opinions.

Aujourd'hui, une femme particulièrement sensible au moment des règles effraie et on la fuit. En fait, si elle exprime de l'irritation ou de la colère à n'importe quel moment de son cycle, on va l'accuser de souffrir de SPM. Si elle a des opinions arrêtées, on va lui reprocher de « rouler les mécaniques » ou de se comporter comme un homme, au lieu de se contenter d'être intelligente et efficace. Néanmoins, être sensible signifie aussi se montrer plus intuitive, plus en contact, plus créative, plus spontanée – et plus imprévisible. Quand ces attributs ne sont pas refoulés et sont appréciés à leur juste valeur, d'abord et avant tout par la femme elle-même, ils ont tendance à s'extérioriser d'une manière plus positive. Et lorsque les proches d'une femme les apprécient à leur tour, c'est une véritable bénédiction.

Le SPM permet à une femme d'accepter ses limites sans se sentir coupable. Les femmes se doivent d'ouvrir les yeux sur leur situation lorsqu'on les néglige, qu'on abuse d'elles, qu'on les oblige à trop travailler, qu'on ne les apprécie pas ou qu'on ne les respecte pas. Il faut qu'elles sachent qu'elles n'ont rien à se reprocher si après avoir passé la moitié de la nuit auprès d'un enfant malade, travaillé toute la journée dans un bureau et cuisiné en rentrant pour toute la famille, elles ne sont ni en forme, ni maternelles, ni particulièrement altruistes.

Des sentiments refoulés pendant un mois peuvent se manifester d'une manière disproportionnée en période prémenstruelle. Les femmes capables d'extérioriser leurs sentiments et d'en parler, mais aussi de mettre en pratique leur connaissance intuitive, parviennent à mieux maîtriser leurs émotions en période prémenstruelle. Le docteur Hanley demande à ses patientes de rechercher le grain de vérité qui se cache sous la colère, la frustration et la versatilité. Cette recherche peut être menée grâce à la danse, la peinture, la sculpture, la tenue d'un journal intime, la notation des rêves, la participation à un groupe de femmes, la pratique du yoga ou du tai-chi ou n'importe quelle autre forme d'expression créative permettant un contact plus profond avec soi-même. Au fur et à mesure qu'une femme avance dans cette voie, elle apprend à apprécier sa sensibilité et cherche à devenir plus sage et plus créative.

Les femmes qui accèdent à cette précieuse connaissance, grâce à leur intuition et à travers ce processus créatif, découvrent qu'elles sont capables, si besoin est, d'exprimer ce qu'elles savent d'une manière plus linéaire, rationnelle et logique. Dans bien des cas, la femme peut être comparée à un processeur qui intègre une quantité importante d'informations d'une façon non linéaire et non logique : elle « sait ». C'est là un don et une force au même titre que l'esprit logique (d'ailleurs les hommes comme les femmes possèdent ces deux modes de pensée). Ce qui compte c'est d'être sûr de ce que l'on sait même lorsqu'on est incapable de fournir une explication immédiate et logique à cette connaissance intuitive. Les hommes qui accèdent à ce type de connaissance grâce à leur « muse » ne font rien d'autre.

Reconnaître et apprécier à sa juste valeur la sensibilité accrue qui précède les règles est d'une importance fondamentale car cette donnée affecte profondément la santé physique, mentale et émotionnelle. Voilà pourquoi il est inutile et parfois même funeste de se plaindre auprès d'un médecin allopathe de l'aspect émotionnel du SPM. Si les antidépresseurs ne résolvent pas le problème, on va vous traiter de « folle » et vous risquez d'avoir un comportement encore moins sensé qu'avant.

En général, le SPM peut être rééquilibré en quelques mois grâce à un approfondissement personnel, une activité créative et l'appréciation de ce qui l'améliore ou non. Si vous trouvez un professionnel de la santé sympathique et qui s'y connaît pour travailler avec vous et vous aider à contrôler vos progrès, ce sera parfait. Dans le cas contraire, vous possédez maintenant les outils et les informations nécessaires pour vous soigner et retrouver un équilibre.

Soigner le SPM

Ce qu'il faut faire

– Corrigez la dominance en œstrogènes en utilisant de la crème à base de progestérone naturelle (se reporter au chapitre 16).

– Prenez quotidiennement un complexe de vitamines et d'oligoéléments comprenant 10 mg de zinc ; toutes les vitamines B ; 500 à 1000 mg de vitamine C ; 300 à 400 mg de magnésium ; 400 UI de vitamine E. Ajoutez 50 mg de vitamine B6 par jour.

– Au niveau de l'alimentation, privilégiez les aliments végétaux riches en fibres et issus de l'agriculture biologique : légumes et fruits crus, noix, graines, céréales complètes et légumineuses.

– Consommez du poisson au moins deux fois par semaine.

– Prenez de l'huile de bourrache ou de l'huile d'onagre (l'équivalent de 300 mg d'acide gamma-linoéique une ou deux fois par jour).

– Pour le SPM, prenez un mélange de plantes chinoises comme le Bu Tiao ou le Hsiao Wan ou alors le mélange de plantes suivant (tout ou partie) : racine de pivoine, *Silybum marianum*, *Vitex*, igname sauvage (*Dioscorea*), racine de pissenlit, achillée et ortie.

– Pour soutenir le foie et détoxifier l'organisme, prenez les plantes suivantes en totalité ou en partie : *Bupleurum* (buplèvre), *Sylibum marianum*, épine vinette ou hydrastis, racine de bardane, parelle, racine de pissenlit.

– Contrôlez le stress afin d'éviter un taux élevé de cortisol.

– Faites de l'exercice chaque jour.

– Tenez un journal où vous vous autoriserez à noter vos colères et vos souffrances. Essayez de résoudre les problèmes encore en suspens pendant le reste du mois.

Ce qu'il faut éviter

– La pilule contraceptive.

– Les œstrogènes non contrebalancés.

– Les situations capables de créer des cycles anovulatoires (reportez-vous à « Soigner les ovaires », p. 144).

– Le sucre et les hydrates de carbone raffinés.

– Les huiles rances hydrogénées et insaturées.

– La viande des animaux élevés industriellement (consommez de la viande biologique ne contenant ni médicaments ni résidus de pesticides).

– Tous les pesticides.

– Le stress chronique.

Chapitre 9

~

QUAND VOS SURRÉNALES
SONT FATIGUÉES, VOUS L'ÊTES AUSSI

*D*e nombreux symptômes de la préménopause ont pour cause sous-jacente une fatigue des glandes surrénales qui se sont dépensées sans compter pendant des années afin de sécréter de l'adrénaline, de la noradrénaline, des androgènes et du cortisol, c'est-à-dire des hormones capables de donner un coup de fouet à l'organisme. Dans toutes les sociétés occidentales industrialisées, en particulier en Amérique, nous aimons être en pleine forme, sans cesse en mouvement, affairés et efficaces. En ce qui concerne l'équilibre hormonal (masculin et féminin), cela signifie que nous vivons dans une société qui épuise la fonction surrénalienne.

Les surrénales sont deux petites glandes situées au sommet des reins dont la taille et la forme rappellent celles d'une prune aplatie. Chaque surrénale est constituée de deux régions distinctes : à l'intérieur, la médulla, et à l'extérieur, le cortex. Médulla et cortex produisent d'importantes sécrétions qui interviennent dans nos réactions au stress.

La glande médullosurrénale a un rôle de régulation sur le système nerveux sympathique : elle augmente la fréquence cardiaque, contracte les vaisseaux sanguins, élève la pression artérielle et la teneur du sang en glucose en sécrétant deux hormones : l'adrénaline (encore appelée épinéphrine) et la noradrénaline (ou norépinéphrine). Vous connaissez peut-être déjà l'épinéphrine car des variantes synthétiques de cette hormone sont utilisées dans des médicaments vasoconstricteurs en vente libre, destinés à traiter le rhume et l'allergie. L'épinéphrine (ou adrénaline) est sécrétée en cas de stress. Pour faciliter la réponse au stress et la libération de l'adrénaline et de la noradrénaline, l'organisme accélère le rythme cardiaque et simultanément détourne le sang du système digestif vers le cœur, les poumons, les muscles et le cerveau. Il y a une importante élévation de la glycémie afin de fournir rapidement de l'énergie au corps et une accélération du rythme respiratoire.

Quand on est stimulé par l'adrénaline, on a tendance à être très vigilant, concentré et plein d'énergie. Ce genre d'énergie est particulièrement apprécié dans le monde des affaires. Certaines personnes se débrouillent pour éprouver de la colère ou de la crainte afin de s'offrir un petit « coup » d'adrénaline. Malheureusement, cette hormone n'est pas destinée à une utilisation permanente – elle ne devrait servir qu'en cas d'urgence, pour de courts sursauts d'énergie. Lorsqu'on fait sans cesse appel à l'adrénaline pour tenir le coup et aller de l'avant, on finit par créer un déséquilibre et épuiser les médullosurrénales.

Le cortex surrénalien sécrète trois classes d'hormones – glucocorticoïdes, minéralocorticoïdes et androgènes – qui jouent des dizaines de rôles dans la régulation des fonctions physiologiques. Alors que les hormones sécrétées par les médullosurrénales fournissent des réponses rapides et de courte durée à un stress immédiat, les corticostéroïdes (sécrétées par le cortex) fournissent des réponses à plus long terme au stress et participent à la stabilisation des différentes fonctions physiologiques ou homéostasie. En général, on considère que les corticostéroïdes sont essentiels à la vie. Les animaux auxquels on a retiré les surrénales continuent à vivre à condition que leur environnement leur fournisse la nourriture dont ils ont besoin et qu'ils ne soient victimes d'aucune agression. Le moindre stress (infection, traumatisme, faim, fatigue, etc.) les fait mourir immédiatement. Les surrénales sont essentielles à la vie parce que la vie, nous le savons pertinemment, est stressante.

Parmi les glucocorticoïdes, figure le cortisol qui participe à la régulation de la glycémie ; au métabolisme des sucres, des graisses et des protéines ; aux réactions défensives de l'organisme (inflammation) ; et à la régulation des fonctions musculaires. Un stress chronique occasionne des concentrations élevées et permanentes de cortisol. Voici les symptômes accompagnant l'excès de cortisol :

– Prise de poids (en particulier au niveau de la taille et des hanches).
– Déséquilibre de la teneur du sang en glucose (dans ce cas-là, vous êtes une « accro » du sucre et/ou vous tremblez lorsque vous ne mangez pas régulièrement).
– Peau fine et parcheminée.
– Atrophie musculaire.
– Pertes de mémoire.

Des recherches récentes ont démontré que les personnes ayant un taux de cortisol trop élevé pendant des années, à cause d'une vie trop stressante, vieillissent plus rapidement que les autres et sont plus facilement sujettes à une détérioration de l'hippocampe, une des circonvolutions du cerveau, responsable des processus de mémorisation et de la navigation spatiale.

Il est aussi intéressant de noter que, chez le rat, un excès d'œstrogènes entraîne une baisse des concentrations de cortisol. Dans ce cas, l'hypothalamus sécrète des quantités supérieures d'hormones afin que les surrénales fabriquent plus de cortisol mais ces glandes se font prier pour répondre. Il y aurait là un rapport de plus entre la dominance en œstrogènes et les symptômes de la préménopause engendrés par une insuffisance de la production de cortisol.

Une femme peut souffrir à la fois d'un excès de cortisol lié à un stress chronique et d'un épuisement des surrénales, incapables de maintenir la production adéquate des stéroïdes surrénaliens. Les symptômes associés à une insuffisance en cortisol recoupent ceux de l'insuffisance surrénalienne dont vous trouverez la liste plus bas.

Les minéralocorticoïdes, et en particulier l'aldostérone, assurent la régulation de la balance des minéraux au niveau cellulaire, surtout celle du sodium et du potassium, mais contrôlent aussi l'équilibre du magnésium. Le stress déclenche la sécrétion d'aldostérone, ce qui induit une rétention de sodium et une perte de potassium et de magnésium au niveau cellulaire et provoque en conséquence une élévation de la tension artérielle. La libération à long terme des minéralocorticoïdes sous l'influence du stress entraînera un déficit en potassium et un déséquilibre du magnésium, ainsi qu'une rétention d'eau et une hypertension chroniques. Le manque de magnésium a des conséquences graves sur l'état de santé.

La glande corticosurrénale fabrique aussi toutes les hormones sexuelles, mais en très faibles quantités. L'un des corticostéroïdes, la DHEA, qui est faiblement androgénique, est fabriqué en grandes quantités aussi bien chez l'homme que chez la femme ; sa production est plus importante que celle de tous les autres corticostéroïdes. Pour en savoir plus sur le cortisol et la DHEA, reportez-vous au chapitre 17. Vous y découvrirez comment utiliser un complément de ces hormones.

Après des années d'efforts excessifs pour répondre aux exigences d'un stress permanent, le délicat système de rétroaction qui contrôle la sécrétion des hormones surrénaliennes sera totalement déséquilibré. Si les surrénales augmentent de volume, ce qui se produit souvent lorsqu'elles ont hyperfonctionné pendant des années, ce processus inflammatoire entraîne la mort des cellules de la glande. Les surrénales possèdent d'énormes réserves d'énergie et il faut parfois attendre que 90 % de la masse glandulaire soit morte pour que les symptômes deviennent apparents.

Si vous présentez quelques-uns (ou la totalité) des symptômes suivants, vous souffrez de ce que le corps médical nomme une insuffisance surrénalienne modérée – ce que nous avons appelé dans ce chapitre des surrénales fatiguées.
– Fatigue permanente, particulièrement le matin au réveil ou après un exercice physique.
– Faiblesse musculaire.
– Hypotension.
– Baisse du métabolisme associée à une insuffisance de la sécrétion de la thyroïde.
– Pigmentation excessive de la peau, se traduisant par des taches brunes ou le bronzage.
– Allergies et/ou asthme.
– Réserves d'énergie insuffisantes pour affronter le stress (dès que survient un événement imprévu, vous êtes complètement dépassée et avez besoin de temps pour récupérer).
– Cycles menstruels irréguliers, seins fibrokystiques, cycles anovulatoires, stérilité.
– Faible résistance aux maladies infectieuses comme la grippe et les infections des voies respiratoires supérieures.
– Dépression due à la fatigue chronique, la faiblesse et l'incapacité à supporter le stress.

L'équilibre des hormones sexuelles est intimement lié à celui des hormones surrénaliennes. Comme vous l'avez appris en lisant le chapitre 2, le cholestérol est le précurseur de toutes les hormones corticoïdes et sexuelles et la progestérone, le précurseur de l'aldostérone et du cortisol. Ces deux hormones sont donc fabriquées à partir de la progestérone. Compte tenu de l'influence majeure qu'exercent l'aldostérone et le cortisol sur les fonctions physiologiques, il est facile d'imaginer les ravages qu'entraîne un déficit en progestérone sur l'équilibre hormonal et les diverses fonctions de l'organisme. Une chute de la progestérone provoquera une chute concomitante de la production de cortisol, créant par là même un cercle vicieux.

Les corticosurrénales peuvent fabriquer de la progestérone, qui joue notamment un rôle de précurseur des corticostéroïdes. Malheureusement, comme de nombreuses femmes sont obligées à la fois de travailler, élever leurs enfants et tenir leur rôle d'épouse, elles sont si stressées qu'en période de préménopause leurs glandes surrénales épuisées sont incapables de produire de la progestérone à quelque niveau que ce soit.

La glande thyroïde et les surrénales travaillent de concert. Si les surrénales ont une faible activité, la sécrétion de la thyroïde peut se ralentir par un mécanisme de compensation, et vice versa. Bien souvent, ce phénomène est à l'origine de l'hypotension, problème beaucoup plus courant chez les femmes que chez les hommes. Pour vérifier si l'hypotension est liée à un dysfonctionnement des surrénales, il suffit de faire prendre sa tension en position allongée, puis après s'être remis debout. Si la tension est normale, le changement de position va provoquer une chute initiale de la tension qui, aussitôt après, va remonter. En cas d'hypotension, la réponse est beaucoup plus lente et au moment où vous vous relevez, vous pouvez éprouver une sensation de vertige, tituber sur vos jambes ou voir flou. Néanmoins, même si vous n'observez aucune de ces réactions, vous pouvez souffrir d'hypotension.

L'hypertension a si mauvaise réputation et nous avons subi un tel matraquage publicitaire destiné à vendre des médicaments hypotenseurs que les médecins allopathes ont tendance à oublier que l'hypotension est un phénomène anormal à l'origine de certains problèmes de santé, ainsi que le symptôme d'un dysfonctionnement organique, généralement une insuffisance surrénalienne. Combien de femmes venues consulter leur médecin se voient prescrire un antidépresseur parce qu'elles se plaignent d'être déprimées et fatiguées alors qu'elles souffrent en réalité d'hypotension, trouble dont leur médecin ne tient aucun compte.

Chez l'adulte, la tension « normale » est de 13 (systolique) / 8,5 (diastolique), correspondant à une pression de

130/85 millimètres de mercure. La tension s'élève lorsqu'on vieillit et les personnes âgées de plus de soixante ans peuvent avoir une tension « normale » de 18/10.

Lorsque l'hypotension est liée à une fatigue des surré-nales, le sel constitue un excellent remède. Il est erroné de croire que le sel est mauvais pour quiconque – un exès de sel peut engendrer de l'hypertension chez certaines personnes uniquement. Une quantité modérée de sel dans l'alimentation n'est pas préjudiciable à la santé, au contraire. Le docteur Hanley conseille à ces patientes d'utiliser du sel de mer car il contient un mélange naturel de sel et de minéraux.

Les femmes souffrant d'une insuffisance surrénalienne ont tout intérêt à utiliser de la crème à la progestérone naturelle. Elles peuvent prendre aussi de faibles doses de cor-tisol naturel afin de rétablir l'équilibre hormonal (se reporter au chapitre 17). La réglisse est un excellent traitement de sou-tien des surrénales mais doit être utilisée avec modération car elle peut entraîner une élévation des concentrations d'œstrogènes. Cette plante peut être prise sous forme d'infu-sion, de teinture ou de gellules, dans ce dernier cas, suivez la posologie.

Le repos est de loin le remède le plus efficace en cas de fatigue des surrénales. Si vous vous contentez de prendre un supplément d'hormones et des plantes sans vous reposer, les symptômes de l'insuffisance surrénalienne vont disparaître pendant quelque temps mais à la longue, le traitement n'aura plus aucun effet et vous allez tomber malade. Si vous voulez guérir, il faut associer traitement et repos. Se reposer signifie éviter le stress, beaucoup dormir et s'offrir des moments de détente. N'allez pas jouer pour autant les casse-cou ! Choisissez des activités reposantes comme la marche, le jar-dinage ou la pratique d'un instrument de musique.

Soigner les surrénales

Ce qu'il faut faire

– Utilisez de la crème à base de progestérone naturelle afin de renforcer la production des hormones surrénaliennes. (Se reporter au chapitre 16.)

– Maîtrisez plus efficacement le stress permanent grâce à des activités créatives, l'exercice physique, en consultant un psychologue, en tenant un journal, etc.

– Dormez suffisamment et offrez-vous des loisirs.

– Pour soutenir les glandes surrénales, prenez les plantes suivantes (en totalité ou en partie) : racine de réglisse, *Bupleurum* (buplèvre), racine de pivoine, igname sauvage (*Dioscorea*), ginseng sibérien, *Smilax officinalis* (salsepareille).

– Augmentez votre consommation de sel si vous souffrez d'hypotension (utilisez du sel de mer).

– Vérifiez si vous souffrez des symptômes d'un dysfonctionnement thyroïdien et faites faire un dosage des hormones thyroïdiennes.

– Prenez quotidiennement des compléments minéraux et multivitaminés comprenant : toutes les vitamines B ; 300 à 400 mg de magnésium ; 500 à 1000 mg de vitamine C ; 400 UI de vitamine E ; ainsi que 50 mg supplémentaires de vitamine B6.

– Faites contrôler vos taux d'hormones sexuelles et si nécessaire, prenez de la DHEA : 5 à 10 mg par jour ou un jour sur deux.

– Faites contrôler votre taux de cortisol et si nécessaire, prenez un complément d'hydrocortisone naturelle, une faible dose physiologique de 5 à 10 mg trois fois par jour au moment des repas.

Ce qu'il faut éviter

– Le stress chronique.

– Les plantes stimulantes comme l'éphèdre, et la caféine.

– Le sucre et les hydrates de carbone.

– Les produits laitiers.

– La viande d'animaux élevés industriellement (consommez uniquement de la viande biologique ne contenant ni médicaments ni résidus de pesticides).

Chapitre 10

---⁓---

Autres symptômes
de la préménopause
et comment les traiter

*I*l est malaisé de décrire le soulagement qu'éprouvent les femmes qui retrouvent un équilibre hormonal et ne souffrent plus des troubles du syndrome de la préménopause. L'une des meilleures descriptions qui nous soient parvenues émane d'une femme nommée Linda. Nous vous proposons une version abrégée de la lettre qu'elle nous a adressée.

« Durant des années, j'ai souffert, entre autres, des symptômes suivants : sautes d'humeur, fatigue chronique, crampes au niveau des jambes, migraines, règles abondantes et douloureuses, anémie, endométriose, élancements douloureux au niveau des mains et des pieds, rétention d'eau et ballonnement, troubles du sommeil, crises d'anxiété, cheveux qui s'éclaircissent, allergies, infection chronique des sinus, herpès, acné, peau sèche, stérilité, hypoglycémie et fibromes.

Ces années furent si difficiles sur le plan physique et émotionnel que je me demande comment j'ai pu tenir le coup ! A l'âge de trente ans, les medecins me proposaient des diagnostics totalement contradictoires sans pour autant m'aider.

J'ai consulté toutes sortes de spécialistes : gynécologues, endocrinologues, dermatologues, neurologues, etc. Soit ils me disaient : "Les examens prouvent que vous êtes en excellente santé. Comme tout se passe dans votre tête, prenez donc du Xanax." Soit ils reconnaissaient : "Il y a quelque chose qui ne va pas mais j'ignore ce que c'est." J'étais à deux doigts de faire une dépression nerveuse. Et je me sentais très seule.

Finalement, je fis quatre heures de route pour consulter un spécialiste qui me prescrivit un œstrogène et un progestatif de synthèse ainsi que de la testostérone. Au début, je me sentais si bien que je crus que le miracle que j'appelais de mes vœux était enfin arrivé. Mais moins de deux ans plus tard, les symptômes réapparurent. Le spécialiste augmenta les doses d'hormones au maximum : six implants, un patch et des piqûres à intervalles réguliers. Je le consultais tous les trois mois et non plus tous les six mois. Les effets de ce traitement de cheval disparurent au bout de deux mois et, avant que je ne revienne voir le spécialiste pour qu'il me pose d'autres implants, j'étais dans un tel état physique et émotionnel que j'avais l'impression d'être tombée d'un immeuble de dix étages. Ma vie était rythmée par ces visites au cabinet médical. Je souffrais du dos en permanence, de règles trop abondantes et d'anémie. Tous mes anciens symptômes étaient réapparus et certains étaient encore plus graves qu'avant. Mon frottis vaginal finit par révéler des cellules précancéreuses. J'attendis encore un an avant d'accepter de subir une hystérectomie. Cette intervention supprima les douleurs dorsales, l'anémie et les saignements pour des raisons évidentes : la taille et la densité de mon utérus étaient trois fois plus importantes que la normale ! Néanmoins, les autres symptômes persistèrent.

Trois ans après l'hystérectomie, j'entendis pour la première fois parler de la crème à base de progestérone et commençai à l'utiliser. Depuis quatre ans, je ne prends plus aucune hormone de synthèse et je ne me traite plus qu'à la progestérone naturelle. J'ai une alimentation équilibrée, je fais de l'exercice et je prends des compléments alimentaires. Ma vie a changé du tout au tout. J'ai l'impression d'avoir à nouveau vingt ans. J'ai l'esprit clair, je ne suis plus déprimée, ma peau est magnifique, j'ai perdu du poids, j'ai retrouvé le sommeil, je n'ai plus de migraines, mes cheveux ne s'éclaircissent plus, les poils de mon visage ont disparu ainsi que les allergies. Je ne prends plus d'antihistaminiques ! Mes prières ont enfin été exaucées. Et ma famille est heureuse de voir que je suis redevenue moi-même. »

Malheureusement, un témoignage de ce genre n'est pas aussi rare qu'on pourrait le croire. Il est courant de recevoir des patientes dont les symptômes sont moins graves mais qui ont les mêmes problèmes. Le docteur Lee a été accusé (à tort) de ne vanter que les mérites de la crème à base de progestérone naturelle, comme s'il s'agissait d'un remède miracle. Mais cette lettre démontre pourquoi il propose ce traitement. La crème à la progestérone n'est certainement pas une potion magique mais c'est le meilleur remède que nous ayons trouvé à ce jour pour contrebalancer les conséquences d'un excès de xénohormones, lié à notre mode de vie. Bien entendu, nous ne devrions pas avoir besoin d'un complément de progestérone. Dame Nature nous a équipées pour vivre longtemps et en bonne santé dans un environnement sain. Si nous pouvions vivre dans un monde non pollué et dont le stress serait absent, si nous mangions des aliments biologiques frais et complets, et si nous prenions chaque jour de l'exercice en plein air, nous n'aurions sans doute pas besoin de progestérone.

∾ AGISSEZ LE PLUS TÔT POSSIBLE POUR ÉVITER LES SYMPTÔMES PLUS TARDIFS

L'équilibre hormonal peut commencer à se modifier à n'importe quel moment entre trente et cinquante ans car il dépend d'une série de facteurs. Les symptômes du déséquilibre hormonal augmentent avec l'âge et à l'approche de la ménopause, surtout lorsqu'on ne s'en est pas préoccupé au moment de leur apparition. Vingt pour cent des femmes ne sont pas sujettes aux symptômes de la préménopause et de la ménopause et si ces statistiques étaient réalisées uniquement auprès de femmes ayant conservé leurs ovaires et leur utérus, ce pourcentage serait sans doute plus élevé.

Les facteurs individuels capables d'affecter l'équilibre hormonal comprennent l'hérédité, l'âge d'apparition des premières règles, le fait d'avoir eu ou non des enfants, et le nombre d'enfants que vous avez eus. La qualité de l'environnement, depuis que vous avez été conçue jusqu'au moment présent, joue un rôle important. Nous entendons par environnement, pris au sens large, l'exposition à la pollution de l'air et aux pesticides, la nature de l'alimentation (composée d'aliments complets ou de « cochonneries »), le stress, l'abus d'alcool ou de médicaments, les violences physiques et sexuelles. Lorsqu'on se mésestime, ce sentiment peut créer une tension intime permanente et affecter, lui aussi, l'équilibre hormonal.

Plus tôt vous détecterez les symptômes de la préménopause et les traiterez, moins vous aurez de difficultés à conserver un équilibre à l'approche de la ménopause. Même si vous ne devez pas être ménopausée avant dix ans, ou plus tard encore, la manière dont vous allez vous soigner va jouer un rôle fondamental dans ce que vous éprouverez à la ménopause. Si votre vie et vos fonctions hormonales sont déséquilibrées depuis des décennies, les symptômes de ce déséquilibre vont nettement s'aggraver cinq à dix ans avant la ménopause car vous ne posséderez plus les réserves d'énergie de la jeunesse pour réagir efficacement.

L'idée de prévention peut sembler un bobard à une femme de trente-cinq ans qui mène sa vie tambour battant et passe son temps à s'occuper de ceux qui l'entourent. Si vous manquez d'imagination pour vous occuper de vous-même, demandez à des femmes d'une cinquantaine ou d'une soixantaine d'années comment elles se comporteraient si elles pouvaient revenir en arrière. A quelques rares exceptions près, elles vous répondront que si c'était à refaire, elles seraient plus attentives à leurs propres besoins.

⌒ BAISSER LE THERMOSTAT

Le biochismiste David Zava aime à comparer le ralentissement de la production hormonale féminine avec l'âge à la baisse d'un thermostat : tous les systèmes impliqués dans ce processus, du cerveau à l'utérus, sont réglés plus bas. Si vous menez une vie équilibrée, la baisse sera graduelle et vous la remarquerez à peine. Si vous vivez dans un état de déséquilibre, les systèmes de l'organisme ne vont pas tous enregistrer le message de réglage à la baisse et vont, en conséquence, s'égosiller afin d'obtenir une réponse, ce qui provoquera des sueurs nocturnes et des bouffées de chaleur. Le cerveau libérera d'importantes quantités d'hormones régulatrices dans l'espoir que la sécrétion hormonale des ovaires augmente. Les ovaires peuvent rester sourds aux appels du cerveau pendant plusieurs mois, puis se réveiller soudain et répondre en sécrétant un flot d'hormones. Ces réactions biochimiques excessives ou trop molles vont occasionner une augmentation ou une baisse de la libido, des poussées d'acné, des allergies, de la tension mammaire, de la rétention d'eau, des insomnies et des sautes d'humeur (pour ne citer que ces quelques symptômes) et vous vous demanderez si vous n'êtes pas redevenue une adolescente.

Quand une femme en période de préménopause se plaint à son médecin de ce genre de symptômes, il y a de fortes chances qu'il lui prescrive des œstrogènes ou une pilule, c'est-à-dire la dernière chose dont elle ait besoin. Le médecin demandera un dosage de l'œstradiol, de la FSH (hormone folliculo-stimulante) et de la LH (hormone lutéinisante) mais vérifiera rarement le taux de progestérone de sa patiente. Le taux d'œstrogènes peut s'avérer inférieur à la « normale » mais un apport extérieur va entraîner toutes sortes de troubles et empêchera l'organisme de s'adapter au processus naturel de réglage à la baisse de la préménopause. En outre, la prescription d'œstrogènes sans progestérone – pratique de plus en plus courante – revient à préparer le terrain au cancer. Une femme à laquelle on a prescrit des œstrogènes non contrebalancés a toutes les chances de revenir moins d'un an plus tard avec un frottis vaginal anormal et elle court un risque beaucoup plus élevé d'être victime d'un cancer du sein. Si son frottis vaginal est anormal, son médecin va immédiatement conseiller une hystérectomie. Restez à l'écart de ce genre de pratiques (et reportez-vous aux chapitres 6 et 7).

Le SPM est le symptôme le plus courant, gênant et complexe de la préménopause mais le chapitre 8 vous a proposé un canevas qui devrait vous permettre de le traiter. Dans ce chapitre, nous allons vous fournir d'autres pièces du puzzle en décrivant d'autres symptômes fréquents de la préménopause et leurs causes. De quelle manière les pièces du puzzle doivent être assemblées dans votre cas, vous êtes la seule à le savoir.

∽ SEINS DOULOUREUX, GONFLÉS ET KYSTES MAMMAIRES

Bien que les seins douloureux, durs et grenus soient fréquents chez les femmes sujettes au SPM, ces symptômes peuvent aussi apparaître chez une femme ne souffrant d'aucun trouble avant les règles. On estime à 70 % le nombre de femmes sujettes à ce problème de temps à autre. A la longue, ces symptômes peuvent évoluer vers des seins fibrokystiques ou des kystes sensibles au toucher qui ne disparaissent pas d'un cycle à l'autre. Ces kystes bénins, c'est-à-dire non cancéreux, sont douloureux et à cause d'eux, il devient quasiment impossible de détecter une grosseur cancéreuse par la simple palpation. Dans la plupart des cas, les grosseurs cancéreuses sont indolores.

L'utilisation d'une crème à base de progestérone naturelle résout presque toujours le problème et pour obtenir un soulagement plus rapide, la crème peut être appliquée directement sur les seins. (Reportez-vous au chapitre 16 pour connaître le mode d'utilisation de cette crème). Si la proges-térone obtient d'aussi bons résultats c'est parce que la dominance en œstrogènes et les progestatifs utilisés dans la pilule stimulent la croissance des tissus mammaires et la rétention des liquides, deux phénomènes qui contribuent largement au gonflement des seins.

On a longtemps pensé que les seins fibrokystiques représentaient une prédisposition au cancer mais cette idée s'est révélée inexacte. Cependant, la tension douloureuse des seins est l'indice d'une dominance en œstrogènes chronique, donc un facteur de risque du cancer du sein dans le sens où les seins sont exposés en permanence à des œstrogènes non contrebalancés. Le cancer du sein est abordé en détail dans le chapitre 12.

Les conseils diététiques proposés dans le chapitre traitant du SPM s'appliquent ici aussi. N'oubliez pas de prendre quotidiennement, en période prémenstruelle, un complément vitaminé et minéral comprenant 400 UI de vitamine E, 300 à 400 mg de magnésium et 50 mg de vitamine B 6. Certaines femmes ont remarqué que boire du café amplifie la tension douloureuse des seins. Vous avez donc tout intérêt à vérifier s'il s'agit d'un facteur aggravant dans votre cas. De toutes façons, renoncer au café est un choix excellent pour la santé.

En cas de kystes mammaires, dès que ceux-ci ont disparu, vous pouvez réduire la quantité de progestérone utilisée jusqu'à ce que vous découvriez la plus faible dose qui soit efficace chaque mois et continuer le traitement si nécessaire tout au long de la ménopause. Il s'agit d'une thérapeutique simple, sans danger, peu coûteuse, naturelle – et qui a toujours d'excellents résultats.

Soigner les seins douloureux

Ce qu'il faut faire

– Utilisez de la crème à base de progestérone naturelle afin d'équilibrer la dominance en œstrogènes (se reporter au chapitre 16).

– Prenez chaque jour un complément vitaminé et minéral comprenant 10 mg de zinc ; toutes les vitamines B ; 400 UI de vitamine E ; 300 à 400 mg de magnésium ; 500 à 1000 mg de vitamine C.

– Pour détoxifier l'organisme et soutenir le foie, prenez les plantes suivantes (en totalité ou en partie) : *Bupleurum* (buplèvre), *Sylibum marianum*, épine-vinette ou hydrastis, racine de bardane, parelle, racine de pissenlit.

– Prenez un mélange de plantes (en totalité ou en partie) destiné aux maladies de la femme : *Vitex*, blue cohosh*, igname sauvage (*Dioscorea*), dong quai.

Ce qu'il faut éviter

– La dominance en œstrogènes et les œstrogènes non contrebalancés.

– La caféine d'une manière générale et le café en particulier.

– Les produits laitiers.

– La viande des animaux élevés industriellement (consommez uniquement de la viande biologique ne contenant ni médicaments ni résidus de pesticides).

* Blue cohosh, *Caulophyllum thalictroides*, une berbéridacée originaire de l'Est américain.

∼ RÈGLES IRRÉGULIÈRES ET ABONDANTES

« Mes règles sont parfois faibles, parfois abondantes. Certains mois, elles arrivent trop tard ou trop tôt. Que dois-je faire ? » Cette question nous est régulièrement posée par les patientes en période de préménopause. La médecine définit ainsi les troubles des règles : aménorrhée (absence de règles), dysménorrhée (règles douloureuses), ménorragie (règles durant trop longtemps), hyperménorrhée (flux menstruel trop abondant), métroragie (saignements survenant entre les règles) et polyménorrhée (règles trop rapprochées).

Jusqu'à l'âge de quarante ans, près de 90 % des femmes ont des règles régulières. Ce chiffre tombe à 10 % chez les femmes âgées de quarante à cinquante ans. L'arrêt soudain et définitif des règles au moment de la ménopause ne se produit que dans 10 % des cas. Les autres femmes sont sujettes à des règles irrégulières. Il est donc relativement normal d'avoir des troubles des règles en période de préménopause !

La plupart des médecins partent du fait que la durée d'un cycle menstruel soi-disant normal doit se situer entre 28 et 30 jours. Les patientes dont le cycle n'entre pas dans ce cadre rigide ont donc quelque chose qui ne va pas. En fait, William Hrushesky, après avoir étudié de très près la durée du cycle menstruel, a découvert que celle-ci pouvait osciller entre 18 jours (minimum) et 36 jours (maximum) sans qu'il s'agisse pour autant d'un phénomène anormal. Selon Hrushesky, le nombre de jours séparant le début des règles de la date d'ovulation peut varier du troisième au quatorzième jour du cycle d'une femme à l'autre. En revanche, quand l'ovulation a eu lieu, les règles surviennent presque invariablement 14 jours après cette date.

Dans la plupart des cas, les règles irrégulières trahissent un déficit en progestérone, lié aux cycles anovulatoires : le corps ne reçoit pas les signaux hormonaux dont il a besoin pour entamer la seconde partie du cycle menstruel. Vous vous en souvenez sûrement, c'est avant tout la baisse des concentrations de progestérone qui provoque la chute de la muqueuse utérine gorgée de sang. S'il n'y a pas ovulation, il n'y aura pas de production significative de progestérone, donc pas de baisse de cette hormone ; la chute de l'endomètre ne sera que partielle (il ne va pas se détacher entièrement) ; les règles surviendront mais elles seront abondantes un jour et faibles le lendemain.

Les règles irrégulières sont parfois dues à un kyste ovarien (voir chapitre 7). Certaines études démontrent que la ligature des trompes peut aggraver les irrégularités menstruelles.

Citons aussi certaines maladies à l'origine des règles irrégulières : l'hypo ou l'hyperthyroïdisme, la maladie de Cushing (hyperactivité des glandes surrénales) et les dysfonctionnements de l'hypophyse. Certains médicaments peuvent occasionner des règles irrégulières : les cortisols (predinosone), la digoxine, les anticoagulants (warfarine), les médicaments anticholinergiques et ceux qui affectent le cerveau comme les benzodiazépines (Valium, Activan), et les inhibiteurs sélectifs de la recapture de la sérotonine comme le Prozac et l'Effexor.

Quand le docteur Hanley reçoit une jeune femme souffrant de règles irrégulières, elle commence le plus souvent par lui proposer de modifier son alimentation en augmentant la consommation de légumes et d'aliments riches en fibres et en réduisant la consommation de produits laitiers et d'aliments de mauvaise qualité. Elle ajoute au traitement un complément multivitaminé, plus 100 mg de vitamine B6 et 200 mg de magnésium à prendre deux fois par jour pendant les deux dernières semaines du cycle afin d'augmenter la production de progestérone et faire baisser celle des œstrogènes.

Le traitement médical standard pour ce genre de problème consiste à prescrire du Provera, un progestatif de synthèse (medroxyprogestérone) ou une pilule contraceptive. Plutôt que de prendre ces hormones de synthèse préjudiciables à votre santé, contentez-vous d'utiliser une crème à la progestérone naturelle. Après deux mois de traitement, suffisants pour soulager vos symptômes, utilisez la dose la plus faible possible de progestérone afin que votre corps s'adapte à la baisse normale de la production hormonale.

Le docteur Hanley a remarqué que, quand une femme désire prendre d'abord un traitement par les plantes, le *Vitex* (ou gattilier) permettait dans bien des cas de régulariser les cycles. Les recherches sur les effets du *Vitex* ont montré que cette plante stimule le complexe hypothalamo-hypophysaire pour qu'il augmente la production d'hormone lutéinisante (LH) ; cette dernière stimule la production de progestérone (et peut-être l'expulsion de l'ovocyte hors du follicule). D'après le docteur Hanley, les femmes présentant un faible taux de LH ont des difficultés à tomber enceinte et tendance à souffrir de cycles irréguliers et du SPM.

Si vous ne parvenez pas à déterminer exactement le début et la fin de vos règles parce que les saignements s'interrompent et reprennent au cours du cycle, choisissez arbitrairement un jour du mois qui représentera le jour 1 de votre cycle. Commencez à utiliser de la progestérone le jour 12 et, en fonction de la longueur de votre cycle menstruel normal, cessez ces applications entre le jour 21 et le jour 28. Puis recommencez le traitement le jour 12. Au bout de deux mois, vos règles devraient être nettement plus régulières. Si vous avez un fibrome, il faudra peut-être compter six mois avant que les règles ne redeviennent régulières.

Les saignements intermittents au cours du cycle sont souvent liés à la prise de la pilule ou d'un progestatif, à un stérilet ; parfois à un fibrome ou un kyste ovarien. En cas de kyste ovarien, le saignement va s'accompagner, la plupart du temps, d'une douleur pelvienne et disparaîtra un mois ou deux plus tard. Utiliser de la progestérone pendant deux semaines au milieu du cycle permet de résorber plus rapidement le kyste.

Il est normal de sauter un cycle de temps à autre pendant les quelques années qui précèdent la ménopause. Mais l'aménorrhée peut aussi être provoquée par un exercice physique trop violent, le stress, une prise ou une perte de poids, un excès d'androgènes (hormones mâles) et des kystes ovariens. Certains contraceptifs oraux sont tellement androgéniques qu'ils peuvent entraîner des règles trop espacées et une pilosité faciale.

Règles trop abondantes. Certaines femmes en période de préménopause ont des règles trop abondantes tous les mois, même lorsqu'elles utilisent de la progestérone. Ce problème apparaît fréquemment un an ou deux avant la ménopause et c'est une raison souvent invoquée par les médecins pour pratiquer une hystérectomie.

Les règles abondantes peuvent être provoquées par un fibrome ou une hypertrophie de l'utérus (voir chapitre 6) mais, dans la plupart des cas, il s'agit uniquement d'un excès d'œstrogènes qui stimulent le développement de la muqueuse utérine.

Parfois, la prise de poids va de pair avec des règles plus abondantes, phénomène logique puisque les cellules adipeuses produisent des œstrogènes qui viennent s'ajouter à ceux fabriqués par les ovaires. Plus la concentration d'œstrogènes est élevée, plus la muqueuse utérine fortement irriguée prolifère et plus les règles sont abondantes.

Le docteur Hanley obtient d'excellents résultats dans le traitement des règles trop abondantes en prescrivant des doses élevées de crème à base de progestérone (100 à 200 mg par jour) pendant quelques semaines, avant de réduire progressivement ces doses. Néanmoins, le meilleur moyen de réduire un flux menstruel trop abondant consiste à permettre aux taux hormonaux de baisser d'une manière naturelle. Vous pouvez utiliser un peu de progestérone naturelle afin de contrebalancer la dominance en œstrogènes mais ne prenez aucun œstrogène tant que vous ne souffrez pas des symptômes d'un déficit en œstrogènes tels que les bouffées de chaleur, les sueurs nocturnes et la sécheresse vaginale. (Il est peu probable que vous ayez des règles trop abondantes si vous présentez les symptômes d'un déficit en œstrogènes.) Evitez aussi les aliments risquant d'être contaminés par des œstrogènes comme les produits laitiers et la viande rouge. Consommez autant que possible des fruits et des légumes biologiques afin d'éviter les xénœstrogènes présents dans les pesticides.

Au cours d'une courte étude sur les règles trop abondantes, on prescrivit deux fois par jour 500 mg de Naproxène (un anti-inflammatoire non stéroïdien proche de l'ibuprofène) pendant les trois premiers jours du cycle. Chez les femmes prenant du Naproxène, le flux menstruel fut réduit d'un tiers. Comme les médicaments du genre ibuprofène, pris ne serait-ce que deux ou trois jours par mois, peuvent provoquer des douleurs chroniques de l'estomac, nous vous conseillons d'utiliser plutôt de l'huile de bourrache ou d'onagre (suivez la posologie) contenant les acides gras essentiels en mesure de bloquer l'action des mêmes prostaglandines que les anti-inflammatoire non stéroïdiens mais d'une manière plus sélective et sans provoquer d'effets secondaires.

Soigner les règles irrégulières

Ce qu'il faut faire

– Equilibrez la dominance en œstrogènes ou l'excès d'œstrogènes en utilisant de faibles doses de crème à base de progestérone naturelle (se reporter au chapitre 16).

– Privilégiez les aliments végétaux, riches en fibres (20 à 30 g minimum de fibres par jour).

– Prenez 50 à 100 mg de vitamine B6 par jour pendant deux semaines par mois maximum et 200 à 400 mg de magnésium par jour.

– Utilisez de l'huile d'onagre ou de bourrache pour traiter les symptômes.

– En cas de règles faibles, irrégulières ou d'aménorrhée, prenez les plantes suivantes (en totalité ou en partie) : gingembre, racine de réglisse, dong quai, *Vitex*, igname sauvage (*Dioscorea*), racine de bardane, *Smilax officinalis* (salsepareille), ginseng sibérien, rue.

– Pour les règles trop rapprochées et les saignements entre les règles, prenez les plantes suivantes (en totalité ou en partie) : *Vitex*, blue cohosh (voir note p. 182), racine de réglisse, racine de bardane, cardiaire (*Leonorus cardiaca*), cannelle, feuilles de framboisier, gingembre.

Ce qu'il faut éviter

– Les produits laitiers.

– Les aliments de mauvaise qualité, dont la caféine, le sucre et les hydrates de carbone raffinés.

– La viande issue d'animaux élevés industriellement (ne consommez que de la viande biologique non contaminée par des médicaments ou des résidus de pesticides).

꙳ STÉRILITÉ

On observe une épidémie de stérilités parmi les femmes âgées d'une trentaine d'années causée en grande partie, à notre avis, par le taux élevé de xénohormones dans l'environnement, qui affecte l'appareil reproducteur féminin et masculin dès la vie prénatale. Une exposition aux xénohormones dans la matrice peut entraîner des problèmes de reproduction qui dureront toute la vie. Les contraceptifs oraux, les implants et les injections contraceptives ainsi que les dispositifs anticonception-nels féminins comme le stérilet peuvent aussi contribuer à la stérilité.

Par exemple, les filles des femmes qui ont pris du DES (diéthylstilbestrol), œstrogène de synthèse, pendant leur gros-sesse ont un risque accru de développer un cancer du vagin et du col de l'utérus, de faire une fausse couche, d'avoir une grossesse extra-utérine, de mettre au monde un enfant mort-né, d'être victime d'un accouchement précoce et de souffrir de stérilité. Chez les garçons nés de femmes traitées au DES, il existe un risque accru d'anomalies génitales de naissance, de stérilité et de cancer des testicules. Même si le DES n'est plus prescrit aux femmes enceintes (mais, aux Etats-Unis, cet œstrogène est encore utilisé pour engraisser les animaux de boucherie, en particulier les bovins et les porcs), il s'agit là d'un exemple tragique de l'influence prépondérante que peu-vent exercer les hormones sur le développement du fœtus. Comme l'a si bien montré le docteur Ellen Grant dans son livre *The Bitter Pill : How Safe Is the Perfect Contraceptive ?* (*Amère pilule*, Editions Œil), si le cancer du vagin n'avait pas été aussi rare chez la femme jeune avant la prescription de DES, on n'aurait peut-être jamais fait le rapport entre cet œstrogène de synthèse et les anomalies du système reproduc-teur. Il y a de fortes probabilités que le risque élevé de cancer du sein chez la femme et le risque accru de cancer des testi-cules chez l'homme soient imputables à une exposition aux xénohormones. Malheureusement, ces dernières sont si répandues à l'heure actuelle dans notre environnement qu'il est impossible de déterminer leur responsabilité. Comme per-sonne ne vit dans un milieu sans xénohormones, nous ne pos-sédons pas d'éléments de comparaison.

Néanmoins, de solides rapports entre les xénohormones et la stérilité ont déjà été établis chez les oiseaux, les poissons, les reptiles et les mammifères. Les doses nécessaires pour entraîner des anomalies reproductives au niveau de l'œuf et la stérilité chez l'adulte sont extrêmement faibles.

Tout savoir sur la préménopause

Le docteur Hanley est persuadée que la concentration élevée des xénohormones de l'environnement réduit la capacité du cerveau à libérer les substances qui stimulent la production hormonale, ainsi que la capacité des ovaires et des testicules à répondre à cette stimulation. En effet, les xénohormones auxquelles nous sommes exposés quotidiennement envoient à l'hypothalamus un message signifiant qu'il est inutile d'adresser des signaux à l'ovaire pour qu'il entame le processus d'ovulation. Dans la plupart des cas, les inducteurs d'ovulation utilisés pour soigner la stérilité reproduisent d'ailleurs l'effet des signaux adressés par l'hypothalamus aux ovaires.

Les cycles anovulatoires sont devenus très fréquents chez les femmes qui n'ont pas encore vingt-cinq ans. Alors qu'il y a dix ou quinze ans, ce phénomène était jugé normal uniquement lorsqu'il apparaissait chez les femmes âgées de plus de quarante ans. Les cycles anovulatoires peuvent être mis en évidence en contrôlant le taux de progestérone sérique ou salivaire au cours de la semaine qui suit l'ovulation supposée. Un taux bas indique qu'il n'y a pas eu ovulation et que la patiente a besoin d'un complément de progestérone naturelle. (Souvenez-vous que même en l'absence d'ovulation, les règles ont lieu dans la plupart des cas.)

Les femmes qui ont déjà fait des fausses couches ont tout intérêt à utiliser de la crème à base de progestérone dès qu'elles sont certaines d'avoir ovulé, afin d'augmenter leur propre taux de progestérone et de compenser les effets des œstrogènes de l'environnement. (Utiliser de la progestérone avant l'ovulation peut inhiber le message cérébral qui provoque l'ovulation.)

Il existe de nombreux tests d'ovulation sur le marché mais la manière la plus simple de vérifier s'il y a eu ou non ovulation consiste à prendre sa température au réveil, avant de se lever. En cas d'ovulation, la température s'élève de 5 à 6 dixièmes de degré et reste à ce niveau jusqu'aux règles suivantes.

Si vous utilisez de la crème à base de progestérone naturelle et désirez tomber enceinte, n'interrompez ces applications que quand la grossesse sera avérée. (Passez un test de grossesse quelques jours après l'arrêt de vos règles pour vous en assurer.) Si vous cessez d'user de crème, la chute soudaine des concentrations de progestérone peut occasionner un avortement en provoquant la venue des règles. On observe les mêmes effets avec la pilule du lendemain mais dans ce cas, le retour des règles est provoqué par la prise d'un progestatif de synthèse hautement dosé.

Si vous n'êtes pas enceinte, cessez les applications de progestérone le 28e jour de votre cycle ou alors le jour qui correspond avec la fin normale de votre cycle. Si vous êtes enceinte, poursuivez les applications de crème en utilisant toujours la même dose quotidienne. N'interrompez pas brusquement le traitement à la progestérone naturelle avant d'avoir atteint le troisième trimestre de la grossesse, lorsque le placenta fabrique des quantités si élevées de cette hormone qu'une baisse de 15 à 30 mg par jour passera inaperçue. Le docteur Katherine Dalton, Britannique spécialisée dans la recherche hormonale, indique que les enfants nés de mères ayant utilisé de la progestérone naturelle pendant leur grossesse sont normaux – et, en fait, plus gros, plus calmes et plus éveillés.

Le succès actuel des cliniques spécialisées dans le traitement de la stérilité s'explique par le fait que de nombreuses femmes attendent d'avoir atteint un certain âge avant de procréer et qu'elles sont alors moins fertiles. En 1975, seulement 11 % des femmes âgées de trente-cinq ans et plus n'avaient pas d'enfant alors qu'en 1991, 21 % des femmes de la même tranche d'âge n'ont pas encore procréé. Le traitement de la stérilité dans une clinique spécialisée peut s'avérer une démarche coûteuse et compliquée, entraînant pendant des mois des effets secondaires imprévisibles. Nous savons aujourd'hui que les inducteurs d'ovulation, comme le Chlomid, augmentent le risque de cancer des ovaires. Si vous êtes tenue de suivre un tel traitement, ne prenez ce médicament que pendant un ou deux cycles. Quand une femme désire désespérément avoir un enfant, son médecin hésite à lui avouer qu'en prenant un inducteur d'ovulation, elle court un risque plus élevé d'être victime de ce cancer si souvent mortel, mais c'est la vérité et il ne faut pas s'en cacher.

Y a-t-il une corrélation entre la dominance en œstrogènes et la stérilité ? Dans bien des cas, un déficit en progestérone entraîne une concentration plus élevée de FSH (hormone folliculo-stimulante) qui augmente la production d'œstrogènes. Si le follicule est incapable de libérer un œuf, il n'y aura pas de grossesse. S'il y a libération et fécondation d'un œuf mais que le follicule (devenu entre-temps le corps jaune) est incapable de maintenir la production régulière de progestérone, l'embryon ne pourra pas survivre.

Lorsque le docteur Lee recevait des patientes dans l'impossibilité d'avoir un enfant, il leur conseillait d'utiliser durant deux à quatre mois de la progestérone naturelle du 5ᵉ au 26ᵉ jour du cycle (l'arrêt des applications de crème le 26ᵉ jour provoque l'apparition des règles). L'usage de progestérone au cours de la phase folliculaire supprime l'ovulation. Après quelques mois de traitement, le docteur Lee supprimait les applications de crème. Lorsqu'une femme n'a pas encore épuisé son stock de follicules, ceux-ci semblent répondre avec enthousiasme à la suppression de l'ovulation pendant quelques mois – un follicule se développe et libère un ovocyte. Cette méthode a permis à des femmes qui essayaient vainement d'avoir un enfant depuis des années de tomber enceinte. D'ailleurs, certains de ces nouveau-nés portent le prénom du docteur Lee !

Lors d'un cycle menstruel normal, la production de progestérone au niveau d'un des ovaires inhibe l'ovulation au niveau du second ovaire – un dessein intelligent de la nature qui permet d'éviter les naissances multiples. Si vous utilisez de la progestérone avant l'ovulation, il y a de grandes chances que chacun des ovaires interprète la présence de cette hormone comme le signe que l'autre ovaire a ovulé, ce qui supprimera donc l'ovulation.

Quand le docteur Hanley reçoit une patiente qui a des difficultés à tomber enceinte, ainsi qu'un faible taux de LH (hormone lutéinisante), elle lui prescrit souvent du *Vitex* (suivre la posologie indiquée) qui semble stimuler la production de LH par le complexe hypothalamo-hypophysaire. Cette plante suffit souvent pour provoquer la libération d'un œuf au niveau des ovaires.

Soigner la stérilité

Ce qu'il faut faire

– Stimuler l'ovulation (se reporter au chapitre « Soigner les ovaires », p. 144).

– En cas de dominance en œstrogènes, utilisez de la crème à la progestérone naturelle (se reporter au chapitre 16).

– Prenez chaque jour du *Vitex*, y compris durant les règles, pendant trois mois au moins (sauf si vous tombez enceinte entre-temps ; dans ce cas, cessez d'en prendre).

Ce qu'il faut éviter

– Les pilules contraceptives (elles peuvent entraîner une infertilité).

– Les œstrogènes non contrebalancés.

– L'emploi de talc sur l'appareil génital.

– Tous les pesticides.

– Les aliments de mauvaise qualité, dont la caféine, le sucre et les hydrates de carbone raffinés.

∿ MAUX DE TÊTE

La plupart des migraines sont dues à une dilatation des vaisseaux sanguins cérébraux, provoquée par les œstrogènes qui ont alors le même effet sur le cerveau que lorsqu'ils font gonfler les seins. Les œstrogènes peuvent aussi entraîner une carence de magnésium, ce qui accroît les spasmes artériels et entraîne un autre type de maux de tête relativement courant. Bien souvent, c'est aussi simple que cela. Si vous souffrez de migraines prémenstruelles, des application de crème à la progestérone et un complément de magnésium les feront disparaître dans la plupart des cas en moins de trois cycles.

Bien qu'il ne soit pas conseillé de boire régulièrement du café, une ou deux tasses de café très fort, puis l'application de glaçons au niveau des tempes suffit à éviter une migraine car la caféine et la glace entraînent une constriction des vaisseaux sanguins.

Soigner les maux de tête

Ce qu'il faut faire

– En cas de symptômes d'une dominance en œstrogènes et/ou si les maux de tête apparaissent en période prémenstruelle, utilisez de la crème à base de progestérone naturelle (se reporter au chapitre 16) afin de restaurer l'équilibre hormonal.

– Prenez 300 à 400 mg de magnésium avant le coucher. Vous pouvez prendre jusqu'à 800 mg de magnésium par jour, 400 mg le matin, 400 mg avant le coucher. Si cela provoque des diarrhées, diminuez la dose.

– Suivez une diète d'élimination afin de vérifier si l'un des aliments que vous consommez habituellement provoque

---

les maux de tête. Voici les aliments les plus susceptibles de déclencher une migraine : le chocolat, les noix, la caféine, les produits laitiers, le soja et le blé. Reportez-vous au chapitre 14 pour plus de détails sur la diète d'élimination.

∾ CANDIDOSE

Rares sont les femmes qui n'ont jamais eu de candidose, provoquée par la prolifération d'une levure bactérienne appelée *Candida albicans*, présente naturellement dans la bouche, l'intestin et le vagin. La candidose se manifeste par des démangeaisons vaginales, des rougeurs, des pertes blanches épaisses et parfois des rapports sexuels douloureux. Normalement, certaines bactéries salutaires pour la santé (ou probiotiques) présentes dans l'intestin et le vagin empêchent la prolifération de candidas. Cette levure se développe après un traitement antibiotique qui a détruit aussi bien les bactéries pathogènes que salutaires et lorsque le pH vaginal est déséquilibré. (Le déséquilibre du pH peut être provoqué par des douches vaginales trop fréquentes, une alimentation trop riche en sucre et des rapports sexuels fréquents – le sperme réduit l'acidité du vagin, créant un milieu propice aux spermatozoïdes, mais aussi à la prolifération de candidas.) Comme la dominance en œstrogènes accroît la teneur en glucose de la glaire cervicale, elle facilite la prolifération de candidas. D'un autre côté, un taux d'œstrogènes normal protège de la candidose. L'œstriol est particulièrement efficace car il rétablit une glaire cervicale et un pH normaux et élimine les germes pathogènes du vagin. Un taux normal de progestérone joue aussi un rôle positif en accroissant, pense-t-on, le sécrétion d'immunoglobuline A (IgA), alors que des taux anormalement élevés de progestérone favorisent la prolifération des levures.

Le moyen le plus simple pour traiter une candidose consiste à faire deux fois par jour, dès l'apparition des symptômes, des douches vaginales contenant une à deux tasses de vinaigre de cidre dilué dans un quart de litre d'eau. Le vinaigre de cidre augmente l'acidité du vagin, créant un milieu hostile aux candidas. Certaines femmes utilisent des ovules vaginaux contenant des probiotiques, c'est-à-dire des bactéries « amies », comme l'acidophilus, qui vont contrecarrer la prolifération de candidas. Les probiotiques sont aussi vendus sous forme liquide et permettent de faire des douches vaginales en mélangeant 1/4 de tasse de produit et 1/4 de litre d'eau. (Reportez-vous au chapitre 14 pour plus d'informations sur les probiotiques.) Vous trouverez des compléments probiotiques dans les rayons réfrigérés des boutiques diététiques.

Les boutiques diététiques proposent aussi de nombreux produits destinés à modifier le pH vaginal. Avant d'utiliser un médicament antifongique attendez que l'infection soit avancée et que les autres méthodes n'aient pas obtenu de résultats. Néanmoins, si après avoir suivi pendant un peu plus d'une semaine les traitements cités plus haut la candidose n'a pas disparu, nous vous conseillons de consulter un professionnel de la santé afin de déterminer les autres causes sous-jacentes de cette infection.

Soigner une infection causée par une levure (candidose)

Ce qu'il faut faire

– Protégez l'équilibre hormonal : un excès d'œstrogènes ou un déficit en progestérone peut contribuer à l'apparition d'une candidose.

– Douchez-vous avec du vinaigre de cidre (1 à 2 tasses de vinaigre dilué dans 1/4 de litre d'eau) afin de rétablir le pH vaginal et/ou utilisez des douches et des ovules vaginaux à base de probiotiques afin de reconstituer les bactéries salutaires.

– Si vous avez des rapports sexuels fréquents, douchez-vous avec les produits proposés plus haut une ou deux fois par semaine afin d'éviter une candidose.

Ce qu'il faut éviter

– Les douches vendues dans le commerce.

– Le sucre et les hydrates de carbone raffinés.

– La pilule.

– Les antibiotiques.

∾ LES MALADIES AUTO-IMMUNES

Comme les maladies auto-immunes sont nettement plus fréquentes chez la femme que chez l'homme, on peut en déduire que l'équilibre hormonal féminin intervient d'une manière ou d'une autre dans ces affections. Les désordres auto-immuns apparaissent le plus souvent chez les femmes d'âge moyen –

à une période de la vie où la dominance en œstrogènes commence à se manifester. La thyroïdite d'Hashimoto, la maladie de Sjögren, la maladie de Graves et le lupus sont non seulement plus fréquents chez la femme mais semblent aussi être liés à la prise d'œstrogènes ou à la dominance en œstrogènes. Des études récentes ont montré que les femmes qui prennent un traitement hormonal substitutif contenant un œstrogène courent un risque accru de contracter le lupus. La prise de la pilule induit aussi des maladies auto-immunes en occasionnant la formation d'anticorps qui neutralisent l'effet des hormones.

La progestérone soulage, dans bien des cas, les symptômes des maladies auto-immunes mais il est préférable de se faire suivre par un professionnel de la santé expérimenté, un naturopathe par exemple, qui saura soigner le corps dans son ensemble. Certains praticiens ont obtenu d'excellents résultats en utilisant de la DHEA dans le traitement du lupus mais aucune étude à ce jour n'a confirmé ces résultats.

↶ PRISE DE POIDS

La prise de poids pose un énorme problème aux femmes en période de préménopause. Nous vivons dans une société qui porte aux nues les pin-up minces, avec un corps de jeune garçon, de longues jambes et de gros seins alors que la majorité des femmes n'a rien à voir avec cette image. Ajoutons à cela que, dans notre culture, les femmes sont censées obtenir tout ce qu'elles veulent grâce à leur corps et leur sexualité. Il n'est donc pas étonnant qu'elles se privent de manger et prennent des médicaments dangereux pour perdre du poids et qu'elles soient déprimées quand elles commencent à grossir à partir de la trentaine ou de la quarantaine.

Le cas de Sharon montre à quelles extrémités peut être conduite une femme qui tient absolument à maigrir. Sharon n'avait pas encore quarante ans quand elle prit treize kilos après la naissance de son second enfant. Elle eut beau faire, elle ne réussit pas à retrouver son poids antérieur et dut s'acheter une nouvelle garde-robe lorsqu'elle recommença à travailler. Bien qu'elle eût une activité professionnelle à plein temps et s'occupât de deux enfants, de son mari, d'un chien, d'un chat et d'une grande maison, elle se mit à faire de la gymnastique trois à quatre fois par semaine dans l'espoir de perdre du poids. Pendant les premières semaines, elle se sentit en pleine forme, puis elle commença à avoir des malaises liés à une fatigue excessive après les séances de gymnastique. Comme elle s'empiffrait de glaces et d'aliments riches en graisses, elle prit encore du poids. Lorsqu'elle consulta son médecin dans l'espoir qu'il puisse l'aider, il lui répondit qu'elle était déprimée et lui prescrivit un antidépresseur qui sembla améliorer son état pendant deux semaines mais qui l'énervait et la rendait irritable.

Voilà comment une femme qui veut absolument perdre du poids se détruit et, au lieu de maigrir, devient fatiguée et déprimée. Si Sharon n'avait eu rien d'autre à faire dans la vie, elle aurait sans doute réussi à perdre du poids en suivant un régime draconien et en prenant de l'exercice. Les actrices célèbres, qui ne peuvent pas se permettre de grossir à cause de leur carrière, ont souvent un professeur de gymnastique attitré et un cuisinier à demeure qui leur concocte des plats goûteux et sains trois fois par jour. Tant mieux pour elles ! Mais vous ne devez pas vous sentir coupable sous prétexte que vous n'êtes pas dans cette situation. (Ajoutons à cela que, quand on interroge les hommes de plus de trente ans, à l'occasion d'un sondage sur les implants mammaires, la prise de poids, etc., ils admettent qu'ils aiment contempler des actrices minces et à la forte poitrine, mais qu'ils préfèrent néanmoins les femmes telles qu'elles sont dans la réalité, malgré leurs seins pendants et leurs hanches trop fortes. Bien entendu, les résultats de ce genre de sondage ne sont pas publiés dans les magazines féminins car ces derniers n'auraient alors plus rien à vendre à leurs lectrices.)

Tout savoir sur la préménopause

Le docteur Hanley travailla plus de six mois avec Sharon afin de rééquilibrer ses hormones et sa glycémie et de soutenir ses glandes surrénales fatiguées. Elle l'aida à adopter graduellement un régime alimentaire nourrissant et délicieux qui ne la ferait pas grossir et qu'elle pourrait partager avec les autres membres de sa famille. Cette alimentation différente fut très bien accueillie par le mari de Sharon qui avait quelques kilos en trop. Pendant les six premiers mois, elle ne perdit pas de poids mais cessa de grossir. Lorsqu'elle eut retrouvé son énergie, elle recommença à prendre de l'exercice en marchant avec sa famille et préféra passer ses loisirs dans son jardin plutôt que de suivre des cours de gymnastique. L'année suivante, Sharon perdit cinq kilos et ensuite, son poids se stabilisa. Elle avait retrouvé santé et énergie et était heureuse d'avoir réussi à équilibrer sa vie. Elle découvrit que son mari ne la trouvait pas moins désirable depuis qu'elle avait grossi – il lui avoua au contraire que ses formes plus arrondies étaient sensuelles.

Il est parfaitement possible de peser quelques kilos de plus que ne le prévoient les statistiques de votre médecin et d'être néanmoins en parfaite santé. Lorsqu'une femme vieillit, elle prend du poids d'une manière naturelle, en particulier au niveau des hanches, des cuisses, des fesses et du ventre. Ainsi que nous vous l'avons expliqué dans un précédent chapitre, dans un monde idéal, ces kilos supplémentaires ont un rôle protecteur : la production ovarienne des œstrogènes baisse avec l'âge et les cellules adipeuses prennent alors le relais. Vous serez beaucoup plus heureuse pendant la préménopause si vous cessez de vous préoccuper de votre poids et investissez cette énergie dans des directions plus positives.

Si l'on prend du poids pendant la préménopause, c'est aussi parce que l'on consomme certains aliments afin de corriger le déséquilibre hormonal. Quand on manque d'énergie, il est logique de boire du café et de manger du sucre et des hydrates de carbone dans l'espoir de se requinquer. Une femme qui se sent fatiguée ou irritable et qui n'a pas les idées claires choisira instinctivement des aliments qui stimulent les surrénales (caféine) et augmentent le taux de glucose et de sérotonine du cerveau (sucre et hydrates de carbone raffinés). Le cerveau est un organe très dépendant du glucose et la sérotonine provoque une sensation de bien-être cérébral, renforcée par le Prozac et les médicaments similaires (antidépresseurs).

Dès que vous vous êtes familiarisée avec le langage de votre corps et vos symptômes, il vous devient plus facile de retrouver un équilibre quand vous êtes mal fichue. Vous pouvez choisir consciemment de consommer certains aliments afin de rétablir un équilibre temporaire tout en prenant des hormones naturelles, des compléments nutritionnels et de l'exercice afin de créer une stabilité à long terme.

Quand nous disons que la prise de poids est une bonne chose, nous ne parlons évidemment pas de l'obésité qui accroît les facteurs de risque de toutes les maladies imaginables. Il y un monde entre grossir de quelques kilos en vieillissant et être obèse. Si votre poids compromet votre santé et réduit votre mobilité, vous souffrez d'obésité. Vous n'êtes plus en bonne santé et devez rééquilibrer votre organisme.

Comme les œstrogènes sont fabriqués et stockés dans les tissus adipeux, l'obésité s'avère une des causes principales de la dominance en œstrogènes et vice versa. Les œstrogènes occasionnent une prise de poids car ils transforment l'énergie des aliments en graisse, c'est-à-dire en réserves d'énergie. Voilà pourquoi on engraisse les bovins avec des œstrogènes. Comme la testostérone est un antagoniste des œstrogènes (qu'elle s'oppose à leur action), les veaux sont castrés, puis on leur donne des œstrogènes pour accélérer leur croissance tout en les nourrissant moins longtemps[6].

6. En Europe, l'utilisation des hormones stéroïdes sexuelles pour engraisser les animaux a été totalement interdite. (NDLT)

Les femmes qui présentent une dominance en œstrogènes ont tendance à faire de la rétention d'eau et envie de consommer des hydrates de carbone simples comme le sucre, le pain, les pâtisseries et les chips. Les femmes obèses souffrent souvent d'une résistance à l'insuline, c'est-à-dire d'un trouble d'assimilation des glucides. La résistance à l'insuline provoque un déséquilibre des glandes surrénales et accroît les concentrations de cortisol, ce qui à son tour affecte les organes reproducteurs. Le corps est un tout : quand l'une de ses parties est déséquilibrée, le reste a tendance à suivre.

Observer simplement les préceptes concernant l'alimentation et le mode de vie proposés dans les chapitres 13, 14 et 15 devrait permettre à la majorité des femmes de conserver un poids raisonnable après la ménopause. Nous ne vous promettons pas que vous serez aussi mince et musclée que quand vous aviez vingt ans. Ce ne serait ni sain, ni réaliste. Mais si vous consommez des aliments complets, équilibrez vos hormones et prenez un peu d'exercice, vous vous sentirez mieux et vous aurez plus d'énergie, ce qui vous mettra à l'abri d'un véritable excès de poids. Votre léger embonpoint correspondra à ce que Dame Nature a prévu pour que vous conserviez une bonne santé. Si les femmes de votre famille ont toutes à peu près le même poids que vous et sont en pleine forme, dites-vous que vous êtes en bonne compagnie, que la grande majorité des femmes vous ressemble – et détendez-vous.

∿ DYSFONCTIONNEMENT THYROÏDIEN

Une femme nommée Hannah a écrit au docteur Lee pour lui faire part de son expérience de l'hypothyroïdie et d'un déséquilibre hormonal.

« Il y a cinq ans (j'avais alors trente et un an), j'ai commencé à souffrir pendant ma grossesse de ce que j'appelais, faute de mieux, des "problèmes hormonaux". J'espérais qu'après la naissance de mon fils mes difficultés allaient s'applanir mais sept mois plus tard non seulement les symptômes n'avaient pas disparu mais ils s'étaient aggravés. Ce qui me rongeait le plus, c'était de ne pas parvenir à maigrir. J'avais beau faire tout ce qui est conseillé dans ce cas-là – prendre de l'exercice et manger des aliments hypocaloriques et sans matières grasses – je continuais à grossir. Il fallut que je prenne dix kilos en un week-end et que mon cou gonfle à un point tel que ma chaîne en or bloquait quasiment ma circulation sanguine pour que j'admette que quelque chose n'allait pas et que j'avais besoin d'aide. Avant cette date, je pensais que mes problèmes hormonaux et prémenstruels n'étaient qu'un prétexte pour perdre mon sang-froid.

Voici la liste des symptômes que je faisais mine d'ignorer : extrême fatigue, sautes d'humeur, rétention d'eau, seins gonflés et durs, maux de tête, incapacité à se concentrer et pensées confuses, douleurs musculaires, peau sèche et gercée, sécheresse et odeur vaginales, flux menstruel abondant, d'un rouge sombre et contenant des caillots, gencives qui saignent, mauvaise vision nocturne et irritabilité (mais comment ne pas être irritable quand on souffre de tous ces maux !).

Lorsque je le consultai, mon gynécologue me dit que ma thyroïde ne fonctionnait quasiment plus. Il me prescrivit du Synthroid et des vitamines et me donna des conseils nutritionnels. Grâce à ce traitement, la plupart des symptômes disparurent et pendant deux ans, je n'eus plus de problèmes de santé, si ce n'est des infections des sinus. Puis tous les anciens symptômes réapparurent et devinrent bien pires. Je ne pouvais plus tenir mes comptes, je conduisais mal, mon mari était obligé de m'aider à terminer mes phrases, j'oubliais des choses aussi simples que mon propre numéro de téléphone. J'avais des insomnies, des bouffées de chaleur, des sueurs nocturnes, des migraines, des sautes d'humeur et j'étais si fatiguée que je ne pouvais plus m'occuper de ma famille ni même de mon hygiène personnelle. Lorsque je consultai à nouveau mon médecin, il me dit que ma thyroïde allait bien mais que j'étais maniaco-dépresssive et me prescrivit un anti-dépresseur.

Ce n'est qu'après avoir lu votre livre *Guérir la méno-pause : tout ce que votre médecin ne vous a probablement pas dit*, que je compris de quoi je souffrais et demandai à mon médecin un dosage hormonal. Comme les résultats indiquaient un faible taux de progestérone, je commençai aussitôt des applications de crème à la progestérone naturelle sous sa surveillance. Depuis que je suis ce traitement, je n'ai plus de bouffées de chaleur, j'ai retrouvé le sommeil et je me sens reposée au réveil. J'ai cessé de prendre des antidépresseurs, j'ai tellement maigri qu'il me faut maintenant deux tailles en dessous et je n'ai plus besoin de faire la sieste l'après-midi. Je prends des compléments afin d'éliminer les toxines de mon organisme, du calcium et du magnésium, des polyvitamines, la plante dong quai et un complément pour mes allergies. Je revis et cette terrible expérience nous a amenés, mon mari et moi, à nous montrer plus responsables vis-à-vis de notre état de santé. »

Après avoir prescrit pendant quelques années de la crème à la progestérone naturelle à ses patientes ménopausées, le docteur Lee a remarqué que celles qui prenaient aussi un traitement pour la thyroïde pouvaient dans bien des cas diminuer les doses d'hormones thyroïdiennes après quelques mois d'application de crème. Un certain nombre de patientes ont même pu arrêter complètement le traitement pour la thyroïde. Lorsqu'il réexamina ces cas, il découvrit que de nombreuses patientes avaient commencé à prendre des compléments thyroïdiens à cause d'une fatigue générale, d'une prise de poids, d'une hypothermie ou d'autres symptômes associés à l'hypothyroïdie, en dépit de dosages hormonaux normaux.

Après avoir observé ce phénomène pendant près de vingt ans, le docteur Lee en a déduit que la dominance en œstrogènes interfère avec ou inhibe l'activité hormonale de la thyroïde et que la progestérone, au contraire, facilite cette activité.

Les œstrogènes et la thyroïde ont certaines actions antagonistes. Les œstrogènes ordonnent à l'organisme de stocker les calories ingérées sous forme de tissus adipeux alors que la thyroïde accroît la capacité de l'organisme à transformer les graisses en énergie. D'un autre côté, la progestérone a une action anabolique semblable à celle de la thyroïde : elle favorise, elle aussi, la production d'énergie et augmente la température du corps. Une insuffisance en progestérone entraînera une hypothermie, imitant les symptômes de l'insuffisance thyroïdienne. Voici les principaux symptômes de l'hypothyroïdie :
– Fatigue et faiblesse.
– Hypothermie (qui peut être vérifiée en prenant sa température sous l'aisselle le matin, avant de se lever).
– Peau et cheveux secs ou rêches.
– Mains et pieds froids.
– Elocution ralentie et défaut d'articulation.
– Mauvaise mémoire.
– Prise de poids.

Il ne fait aucun doute qu'un grand nombre de femmes en période de préménopause souffrent d'hypothyroïdie. Néanmoins, celles qui présentent les symptômes d'une insuffisance thyroïdienne tout en ayant un dosage « normal » des hormones thyroïdiennes, peuvent très bien avoir un déficit en progestérone. Dans ce cas, il suffira de restaurer les concentrations normales de progestérone en utilisant une crème à base de progestérone. Les progestatifs de synthèse comme le Provera ou les pilules progestéroniques ne permettent pas ce rééquilibrage de la fonction thyroïdienne.

Alarmée de recevoir autant de patientes souffrant d'une insuffisance thyroïdienne, le docteur Hanley s'est penchée sur la question et a découvert que de faibles radiations pouvaient détruire d'une manière permanente la glande thyroïde. Elle a consulté des statistiques gouvernementales montrant que les retombées radioactives des essais nucléaires effectués au cours des années 50 étaient suffisantes pour occasionner des problèmes thyroïdiens chez n'importe quel individu. Les enfants en pleine croissance exposés à ces radiations étaient encore plus prédisposés que les autres individus à ces dysfonctionnements. Comme les critères de normalité du fonctionnement thyroïdien ont été définis au cours des années 40 en se référant à un groupe d'étudiants en médecine de vingt-deux ans, le docteur Hanley juge qu'ils ne s'appliquent pas aux femmes en période de préménopause et en déduit qu'il existe une épidémie d'hypothyroïdies non diagnostiquées.

Si vous souffrez d'une insuffisance thyroïdienne, vous pouvez essayer pendant quelques mois des applications de crème à la progestérone naturelle. Si les symptômes persistent, vous pouvez prendre soit de l'Armour Thyroid, c'est-à-dire une combinaison d'extraits de thyroïde de bœuf et de porc, soit des hormones thyroïdiennes synthétiques comme la lévothyroxine (Synthroid). On a beaucoup débattu des mérites comparés de ces deux compléments thyroïdiens mais nous pensons que la question n'est toujours pas résolue.

❧ FATIGUE CHRONIQUE

Les mitochondries sont des organites cytoplasmiques, de minuscules « centrales » qui fournissent de l'énergie à la cellule. Elles convertissent l'énergie des liaisons chimiques du glucose et d'autres nutriments en adénosine triphosphate (ATP) afin de fournir à l'organisme l'énergie nécessaire à ses différentes fonctions. Une lésion des mitochondries peut entraîner une fatigue chronique. Comme les mitochondries possèdent leur propre ADN, transmis uniquement par la mère, les lésions peuvent être héréditaires.

Chez l'homme comme chez l'animal, les mitochondries décomposent certaines liaisons chimiques de la molécule de cholestérol afin de produire de la prégnénolone, utilisée pour la biosynthèse de la progestérone et de la DHEA.

Le bon fonctionnement des mitochondries est bloqué par

les œstrogènes, les rayons X, les ultraviolets, certains acides gras insaturés et le fer. En revanche, il est facilité par la iodo-thyronine T3 (l'une des hormones thyroïdiennes produites par l'organisme), la lumière blanche, la vitamine B2 (riboflavine), les vitamines A et E, et le cuivre. Quand les œstrogènes contre-carrent l'activité des mitochondries, cela a pour résultat non seulement une plus faible synthèse de la prégnénolone (donc moins de progestérone et de DHEA) mais aussi moins d'énergie pour l'organisme. Ce pourrait être là un facteur expliquant le déficit en progestérone chez les femmes réglées : les lésions mitochondriales interfèrent avec la production des précurseurs de la progestérone.

La nicotinamide adénine dinucléotide (NADH) joue un rôle essentiel dans la production d'ATP mais jusqu'à une époque récente, ce composé était trop instable pour qu'on puisse l'isoler. Le docteur Georg Birkmayer, biochimiste autrichien, a découvert un moyen de stabiliser la NADH, qu'il a breveté, et la NADH est maintenant commercialisée sous forme de complément. Au cours d'études en double aveugle avec groupe placebo, dont les résultats ont été approuvés par la FDA, il a été démontré que la NADH améliorait les symp-tômes de la maladie de Parkinson et de la fatigue chronique. Il s'agit d'un complément relativement coûteux mais si vous souffrez d'une fatigue chronique due, ne serait-ce qu'en par-tie, à une atteinte des mitochondries, la NADH peut vous aider à retrouver de l'énergie. Vous trouverez de la NADH dans la plupart des boutiques diététiques. Il est préférable de la prendre à jeun. Observez la dose prescrite indiquée sur la notice.

↬ PERTE DE LA LIBIDO

« J'ai quarante-trois ans, je suis toujours réglée mais je n'ai plus envie de faire l'amour. Que m'arrive-t-il ? » Les femmes en période de préménopause posent souvent cette question à leur médecin. Malheureusement, la plupart des praticiens pensent à tort que la libido dépend des œstrogènes, alors qu'un excès de ces hormones peut provoquer une diminution de la pulsion sexuelle et entraîner des effets secondaires tels que la rétention d'eau et l'irritabilité. En réalité, les hormones qui augmentent la libido sont la progestérone et la testostérone. Si l'on se réfère à l'évolution des espèces, cela paraît logique puisque la progestérone est l'hormone dominante au moment de l'ovulation quand la fertilité féminine est à son maximum.

Pour restaurer la libido, mieux vaut commencer par utiliser de la progestérone. Votre médecin vous prescrira peut-être de la testostérone. Mais cette hormone, même prise à faibles doses, a des effets masculinisants et risque de trop accroître la libido pour le goût de certaines femmes. Le docteur Lee se plaît à dire que quand les concentrations de progestérone seront rétablies, vous ne deviendrez pas pour autant nymphomane – vous trouverez simplement que le type qui se trouve à l'autre bout de la pièce a l'air plus attirant qu'avant.

Un déficit en œstrogènes peut occasionner une atrophie et une sécheresse vaginales et rendre les rapports sexuels douloureux. Dans ce cas, une faible quantité de crème œstrogénique vaginale (choisissez de l'œstriol naturel), utilisée deux ou trois fois par semaine devrait suffire à résoudre le problème.

∾ CHUTE DES CHEVEUX

Lorsque les concentrations de progestérone sont trop faibles, à cause d'une absence d'ovulation, le corps répond en augmentant la production d'androsténédione, stéroïde corticosurrénalien qui est un précurseur de rechange pour la production des autres hormones corticosurrénales et la testostérone. L'androsténédione possède quelques propriétés androgéniques (analogues à celles des hormones mâles) et, dans le cas qui nous occupe, celles à l'origine de la calvitie masculine.

Quand les concentrations de progestérone s'élèvent grâce à une supplémentation de cette hormone, la concentration d'androsténédione baisse graduellement et les cheveux recommencent à pousser normalement. Comme il s'agit d'un processus à long terme, il faudra attendre quatre à six mois avant que les résultats du traitement ne se fassent sentir.

Prendre des doses trop élevées de l'hormone surrénale DHEA ou d'androsténédione peut aussi entraîner une chute des cheveux. La DHEA peut être convertie en androsténédione dans l'organisme ou induire ses propres effets androgéniques.

∾ LA PEAU : ROSACÉE, ÉRUPTIONS CUTANÉES, DERMATITE

Le docteur Hanley comme le docteur Lee pourraient citer le cas de nombreuses femmes dont les problèmes de peau ont été guéris en quelques mois grâce à l'utilisation d'une crème à base de progestérone naturelle. Une personne a écrit au docteur Lee pour lui dire que la rosacée, à cause de laquelle elle avait en permanence le nez rouge et pour laquelle on lui avait prescrit des corticoïdes, avait commencé à régresser après quelques jours de traitement à la progestérone naturelle.

∾ ENDOMÉTRIOSE

L'endométriose est l'une des plus douloureuses affections de la femme. Les causes en restent inconnues à ce jour et cette maladie est très difficile à traiter. Les crampes et les douleurs abdominales de l'endométriose sont dues à des îlots (ou fragments) de la muqueuse utérine qui parviennent à migrer hors de l'utérus et se dispersent dans la zone du bassin, se greffant sur les ovaires, les parois de la vessie et de l'intestin, et les muqueuses abdominales. Afin de répondre à la montée mensuelle d'œstrogènes, ces fragments de tissu se gonflent de sang, comme l'endomètre à l'intérieur de l'utérus, mais au moment de la menstruation (ou chute de l'endomètre), alors que le sang de la muqueuse utérine s'écoule par le vagin, celui contenu dans ces fragments de muqueuse ne peut aller nulle part. Il crée une inflammation locale très douloureuse au niveau du bassin et de l'abdomen.

On sait que les symptômes de l'endométriose disparaissent presque totalement pendant la grossesse pour ressurgir après l'accouchement. On peut donc en déduire que les hormones sexuelles sont impliquées dans cette maladie et que la concentration élevée de progestérone pendant la grossesse expliquerait en grande partie le disparition de ces symptômes.

Le docteur Lee a réussi à traiter l'endométriose en prescrivant des doses relativement élevées de crème à la progestérone afin de créer une pseudo-grossesse. Cela implique d'utiliser 40 à 60 mg de crème par jour, du 5e au 28e jour du cycle (ou jusqu'à la fin du cycle normal), en tout 960 mg par mois. En général, les douleurs se calment à partir du troisième ou quatrième mois de traitement. Lorsque l'endométriose était particulièrement rebelle, le docteur Lee prescrivait des doses allant jusqu'à 80 mg par jour. Dès que les douleurs régressent, la dose de progestérone peut être réduite progressivement chaque mois jusqu'à ce qu'on détermine la dose minimale capable de supprimer les symptômes douloureux.

Un dosage de la progestérone analogue à celui du premier mois de la grossese limite la prolifération de la muqueuse utérine occasionnée par les œstrogènes. Si l'on évite un écoulement de sang mensuel au niveau de ces îlots de tissu utérin, l'inflammation, qui précédemment se réveillait chaque mois, régressera et la nature réparatrice fera le reste : les fragments de tissu de l'endomètre redeviendront des tissus normaux.

Le docteur Hanley conseille à ses patientes souffrant d'endométriose de prendre quelques jours de congé chaque mois, au début de leurs règles. Comme la plupart de ces femmes ont déjà pris des jours de congé à cause de leur maladie, mieux vaut qu'elles fassent ce choix et en profitent pour s'occuper d'elles-mêmes. Le docteur Hanley a, en effet, découvert que ces quelques jours de repos pouvaient à eux seuls réduire les douleurs. Si vous souffrez d'endométriose sans pouvoir cesser de travailler, essayez au moins de trouver le temps de vous occuper de vous-même, ne serait-ce qu'en prenant un bain moussant ou en vous couchant plus tôt avec une tasse d'infusion et un bon livre.

Soigner l'endométriose

Ce qu'il faut faire

– Utiliser 40 à 60 mg de crème à la progestérone par jour, du 5e au 28e jour du cycle (ou quel que soit le jour de la fin de votre cycle mensuel). Lorsqu'on utilise, comme c'est le cas ici, une dose élevée de n'importe quelle hormone ou complément, il faut se faire suivre par un professionnel de la santé.

– Prenez les plantes suivantes (en totalité ou en partie) : racine de réglisse, xanthoxylum, cardiaire, *Vitex*, igname sauvage (*Dioscorea*), viorne aubier (*Viburnum opulus*).

Ce qu'il faut éviter

– Tout ce qui peut provoquer une dominance en œstrogènes ou une concentration élevée de n'importe quelle hormone à l'exception de la progestérone.

– Les contraceptifs oraux.

∾ DÉPRESSION : LE CERVEAU ET LA FILÈRE ZINC-CUIVRE

Vous avez peut-être remarqué que la perte du zinc et la rétention du cuivre font partie de la liste des symptômes de la dominance en œstrogènes. Nous allons donc maintenant vous parler du rôle de ces minéraux. Bien que l'organisme n'ait besoin que de faibles quantités de zinc et de cuivre, la présence de ces deux minéraux et leur équilibre réciproque sont d'une grande importance. La fonction essentielle du zinc et du cuivre est liée à leur rôle de cofacteurs enzymatiques.

Les enzymes sont des substances protéiques fabriquées à l'intérieur des cellules à partir des acides aminés, via les instructions de nos gènes. Elles réalisent toutes les activités biochimiques de la cellule : transformation de la nourriture en énergie, construction d'autres molécules importantes, destruction des toxines, utilisation de l'oxygène, création de la matière nécessaire à la vie. Chaque enzyme a une fonction spécifique qui est accrue par des cofacteurs vitaminiques et minéraux spécifiques. En l'absence de ces cofacteurs, l'enzyme ne peut accomplir correctement sa tâche.

Le cuivre et le zinc, notamment, sont impliqués dans l'activité des enzymes neuronales. Un certain nombre de ces enzymes produisent les neurotransmetteurs utilisés pour la transmission des messages d'un neurone à l'autre alors que d'autres enzymes inactivent les neurotransmetteurs quand ils ne sont plus utiles aux transmissions cérébrales. Dans ce domaine, la notion d'équilibre est primordiale. La balance zinc/cuivre joue un rôle essentiel dans la régulation cérébrale de l'humeur et des réactions au stress. Les enzymes participant à ce processus ont besoin de vitamine B6. Voilà pourquoi cette vitamine permet de traiter la dépression.

Les œstrogènes ont de puissants effets sur le cerveau. Bénéfiques lorsque leur taux est équilibré mais défavorables dès qu'ils sont présents en excès ou non contrebalancés par la progestérone. Par exemple, une concentration élevée de monoamine oxydase (MAO), l'une des enzymes neuronales, peut induire un état dépressif. Si cette concentration baisse, l'état dépressif se dissipe. Une élévation à court terme des œstrogènes tend à inhiber la MAO (protège donc de la dépression) alors que les progestatifs de synthèse jouent le rôle inverse (et peuvent donc occasionner une dépression).

D'après le docteur Ellen Grant, les explosions de colère du syndrome prémenstruel vont de pair avec une concentration élevée de cuivre et une faible concentration de zinc. Une exposition prolongée à un excès d'œstrogènes (et de progestatifs) peut entraîner un déséquilibre du cuivre et du zinc. Une élévation à long terme des taux d'œstrogènes augmente la concentration plasmatique de céruloplasmine, protéine qui se lie au cuivre et l'empêche de pénétrer dans les neurones où elle serait nécessaire à l'activité enzymatique. Les œstrogènes provoquent aussi une élévation de la concentration plasmatique de cuivre, qui fait baisser la concentration de zinc.

Quand la concentration plasmatique de cuivre augmente, il y a une perte plus importante de ce minéral au niveau de la transpiration et du système pileux. La concentration neuronale de cuivre finit par baisser. Les concentrations plasmatiques de cuivre et de zinc sont dans un rapport inverse. Une élévation de la concentration plasmatique de cuivre réduit les réserves de cuivre des neurones et occasionne une baisse de la concentration plasmatique de zinc. Un déséquilibre de ces deux minéraux provoque un déséquilibre des enzymes dont ils sont les cofacteurs et entraîne des réactions de stress exagérées, de graves sautes d'humeur, ainsi qu'un état dépressif. Vous avez déjà entendu parler de ces symptômes, n'est-ce-pas ?

Rétablir des concentrations normales de cuivre et de zinc est une opération délicate. Ainsi que nous l'avons souligné plus haut, quand la concentration plasmatique de céruloplasmine augmente, la concentration plasmatique de cuivre fait de même mais la concentration neuronale de cuivre baisse. Si vous supprimez la supplémentation en cuivre, le problème va s'aggraver au niveau cérébral. Si vous prenez du cuivre, la concentration de zinc va diminuer et les enzymes dépendant de ce minéral ne pourront plus accomplir correctement leur tâche. Bien entendu, le but de l'opération consiste à rétablir l'équilibre normal de ces deux minéraux importants.

Pour compliquer encore le problème, les analyses du plasma sanguin ne reflètent pas avec précision les concentrations cellulaires de ces minéraux car le plasma est la partie liquide du sang. La solution consiste à mesurer les concentrations de cuivre et de zinc au niveau des cellules charriées par le sang comme les hématies et les leucocytes. Les concentrations cellulaires de ces minéraux sont contrôlées par la membrane cellulaire. Lorsque celle-ci est saine, elle ne laisse passer que la quantité exacte de potassium, magnésium, cuivre et zinc dont la cellule a besoin et empêche la pénétration du sodium car il provoquerait un afflux d'eau et un œdème intracellulaire. Les œstrogènes et les progestatifs détériorent l'activité de la membrane cellulaire alors que la progestérone rétablit sa fonction adéquate. Quand l'équilibre hormonal est rétabli et l'alimentation saine (composée d'une quantité appréciable d'aliments frais de bonne qualité), le déséquilibre des minéraux disparaît de lui-même.

∿ PRÉVENTION DE L'OSTÉOPOROSE

Vous imaginez sans doute que l'ostéoporose est une fragilité osseuse dont souffrent les petites vieilles dames toutes bossues. Ou alors vous pensez que l'ostéoporose est due à un manque de calcium. En réalité, il s'agit d'une maladie évolutive dépendant d'une multitude de facteurs et caractérisée par une perte osseuse excessive et une baisse de la densité osseuse ; à la longue, une partie de l'os est détruite et ce qu'il en reste est plus léger et plus poreux. A cause de l'ostéoporose, le risque de fracture augmente, ce qui peut provoquer une immobilisation douloureuse et déprimante capable de conduire à une mort prématurée.

Si vous avez plus de trente-cinq, il y a de grandes chances que vous soyez déjà sujette à une perte osseuse. Celle-ci commence bien avant la ménopause et peut être accélérée par un déficit permanent de progestérone lié aux cycles anovulatoires. Les œstrogènes ralentissent la perte osseuse mais c'est la progestérone qui joue un rôle primordial dans la fabrication de l'os nouveau. Même si vous prenez des doses élevées d'œstrogènes, si vous ne fabriquez pas assez rapidement de l'os nouveau pour remplacer l'os ancien, vous finirez par souffrir d'ostéoporose.

Lorsque la femme américaine type approche de la ménopause, l'ostéoporose est déjà en bonne voie et elle aura perdu 20 % de sa masse osseuse *avant* d'être ménopausée. Si l'on suspecte un déficit en progestérone (en observant les symptômes d'une dominance en œstrogènes), on peut non seulement prévenir l'ostéoporose mais inverser le processus grâce à un complément de progestérone, une alimentation équilibrée, de modestes doses de compléments vitaminés et minéraux et un peu d'exercice. En cas de perte osseuse, il suffit d'appliquer quotidiennement 15 à 20 mg de crème à la progestérone naturelle. Chez la femme en période de préménopause, ce traitement sera administré du 12e au 26e jour du cycle menstruel. (Reportez-vous au chapitre 16 pour plus de détails.)

Si vous avez des facteurs de risque d'ostéoporose, nous vous recommandons de lire le chapitre que le docteur Lee a consacré à cette maladie dans son livre *Guérir la ménopause : tout ce que votre médecin ne vous a probablement pas dit*, et de commencer dès maintenant votre propre programme de prévention. Voici les facteurs de risque de l'ostéoporose : avoir un parent proche qui souffre de cette maladie ; être de race blanche ; petite et mince ; ne pas prendre d'exercice ; fumer ; avoir une mauvaise alimentation ; prendre régulièrement des antiacides, des diurétiques, des somnifères et/ou des médicaments à base de cortisone.

Chapitre 11

---- ❦ ----

LES DANGERS DES CONTRACEPTIFS HORMONAUX

*L*es médecins hésitent à *ne pas* prescrire la pilule aux femmes jeunes ayant une activité sexuelle. Comme les diaphragmes et les préservatifs sont relativement moins efficaces et moins pratiques qu'un contraceptif oral et qu'ils ne sont pas toujours correctement utilisés, les médecins en déduisent qu'une femme risque de tomber enceinte si on ne lui donne pas la pilule. Assis en face d'une patiente promise à un brillant avenir, le médecin a le choix entre un éventuel avortement, la naissance d'un enfant non désiré ou prescrire la pilule. Il s'agit là d'un véritable dilemme. Il ne fait aucun doute que les pilules, injections et implants représentent des méthodes contraceptives extrêmement efficaces et qui libèrent la femme de tous soucis mais il est tout aussi évident qu'ils sont très dangereux.

Chaque médecin – et chaque patiente – confronté à cette décision devrait lire le livre d'Ellen Grant *The Bitter Pill : How Safe Is the Perfect Contraceptive ?* (*Amère Pilule*, Editions Œil). Ce réquisitoire accablant pour la pilule a été écrit par une femme médecin britannique qui a travaillé au début des années 60 dans une clinique londonienne où elle testait la composition et le dosage de différentes pilules. Lorsqu'elle accepta ce travail, elle débordait d'enthousiasme car elle croyait que la pilule allait résoudre le problème de la surpopulation et représentait une nouvelle forme de liberté pour les femmes. Mais les mois, puis les années passant, le docteur Grant observa qu'on avait beau modifier les dosages et la composition de ces contraceptifs oraux (ils contenaient alors des progestatifs et des œstrogènes de synthèse), ils avaient tous de graves effets secondaires et parfois même mettaient en danger la vie des utilisatrices. Ces modifications revenaient à substituer certains symptômes à d'autres. Aujourd'hui, on prétend que les micropilules ont moins d'effets secondaires et présentent moins de danger, mais rien ne prouve que cela soit vrai.

Bien que l'unique travail du docteur Grant dans cette clinique consistât à suivre des femmes prenant des contraceptifs oraux afin de déterminer leur efficacité, jamais on ne lui demanda officiellement de questionner les patientes sur les effets secondaires de la pilule. Ces tests avaient pour but essentiel de répondre à deux questions : 1/ la pilule permet-elle d'éviter la grossesse ? 2 / les effets secondaires immédiats sont-ils suffisamment faibles pour que les utilisatrices continuent à prendre la pilule ? Il n'y avait ni suivi de longue durée, ni inquiétude concernant les conséquences à long terme de l'usage de la pilule. Aux yeux de ceux qui fabriquaient et testaient ces contraceptifs, le bénéfice qu'allait tirer l'humanité tout entière de la baisse des naissances compensait largement les risques et les effets secondaires négatifs enregistrés au niveau individuel.

Après avoir travaillé pendant une décennie sur les contraceptifs oraux, le docteur Grant en déduisit qu'ils étaient si dangereux que personne n'aurait dû en prendre et elle tenta d'alerter l'opinion. Comme on pouvait le prévoir, la médecine conventionnelle fit la sourde oreille. Voici une liste non exhaustive des effets secondaires invariablement observés par le docteur Grant chez les femmes prenant la pilule, quelle que soit la compostion du contraceptif utilisé.

– Risque six fois plus élevé de thrombose (formation d'un caillot dans un vaisseau sanguin) ;
– Risque quatre fois plus élevé de mourir d'une attaque (formation d'un caillot dans le cerveau ou hémorragie cérébrale) ;
– Multiplie par quatre le risque d'infarctus ;
– Risque trois fois plus élevé de souffrir de maux de tête ;
– Multiplie par deux le risque de migraine et d'hypertension ;
– Multiplie par deux le risque de mort accidentelle ou violente ;
– Multiplie par deux le risque de mourir d'un cancer du col, du sein et de l'endomètre chez les femmes âgées de vingt-cinq à cinquante ans ;
– Augmente le risque de cancer des ovaires ;
– Augmente le risque de cancer chez les fumeuses, particulièrement le risque de mélanome et de cancer du poumon ;
– Fréquence plus élevée du cancer de la thyroïde et du foie ;
– Altère la fonction immunitaire ;
– Réduit la concentration d'antioxydants, tout particulièrement au niveau du foie ;
– Nombre plus élevé de défauts de naissance et de taches de vin chez les enfants des femmes ayant pris un contraceptif oral ;
– Facteur de risque de l'ostéoporose, occasionnée par des anomalies des vaisseaux sanguins à l'intérieur de l'os ;
– Risque accru de kystes ovariens, infections, problèmes du système urinaire, dysplasie, allergies, maladies de la vésicule biliaire, infections des sinus, colite ulcéreuse, maladie de Crohn, maladie pulmonaire, épilepsie, perte de la libido, stérilité, tumeur hypophysaire et schizophrénie ;
– Augmente la consommation d'anxiolytiques, antidépresseurs et somnifères ;
– Accroît la probabilité d'une hystérectomie et/ou d'une ovariectomie.

Cette liste tient compte du fait que les études n'ont porté que sur les femmes en bonne santé, que dans la plupart des cas, elles excluaient les patientes qui avaient cessé de prendre la pilule au bout de quelques mois et que les décès enregistrés étaient fréquemment attribués à des causes préexistantes. Le témoignage du docteur Grant sur la manière dont on a jonglé avec les statistiques afin de minimiser les dangers de la pilule fait froid dans le dos, en particulier en ce qui concerne l'augmentation du risque de cancer du sein lié à la prise de contraceptifs oraux.

Il est tragique que les « injections » d'hormones (comme le Depo-Provera) soient maintenant à la mode chez les jeunes femmes et que les médecins s'empressent de les prescrire. Cette méthode contraceptive semble bien pratique – on ne s'inquiète même plus de savoir si l'on a oublié de prendre la pilule – mais ses effets sur la santé sont aussi pernicieux que les contraceptifs oraux. La toxicité potentielle de ces produits est plus importante encore et comme l'apport hormonal dure trois mois, on ne peut l'interrompre en cas d'effets secondaires immédiats.

La pilule affecte aussi les concentrations de nutriments. Les femmes qui prennent des contraceptifs hormonaux de synthèse ont tendance à souffrir d'une carence en vitamine B6 (pyridoxine), acide folique, vitamine B12, vitamine B2 (riboflavine) et en bêtacarotène (un antioxydant important). Ces hormones de synthèse représentent aussi une agression supplémentaire pour le foie. Elles abaissent les concentrations de glutathion, un antioxydant, qui protège alors moins bien le foie des toxines : pesticides et médicaments délivrés sur ordonnance ou en vente libre tels que l'acétaminophène (paracétamol).

On sait aujourd'hui que la sérotonine, substance élaborée par certaines cellules du tissu cérébral à partir de l'acide aminé tryptophane, joue un rôle dans la régulation de l'humeur. Un déficit de sérotonine provoque la dépression. Bien que les œstrogènes puissent élever les concentrations de sérotonine, d'après le docteur Grant, les contraceptifs oraux contenant des progestatifs interfèrent avec la production de sérotonine. Cela expliquerait en partie pourquoi les femmes qui prennent ce type de contraceptif sont si souvent déprimées. Signalons que les contraceptifs oraux peuvent entraîner d'autres carences, en particulier en magnésium et manganèse.

∿ AUTRES MÉTHODES CONTRACEPTIVES

Il n'existe pas de contraception idéale proposant à la fois un taux élevé de réussite et une utilisation facile. Les contraceptifs hormonaux (pilules, injections, implants) sont très dangereux mais c'est aussi le cas du stérilet qui crée un état d'irritation constant au niveau de l'utérus. Les spermicides utilisés avec les diaphragmes, les capes cervicales et les préservatifs posent eux aussi un problème. Bien qu'ils soient moins dangereux que la pilule, leur toxicité vis-à-vis du sperme implique qu'ils sont aussi toxiques pour vous.

Il existe une méthode contraceptive sans danger et efficace lorsqu'elle est correctement utilisée, appelée méthode d'ovulation. Elle a été clairement décrite il y a une vingtaine d'années dans le livre d'Evelyn et John Billings. Ils étaient tous deux catholiques et voulaient avoir des enfants d'une manière échelonnée tout en observant les règles édictées par l'Eglise. La méthode d'ovulation est basée sur l'observation des cycles menstruels, la courbe de température matinale et la consistance de la glaire cervicale afin de déterminer le moment du cycle au cours duquel vous êtes fertile. Pendant cette période, soit vous n'avez pas de rapports sexuels soit vous utilisez une autre forme de protection. Cette méthode, méprisée par la plupart des médecins, est aussi efficace que les préservatifs et le diaphragme lorsqu'elle est suivie consciencieusement. C'est une approche respectueuse de votre corps et de ses cycles naturels qui permet une meilleure connaissance de ces cycles. Dans son livre *The New Our Bodies, Ourselves*, le Boston Women's Health Book Collective donne des informations détaillées sur la méthode d'ovulation et propose d'autres lectures dans ce domaine.

Chapitre 12

--- ∿ ---

RELATIONS ENTRE HORMONES ET CANCER DU SEIN ET AUTRES CANCERS FÉMININS

*P*armi les dizaines de lettres que reçoit chaque semaine le docteur Lee, l'une des plus touchantes émane d'une femme nommée Sally qui lui a écrit deux ans et demi après avoir été atteinte d'un cancer du sein. Quelques mois avant que son propre cancer ait été diagnostiqué, Sally avait vu mourir l'une de ses amies atteinte de la même maladie. Cette amie s'était battue jusqu'au bout et avait suivi à la lettre les instructions des médecins. Elle avait subi l'ablation d'une tumeur mammaire, une chimiothérapie et une radiothérapie avant que le cancer, un an après ces traitements, gagne l'autre sein et les poumons et elle était décédée neuf mois plus tard.

Ayant vu son amie souffrir le supplice, Sally ne voulait pas s'engager dans la même voie. Elle accepta l'ablation de la tumeur mais refusa la chimiothérapie et la radiothérapie car les médecins étaient incapables de lui fournir la preuve que ces traitements augmenteraient ses chances de survie. Après avoir exploré les possibilités offertes par les médecines parallèles, elle décida de se faire traiter par un médecin naturopathe. Il lui recommanda une série de jeûnes et de cures dépuratives très contraignants, une modification radicale de son alimentation, un apport de compléments nutritionnels, une prise en charge psychologique, un groupe de soutien et un traitement à la progestérone naturelle. Sally suivit toutes ces recommandations sauf celle concernant la progestérone naturelle car elle jugeait les informations à ce sujet trop contradictoires. Après avoir lu, sur le conseil de son naturopathe, le livre du docteur Lee *Guérir la ménopause : tout ce que votre médecin ne vous a probablement pas dit*, elle fut convaincue et décida d'utiliser de la progestérone.

Lorsque Sally écrivit au docteur Lee, elle lui expliqua qu'elle venait de subir une nouvelle série d'examens montrant que le cancer n'était pas réapparu et qu'elle tenait à le remercier pour les informations fournies dans son livre. Elle regrettait seulement que son amie décédée n'ait pas pu bénéficier de traitements alternatifs.

Les informations concernant les hormones et le cancer présentées dans ce chapitre sont très récentes et controversées. Les femmes qui optent pour des traitements différents de la radiothérapie, de la chimiothérapie et du tamoxifène doivent les prendre très au sérieux, être prêtes à changer radicalement de mode de vie et à consacrer beaucoup de temps et d'énergie afin de pérenniser ces changements. Traiter n'importe quel cancer est un combat à mort qui exige une attention de tous les instants et la volonté de modifier les conditions à l'origine de la maladie.

∾ QUELQUES DONNÉES DE BASE SUR LE CANCER

Le cancer apparaît quand les cellules se multiplient (prolifèrent) plus vite que la normale, perdent leur pouvoir de différenciation et ont un taux d'apoptose (mort cellulaire programmée) réduit. Généralement, ce phénomène est provoqué par une lésion ou un certain type d'environnement toxique à l'intérieur de la cellule suffisant pour affecter les chromosomes de la cellule (les structures qui renferment le code génétique à l'intérieur du noyau). Cette lésion peut provenir d'un virus, de radiations, d'une prédisposition génétique ou d'une exposition à des produits chimiques toxiques.

En principe, la cellule est protégée contre le cancer par diverses défenses liées à une alimentation saine, un bon équilibre hormonal et une activité enzymatique correcte. Si ces défenses font défaut, la cellule est incapable de neutraliser et/ou d'excréter les produits toxiques et ne parvient pas à se régénérer suffisamment pour les contrecarrer. Lorsque la lésion génétique atteint un certain stade, la cellule régresse vers une forme de vie plus archaïque et devient cancéreuse. Comme le risque d'atteinte génétique irréversible augmente avec le temps, la probabilité d'avoir un cancer augmente avec l'âge.

Le corps humain contient environ soixante-quatre trillions de cellules. Une goutte de sang renferme trois mille à cinq mille globules blancs et cinq millions de globules rouges. Si une seule cellule du sein devient cancéreuse, il faut en principe huit à douze ans pour qu'elle se multiplie au point de former une tumeur décelable. Pour donner une autre idée de la vitesse de développement d'un carcinome mammaire, rappelons que la taille de la tumeur double tous les trois à quatre mois.

Quand un cancer du sein apparaît à la mammographie, il suffit d'un ou deux ans de plus pour que la tumeur grossisse assez pour être décelée à la palpation. Cet intervalle de deux ans a peu de conséquences quant à la probabilité de métastases (dissémination à distance par voie sanguine ou lymphatique à partir du foyer primitif). Voilà pourquoi la mammographie a peu d'effets sur la mortalité par cancer du sein. Les docteurs Lee et Hanley estiment que l'intérêt de la mammographie est loin d'être démontré et que la palpation mensuelle des seins par la femme elle-même, quand elle est effectuée consciencieusement, a les mêmes résultats bénéfiques.

On admet aujourd'hui que la chirurgie, la radiothérapie et la chimiothérapie sont loin de donner satisfaction dans le traitement du cancer du sein. Si nous voulons réduire au minimum le fléau que représente ce cancer, nous devons identifier et limiter les facteurs déclenchants et optimiser les facteurs préventifs. A cet égard, il est consternant de constater que 5 % seulement du budget du National Cancer Institute est consacré à la recherche sur la prévention du cancer.

∿ UTILISER LE TEST AMAS AVANT UNE CHIRURGIE INVASIVE

Les tests permettant de dépister un cancer n'ont jamais été très concluants. Bien que l'accroissement de certaines cellules immunitaires puisse constituer un indicateur générique d'un cancer potentiel, les tests spécifiques comme le frottis vaginal ou le test de dépistage du cancer de la prostate sont notoirement imprécis. Nous disposons enfin d'un nouveau test pertinent basé sur une méthode précise en mesure de dépister un cancer. Après vingt-cinq années de recherches et d'expérimentations, le docteur Samuel Bogoch, chercheur diplômé de Harvard, et son épouse, le docteur Eleanor Bogoch, ont élaboré un test sanguin générique capable de déceler n'importe quel type de cancer, quels que soient son degré de malignité, sa taille et sa localisation dans l'organisme. Ce test fiable à 95 % (et à 99 % en cas de retest) s'appelle le test AMAS, ou *antimalignan antibody in serum*. Il a été breveté et autorisé par la FDA après avoir été testé à une grande échelle.

Les Bogoch ont découvert que les cellules cancéreuses sécrétaient une substance appelée *malignan*, immédiatement identifiée par le système immunitaire qui, en réponse, produit des anticorps destinés à la détruire. Ces anticorps, appelés *antimalignans*, peuvent être décelés par le test AMAS.

Le test AMAS a trois applications importantes. Il peut faire partie des examens pratiqués lors d'un check-up annuel.

Si les résultats du test AMAS sont normaux, il devient inutile de faire appel à des outils diagnostiques plus invasifs ou peu fiables. En second lieu, ce test permet de vérifier si un cancer a été guéri, en démontrant que les cellules cancéreuses ont définitivement disparu. Enfin, le test AMAS peut être utilisé pour confirmer la malignité d'une tumeur décelée par mammographie ou xérographie et éviter ainsi une biopsie invasive.

Si vous avez un facteur de risque de cancer élevé, c'est-à-dire s'il y a des antécédents de cancer du sein dans votre famille immédiate, un test AMAS annuel à partir de l'âge de trente-cinq ans permettra un dépistage précoce, en particulier en ce qui concerne le cancer du sein et des ovaires, souvent difficiles à diagnostiquer avant un stade avancé.

∾ DONNÉES DE BASE SUR LE CANCER DU SEIN

Depuis 1950, l'incidence du cancer du sein a augmenté de 60 %. Certains diront que ce chiffre est lié à un dépistage de meilleure qualité et plus précoce. Cependant, chez les femmes âgées de plus de quatre-vingts ans, l'incidence du cancer du sein est passée d'un cas pour trente femmes à un cas pour huit.

Dans n'importe quelle tumeur cancéreuse du sein, toutes les cellules ne sont pas identiques. Les traitements anticancéreux actuels peuvent détruire ou annuler certaines cellules cancéreuses mais pas pour autant la totalité de celles-ci. Voilà pourquoi il est peu probable que ces traitements permettent un augmentation du taux de guérison.

Comme pour l'ensemble des cancers, les cellules cancéreuses du sein ne sont pas des envahisseurs venus du dehors mais comme l'a fait si justement remarquer A. B. Astrow, chercheur britannique, « ce sont avant tout des cellules normales à l'intérieur desquelles des modifications génétiques relativement faibles ont entraîné d'importantes modifications du comportement ». Nous savons peu de chose sur les causes ou les facteurs qui transforment une cellule normale en cellule cancéreuse mais d'importantes recherches sont en train de montrer la voie.

∾ LA MORT CELLULAIRE PROGRAMMÉE RÉGÉNÈRE LA VIE

L'une des plus importantes découvertes actuelles concerne l'apoptose ou mort cellulaire programmée. Mises à part les cellules nerveuses et musculaires, toutes les cellules de l'organisme sont constamment remplacées par de nouvelles cellules. Cela suppose que les cellules aient une durée de vie spécifique, puis qu'elles meurent pour laisser place à de nouvelles cellules. La disparition des cellules sénescentes est indispensable pour conserver une bonne santé. Les cellules sénescentes de la peau sont éliminées ainsi que celles des parois des organes respiratoires, et du système gastro-intestinal. Au niveau des seins, cependant, les cellules sénescentes dont la mort est programmée sont détruites par les macrophages (grosses cellules dérivant des leucocytes mononucléaires). Les oncologues savent aujourd'hui qu'une apoptose différée des cellules sénescentes accroît leur risque de devenir cancéreuses.

Littéralement, apoptose signifie « chute », dans le sens où l'on parle de la chute des feuilles en automne. Ce phénomène est souvent qualifié de « suicide programmé des cellules. » L'important étant que pour rester en bonne santé, il faut que les cellules sénescentes disparaissent puisque de nouvelles cellules sont constamment élaborées.

∾ DIFFÉRENCIATION ET PROLIFÉRATION CELLULAIRES

Le cancer du sein provient d'une modification des cellules épithéliales des canaux galactophores à laquelle s'ajoute, comme dans les autres types de cancer, en plus de la réduction du taux d'apoptose, une perte de différenciation et un taux de prolifération plus élevé des cellules cancéreuses par rapport aux cellules normales du sein. Au cours de leur développement, les cellules se différencient selon le type de tissu particulier auquel elles sont destinées. En principe, celles qui prolifèrent ou qui se multiplient plus rapidement seront les moins différenciées. Plus une cellule est différenciée, plus lentement elle proliférera et plus elle ressemblera à une cellule normale (donc sans danger).

Nous connaissons les facteurs à l'origine de la croissance des cellules cancéreuses. C'est là un point important car plus le taux de développement est élevé, plus la vie du patient est en danger. Dans ce domaine, une comparaison entre le cancer du sein et celui de la prostate est instructive. Chez l'homme âgé de plus de soixante-cinq ans, le temps de doublement du cancer de la prostate est estimé à cinq ans alors que chez la femme, le temps de doublement du cancer du sein peut ne pas dépasser trois mois. Il est clair qu'une réduction du taux de prolifération cellulaire constituerait un atout pour la survie des malades. Dans ce domaine, on a découvert que les œstrogènes accroissent le taux de prolifération des cellules épithéliales du sein alors que la progestérone le ralentit considérablement. Nous reviendrons sur ce point en détail.

Lorsqu'on compare les récepteurs hormonaux des cellules du cancer du sein avec l'état de différenciation, il apparaît qu'une prédominance des récepteurs œstrogéniques est associée à des cellules cancéreuses moins différenciées, donc plus dangereuses ; par contre, la présence de récepteurs de la progestérone est en corrélation avec des cellules cancéreuses plus différenciées et moins dangereuses. Les œstrogènes activent aussi un oncogène (gène favorisant le cancer) appelé Bcl-2, qui ralentit l'apoptose. La progestérone active le gène p53 qui rétablit une apopotose normale.

En conséquence, en ce qui concerne l'apoptose, la différenciation cellulaire et la prolifération cellulaire, les œstrogènes apparaissent comme de puissants promoteurs du cancer du sein tandis que la progestérone protège contre cette maladie.

ᑐ PREUVE DU RÔLE PROTECTEUR DE LA PROGESTÉRONE

Le docteur Lee a entrepris des recherches et travaillé en étroite relation avec d'autres scientifiques et d'autres praticiens sur le cancer du sein. Cette collaboration a débouché sur quelques découvertes de grand intérêt. Le docteur Lee a choisi comme base de départ la question suivante : « Quelle preuve peut-on fournir à une patiente et à son médecin que la progestérone protège du cancer du sein ? »

Un moyen efficace de tester l'effet de la progestérone sur l'incidence du cancer du sein consiste à mesurer les taux d'œstrogènes et de progestérone dans une population importante de femmes et à suivre ces patientes afin d'observer s'il existe une corrélation entre ces taux et le cancer du sein. Ce travail a été réalisé par L. D. Cowan et ses collaborateurs de Johns Hopkins qui ont publié en 1981 les résultats d'une étude montrant que l'incidence du cancer du sein était 5,4 fois plus élevée chez les femmes ayant un faible taux de progestérone, comparées à celles qui ont un taux normal de progestérone. Cette différence reste inchangée quels que soient l'âge des premières règles et de la ménopause, l'existence d'une mastopathie bénigne, la prise de contraceptifs oraux et l'âge auquel la patiente a eu son premier enfant. En outre, si l'on considère l'incidence de tous les types de cancer, les résultats de cette étude démontrent qu'elle est multipliée par dix chez les femmes ayant un faible taux de progestérone par rapport aux autres.

On a également étudié le taux de progestérone de patientes chez lesquelles un cancer du sein avait été diagnostiqué. Le docteur David Zava, chercheur spécialiste du cancer du sein, a testé les concentrations de progestérone et d'œstrogènes sur les fragments de tissu tumoral de plusieurs milliers de femmes ayant subi une chirurgie d'un carcinome mammaire. D'une manière quasi systématique, ces résultats révèlent un relatif déficit en progestérone par rapport aux œstrogènes.

Les chances de survie après une chirurgie du cancer du sein diffèrent-elles en fonction des taux de progestérone ? Dix études récapitulatives au moins montrent que chez les femmes ayant subi une intervention au début de la phase lutéale du cycle menstruel, quand le taux de progestérone est censé être le plus élevé, la rémission est plus longue ou les chances de survie plus élevées comparées aux patientes qui ont subi la chirurgie pendant la phase folliculaire, lorsque la production de progestérone est très faible.

En 1996, dans le *Journal of Women's Health*, le docteur William Hrushesky du Stratton VA Medical Center d'Albany, New York a réexaminé ces données et énuméré sept mécanismes d'action qui permettent de conclure directement ou indirectement que la progestérone inhibe le développement des cellules cancéreuses mammaires et/ou des métastases.

1. L'immunité cellulaire (l'action de certaines cellules dites tueuses naturelles – *natural killers* – et de l'interleukine-2) est compromise par les œstrogènes non contrebalancés et renforcée par un taux adéquat de progestérone.

2. La synthèse de l'ADN, la prolifération cellulaire, l'apoptose et le remodelage des tissus sont modulés par ces deux hormones. Tout spécialement, la prolifération cellulaire et une apoptose retardée ou inhibée sont des caractéristiques qui favorisent le cancer. L'œstradiol accroît ces actions alors que la progestérone les réduit.

3. Les récepteurs des hormones stéroïdes sont périodiquement affectés par les cycles menstruels. La phase lutéale est la période la plus favorable pour opérer un cancer du sein puisque les récepteurs de la progestérone ont tendance à être les plus élevés pendant cette phase du cycle.

4. Le traumatisme chirurgical est associé à une modulation de

la capacité des cellules de la tumeur métastatique à se lier aux œstrogènes et à se diviser. Le traumatisme chirurgical active les métastases occultes. Un traitement chirurgical pratiqué à une période de dominance en œstrogènes est contre-productif pour la survie.

6. Les cycles menstruels coordonnent la formation des vaisseaux sanguins (angiogenèse) de l'utérus, l'arrêt de ce processus puis la chute de l'endomètre. L'angiogenèse, qui favorise la formation de la tumeur, est à son maximum d'activité au début de la phase folliculaire du cycle menstruel riche en œstrogènes et pauvre en progestérone. La formation de vaisseaux sanguins est brusquement inhibée lorsque la vascularisation du follicule ovarien est achevée et, au moment de l'ovulation, le corps jaune sécrète aussitôt d'importantes quantités de progestérone. L'inhibition de l'angiogenèse interrompt le développement des cellules tumorales car il supprime l'approvisionnement en sang de la tumeur.

6. La perméabilité vasculaire (vaisseaux sanguins) contribue à la formation de métastases (dissémination du cancer). Ici encore, la progestérone réduit la perméabilité vasculaire et protège donc contre les métastases.

7. L'agrégation des cellules cancéreuses circulant dans le sang accroît le risque de dissémination du cancer. La tendance à l'agrégation des cellules sanguines se modifie en fonction des phases du cycle menstruel. La phase folliculaire (concentration faible de progestérone et concentration élevée d'œstrogènes) est associée à une plus grande agrégabilité des cellules sanguines (agrégation plus importante et plus d'attaques chez les femmes présentant une dominance en œstrogènes), une concentration plus élevée de fibrinogènes (associée à un risque accru d'infarctus) et des globules rouges plus épais, moins filtrants (circulation moins fluide dans les capillaires). Il est probable que la phase folliculaire accroît aussi l'agrégabilité des cellules cancéreuses métastatiques, accroissant par là même leur capacité métastatique.

Dans une étude portant sur vingt ans, publiée en 1996

dans le *British Journal of Cancer*, P. E. Mohr et collaborateurs rapportent que les femmes opérées d'un carcinome mammaire alors qu'elles avaient un taux élevé de progestérone eurent un taux de survie à dix-huit ans significativement plus élevé que celles dont l'opération coïncidait avec une faible concentration plasmatique de progestérone. Dix-huit ans plus tard, 65 % environ des femmes du premier groupe étaient toujours en vie alors que 35 % seulement de celles ayant un faible taux de progestérone au moment de l'opération ont survécu (voir figures 12.1 et 12.2).

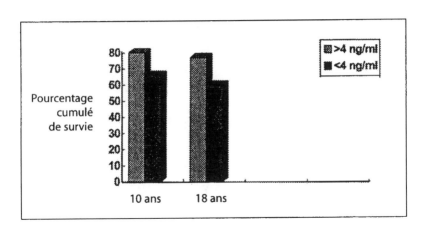

Figure 12.1. Survie globale des patientes en fonction des taux de progestérone.

Pourcentage cumulé de survie à 10 et 18 ans après une chirurgie du cancer du sein chez 92 femmes ayant un taux de progestérone supérieur à 4 ng/ml, comparé à 197 femmes ayant un taux inférieur à 4 ng/ml. Lorsqu'on compare la survie de patientes ayant un cancer du sein avec nodule, la différence est encore plus marquée.
Sources : P. E. Mohr, British Journal of Cancer, *1996.*

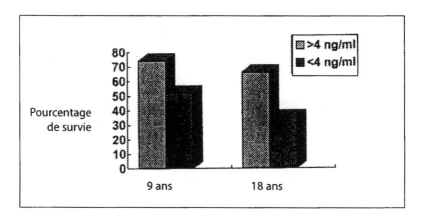

Figure 12.2. Survie globale des patientes atteintes d'un cancer
avec nodule.

Pourcentage cumulé de survie à 9 et 18 ans après une chirurgie de cancer avec nodule chez 47 patientes ayant un taux plasmatique de progestérone supérieur à 4 ng/ml, comparé à 93 patientes atteintes du même cancer et ayant un taux plasmatique de progestérone inférieur à 4ng/ml au moment de la chirurgie.

∽ FAITS ET CHIFFRES SUR LE CANCER DU SEIN

Les femmes des pays non industrialisés ou peu industrialisés ont moins de cancers du sein que celles des pays développés. Le docteur Peter Ellison d'Harvard a effectué une étude à l'échelle planétaire pour le compte de l'OMS en utilisant un test hormonal salivaire et découvert des taux d'œstrogènes sensiblement plus élevés chez les femmes des pays industrialisés. Il est convaincu que l'alimentation trop riche en calories et le manque de dépense physique des femmes des pays développés occasionnent cette augmentation des taux d'œstrogènes et en conséquence, du risque de cancer du sein. Quelle qu'en soit la cause, il n'en demeure pas moins que la dominance en œstrogènes est corrélée à un risque accru de cancer du sein.

Nous disposons également d'autres informations précieuses dans ce domaine.

– Une grossesse avant l'âge de trente ans a un effet protecteur. La progestérone est l'hormone dominante au cours de la grossesse. Seule la première grossesse précoce menée à terme assure une protection. Les femmes ayant leur premier enfant avant l'âge de dix-huit ans ont environ trois fois moins de risques de cancer du sein que celles ayant eu leur premier enfant après trente-cinq ans. Les interruptions de grossesse (fausse couche et avortement) n'assurent aucune protection et en fait, accroissent le risque de cancer du sein.

– Les femmes sans enfant ont un risque plus élevé de cancer du sein que celles ayant eu un ou plusieurs enfants.

– Chez les femmes ayant subi une ablation bilatérale des ovaires avant l'âge de quarante ans, le risque de cancer du sein est significativement réduit mais cet effet protecteur est annulé par l'administration d'œstrogènes, qu'ils soient associés ou non à des progestatifs.

– Les hommes traités aux œstrogènes (pour un cancer de la prostate ou après une chirurgie transsexuelle) présentent des risques accrus de cancer du sein.

– Les stades initiaux de cancer du sein ou de l'endomètre sont le plus souvent diagnostiqués cinq ans avant la ménopause, période qui se situe bien avant la chute des taux d'œstrogènes mais coïncide avec une baisse de ceux de progestérone.

∾ INFLUENCE DES HORMONES SEXUELLES SUR LES CELLULES MAMMAIRES

Nous avons vu précédemment que les cellules cancéreuses se multiplient ou prolifèrent plus rapidement que les cellules normales, qu'elles sont moins différenciées (plus immatures) et qu'elles ne meurent pas (apoptose) quand elles le devraient. Au contraire, une cellule saine se multiplie à un rythme normal, se différencie en un type de cellule spécifique et meurt à une date prédéterminée génétiquement afin de faire de la place pour de nouvelles cellules.

Il serait étonnant que les hormones sexuelles ne jouent pas un rôle dans ces trois processus qui affectent les cellules mammaires. Les seins des femmes se modifient à la puberté lorsque la production d'œstrogènes et de progestérone augmente. L'action de l'œstradiol et de la progestérone sur la multiplication (prolifération) des cellules mammaires a été brillamment démontrée dans une étude de 1995 due à K. J. Chang et collaborateurs. Cette étude analysait les effets d'applications hormonales transcutanées (via la peau) sur les cellules épithéliales des canaux galactophores, à partir desquels on sait que le cancer se développe, chez des jeunes femmes en bonne santé qui devaient subir une intervention chirurgicale légère pour une mastopathie bénigne (voir figure 12.3).

Dans cette étude, les femmes étaient divisées en quatre groupes et appliquaient l'une des crèmes sur leurs seins huit à dix jours avant l'opération.

- Le groupe A appliquait de la crème à l'œstradiol (1,5 mg par jour) ;
- Le groupe B appliquait de la crème à la progestérone (25 mg par jour) ;
- Le groupe C appliquait une association d'œstradiol et de progestérone (une demi-dose de chaque hormone) chaque jour ;
- Le groupe D appliquait une crème placebo.

Mitose pour 1 000 cellules

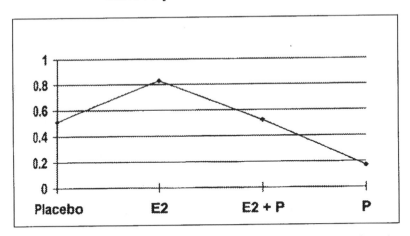

Effet sur la division cellulaire de l'application transcutanée pendant dix jours d'œstradiol (E2 : 1,5 mg par jour), d'œstradiol plus progestérone (E2 + P), ou de progestérone (P : 25 mg par jour), comparé à un placebo.

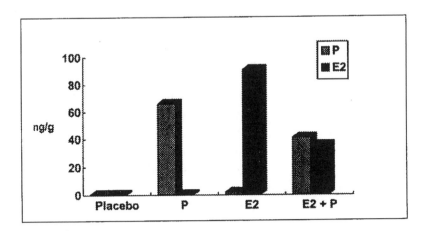

Effet de la progestérone (P) et de l'œstradiol (E2) sur la concentration hormonale de cellules du sein.
Sources : étude de Chang.

Figure 12.3. Effet des hormones sur la division cellulaire
dans un tissu mammaire.

Au cours de l'intervention chirurgicale, on pratiqua des biopsies destinées à mesurer les concentrations d'œstradiol et de progestérone et tester les taux de prolifération cellulaire. En outre, on mesura les taux hormonaux plasmatiques. Les résultats montrèrent que la crème à l'œstradiol augmentait de plus de 100 % la concentration d'œstradiol dans les cellules mammaires et que la crème à la progestérone augmentait de 100 % la concentration de progestérone dans les cellules mammaires, par rapport aux effets de la crème placebo. La crème associant de la progestérone et de l'œstradiol entraînait une augmentation de 50 % de ces deux hormones dans les cellules mammaires. Ces résultats démontrent clairement que ces deux hormones sont bien absorbées par la peau et s'accumulent dans les tissus cibles de la même manière que les hormones endogènes.

L'effet de ces hormones sur les taux de prolifération cellulaire est tout aussi clair. L'œstradiol élève de 230 % le taux de prolifération cellulaire alors que la progestérone le réduit de plus de 400 %. La crème associant ces deux hormones maintient un taux de prolifération normal. Voici à nouveau une preuve indiscutable que l'œstradiol non contrebalancé stimule l'hyperprolifération des cellules épithéliales du sein et que la progestérone protège de cette hyperprolifération.

Le fait que les taux de progestérone augmentent considérablement dans les cellules mammaires prouve que cette hormone est bien absorbée quand on l'applique sur la peau. Néanmoins, les analyses du plasma sanguin ne révèlent aucune élévation mesurable de la concentration de progestérone. La progestérone biodisponible est donc bien véhiculée par le sang, mais pas par le plasma. Ainsi se trouvent réfutées les affirmations basées sur des analyses du plasma sanguin afin de démontrer que la progestérone n'est pas bien absorbée à travers la peau.

Cette étude *in vivo* pratiquée en double aveugle chez des sujets choisis au hasard et en tenant compte de l'effet placebo prouve que l'œstradiol stimule la prolifération des cellules épithéliales du sein alors que la progestérone la freine et que ces deux hormones sont bien absorbées à travers la peau. Sachant qu'une prolifération cellulaire excessive constitue un facteur reconnu dans le développement d'un cancer potentiel, cette étude laisse entendre que l'œstradiol accroît le risque de prolifération et que la progestérone protège contre ce même risque. Nous savons aujourd'hui que les dosages hormonaux salivaires sont de loin supérieurs aux « analyses de sang » dans ce domaine. (Reportez-vous au chapitre 16 pour des informations plus détaillées sur les dosages hormonaux et la progestérone percutanée.)

◦∿ RELATION ENTRE HORMONES SEXUELLES ET CANCER DU SEIN

La plus grande confusion règne dès qu'il est question de comprendre la relation entre hormones sexuelles et cancer du sein. La plupart des praticiens savent que les œstrogènes sont des promoteurs du cancer du sein et que la progestérone équilibre ou contrecarre les effets secondaires indésirables des œstrogènes. Pour des raisons difficilement explicables, la médecine conventionnelle n'a jamais tenu compte du rôle protecteur de la progestérone dans le traitement du cancer du sein en dépit de nombreuses études qui le prouvent.

Bien que l'on utilise un progestatif en cas d'hormonothérapie afin de compenser ou de contrecarrer le rôle de promoteur du cancer de l'endomètre des œstrogènes, il n'existe toujours aucun consensus au sujet du rôle identique que jouerait la progestérone au niveau du cancer du sein. De nombreuses études démontrent pourtant clairement cette relation. Celle de H. P. Leis remonte à 1966 et fait état de 158 femmes ménopausées traitées aux œstrogènes et à la progestérone pendant quatorze ans sans qu'aucune de ces patientes n'ait développé de cancer du sein alors que 11 % d'entre elles avaient des antécédents familiaux importants.

Lors d'expériences menées sur les rongeurs par A. Inoh et collaborateurs, on étudia l'effet protecteur de la progestérone ou du tamoxifène sur des cancers mammaires induits par les œstrogènes. On procéda à l'ablation des ovaires des rates. Celles auxquelles on avait administré de l'œstradiol présentèrent un taux élevé de cancer du sein. Néanmoins lorsqu'on administrait du tamoxifène ou de la progestérone en association avec l'œstradiol, le nombre de tumeurs était moins élevé et celles qui apparaissaient étaient plus petites et moins sujettes à dissémination. Le tamoxifène, médicament breveté, est devenu un traitement standard de la médecine conventionnelle mais l'on n'a pas tenu compte de la progestérone, ce qui est tragique compte tenu de la toxicité du tamoxifène.

Bien qu'il soit clair que les gènes jouent un rôle important dans la prédisposition au cancer du sein, une étude intéressante menée à Londres montre que les influences environnementales sont cruciales, elles aussi. Les chercheurs de la London School of Hygiene and Tropical Medicine ont comparé l'incidence du cancer du sein chez des vraies et des fausses jumelles. Dans ce cadre, ils ont découvert que chez une femme âgée de moins de quarante-cinq ans, dont la sœur jumelle a eu un cancer du sein, le risque de développer la même maladie est huit fois plus élevé que dans la population générale. En outre, plus l'âge d'apparition du cancer chez l'une des jumelles est précoce, plus la probabilité que l'autre jumelle développe la même maladie est élevée.

Le fait qu'un risque accru de cancer du sein apparaisse aussi chez les fausses jumelles suggère que la propension au cancer observée fait plutôt référence à un environnement prénatal commun qu'à des gènes identiques. Ces observations rappellent les effets négatifs des xénœstrogènes pétrochimiques observés chez les oiseaux, les poissons, les reptiles et la progéniture des mammifères.

Il existe de surcroît une possible relation entre le cancer du sein et des taux élevés d'œstrogènes pendant la grossesse. Le cancer du sein a été associé, par exemple, à un poids élevé à la naissance, ce qui correspond à de hautes concentrations d'œstrogènes dans la matrice. Les femmes enceintes de jumeaux ont de hautes concentrations d'œstrogènes, dues vraisemblablement au poids total plus élevé des jumeaux.

Il est de plus en plus évident sur le plan scientifique qu'une exposition prénatale à une dominance en œstrogènes et/ou à des toxines pétrochimiques peut avoir des effets délétères qui apparaîtront plus tard dans la vie. Compte tenu des implications importantes de ces découvertes, il est indispensable que les recherches dans ce domaine se multiplient.

↜ EXAMINONS DE PLUS PRÈS LE NIVEAU GÉNÉTIQUE

Des recherches encore plus fondamentales sont actuellement menées pour établir la relation entre dominance en œstrogènes et cancer du sein. Ces recherches récentes concernent les gènes.

Si les gènes sont lésés, par exemple par des radiations, des toxines ou des virus, les cellules normales peuvent devenir cancéreuses. Un certain type de gènes, appelés proto-oncogènes, existent à l'état normal dans la cellule mais peuvent muter en oncogènes qui favorisent une multiplication excessive des cellules ou une apoptose retardée, provoquant une transformation de la cellule normale en cellule cancéreuse. Un autre type de gènes, les gènes suppresseurs de tumeur, inhibent la division cellulaire ou stimulent l'apoptose, empêchant donc l'apparition du cancer. Le risque de cancer dépend dans une large mesure de l'activité respective des oncogènes et des gènes suppresseurs.

Plusieurs groupes de chercheurs en biologie moléculaire ont étudié l'activité de deux gènes : le Bcl-2 (un proto-oncogène) et le p53 (un gène suppresseur de tumeur). Il est maintenant clairement établi que la production de Bcl-2 inhibe l'apoptose et est, de ce fait, un promoteur du cancer du sein, des ovaires, de l'endomètre, de la protaste et du lymphome folliculaire B. Au contraire, une augmentation de l'activité de p53 inhibera l'action de Bcl-2, bloquera la prolifération cellulaire et rétablira l'apoptose, permettant par là même de prévenir l'apparition du cancer.

Les chercheurs B. Formby et T. S. Wiley ont découvert que quand on ajoute de l'œstradiol (un dosage analogue aux concentrations produites par l'organisme) à des cultures de cellules cancéreuses, Bcl-2 est activé et le développement du cancer favorisé. En revanche, l'addition de progestérone (à nouveau un dosage correspondant aux taux normaux de l'organisme) a un effet régulateur : elle fait baisser l'activité de Bcl-2 et augmente celle de p53, ce qui entraîne un arrêt du développement du cancer. Présenté ainsi, cela peut paraître simple mais il s'agit là d'une pièce fondamentale dans le puzzle du cancer, qui est toujours ignorée par la médecine conventionnelle.

Nous connaissons donc aujourd'hui au moins un mécanisme d'action lié aux gènes qui fait de l'œstradiol un promoteur du cancer. Ces découvertes ont été validées par des recherches montrant que les voies biochimiques du métabolisme de l'œstradiol et de l'œstrone conduisent à un sous-produit nommé œstrogène-3,4-quinone à l'origine de mutations génétiques et du cancer. Examinons de plus près ces recherches.

∿ COMMENT LES ŒSTROGÈNES INDUISENT LE CANCER

Les œstrogènes induisent le cancer au niveau génétique par l'action d'un métabolite (sous-produit) de l'œstrone ou de l'œstradiol qui entraîne la mutation de gènes cruciaux : oncogènes et gènes suppresseurs de tumeur. Le docteur Ercole Cavalieri et ses collaborateurs du Eppley Institute for Research in Cancer, University of Nebraska Medical Center, ont travaillé pendant trente ans pour trouver cette réponse. Après des investigations biochimiques méticuleuses et extrêmement complexes, ils ont mis en évidence le métabolisme des œstrogènes à travers plusieurs voies biochimiques et découvert que la plupart de ces voies aboutissent à des produits méthylés inoffensifs qui sont excrétés. Cependant, l'une de ces voies conduit à un métabolite, le catéchine œstrogène-3,4-quinone, et ce produit non seulement se lie à l'ADN, comme d'autres métabolites des œstrogènes, mais il est aussi le seul à altérer les protéines génétiques afin d'occasionner des mutations cancérigènes. Voici bien la preuve tangible tant cherchée. La figure 12.4 illustre ce mécanisme.

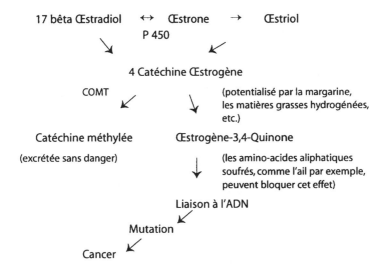

Figure 12.4. Anges de vie, anges de mort :
le rôle des œstrogènes dans le cancer.

Rappelant que les œstrogènes sont nécessaires aux premiers stades critiques de la vie embryonnaire et reconnaissant aujourd'hui les conséquences fatales du métabolisme des œstrogènes lorsqu'ils suivent cette voie biochimique, le docteur Ercole Cavalieri les a surnommés anges de vie et anges de mort.

∽ DÉFENSES NATURELLES CONTRE LE CANCER : NE MANGEZ PAS N'IMPORTE QUOI ET N'OUBLIEZ PAS VOTRE BROCOLI

Dame nature a créé une série de défenses contre les différentes étapes capables de transformer les œstrogènes en métabolites cancérigènes. La première étape de ce processus pathologique, par exemple, peut être évitée si votre alimentation comporte suffisamment d'acides gras adéquats (huile d'olive et huiles présentes d'une manière naturelle dans le poisson et, en faibles quantités, dans les légumes frais, les céréales complètes, les noix, les graines et les fruits) au lieu de comporter des matières grasses hydrogénées (comme la margarine) si répandues de nos jours dans l'alimentation.

La seconde étape peut être bloquée par les amino-acides aliphatiques soufrés, comme la cystéine et la méthionine qui se trouvent dans l'ail, l'oignon ; les légumes crucifères comme le brocoli et le chou-fleur ; les haricots. Un déficit de ce type d'acides aminés permet la progession métabolique aboutissant à une mutation génétique cancérigène.

Nous avons vu que l'œstrone et l'œstradiol étaient de véritables initiateurs du cancer. Mais il existe d'autres substances cancérigènes qui stimulent, accélèrent ou intensifient la production de ces produits œstrogéniques nocifs, en particulier dans l'embryon. Parmi ces produits, citons : les pesticides, les solvants, la dioxine et l'hormone de synthèse DES, utilisée aux Etats-Unis pour engraisser le bétail.

Grâce aux travaux du docteur Cavalieri et d'autres chercheurs dont nous venons de parler, un initiateur majeur du cancer a été identifié et nous savons comment arrêter ses actions destructrices sur la cellule.

Il est navrant de constater que malgré ces découvertes scientifiques, les médecins allopathes continuent à prescrire des traitements hormonaux substitutifs qui ne contiennent que des œstrogènes à des femmes ayant subi une hystérectomie ou des traitements hormonaux qui contiennent des progestatifs de synthèse et non de la progestérone. Les progestatifs ne sont pas de la progestérone et ne déclenchent pas le message intracellulaire vital qui protège contre le cancer du sein.

∽ CE QUE VOTRE ONCOLOGUE NE VOUS A PEUT-ÊTRE PAS DIT SUR LE TAMOXIFÈNE

Deborah écrivit au docteur Lee pour savoir si elle pouvait utiliser de la crème à base de progestérone en toute sécurité. Suite à un diagnostic de cancer du sein un an plus tôt, elle avait subi une chimiothérapie et une radiothérapie, puis avait été mise sous tamoxifène. Les examens les plus récents montraient qu'il n'y avait pas de récidive de cancer mais comme elle faisait une « allergie » au tamoxifène, son oncologue voulait remplacer ce médicament par un progestatif. Deborah connaissait les dangers des progestatifs, son oncologue aussi, mais il ne savait pas quel médicament lui prescrire pour s'opposer aux œstrogènes qui stimulent les cancers du sein.

Deborah avait parlé à son oncologue de la crème à la progestérone mais il semblait ignorer la différence entre progestatif et progestérone et peu enclin à utiliser un produit qui ne faisait pas partie de la « pharmacopée traditionnelle ».

C'est pour cette raison que Deborah avait écrit au docteur Lee. Il lui répondit qu'à sa place, il utiliserait de la crème à la progestérone. Il ajouta qu'il connaissait personnellement de nombreuses femmes qui avaient employé cette crème après une chirurgie de carcinome mammaire, qu'aucune de ces patientes n'avait eu de récidive à ce jour et qu'un certain nombre d'entre elles avaient été opérées vingt ans plus tôt.

Pour une femme qui a eu un cancer du sein, subi une chimiothérapie et une radiothérapie et qui sait qu'elle va passer le reste de sa vie à se demander si la maladie ne risque pas de réapparaître, il est extrêmement angoissant de suivre des traitements qui ne rentrent pas dans le cadre de la médecine conventionnelle.

Une étude récente du National Cancer Institute (NCI), ayant bénéficié d'une large couverture médiatique, a indiqué que le tamoxifène permet de prévenir le cancer du sein. Les média rapportèrent les propos de femmes participant à cette étude et qui reconnaissaient qu'en dépit des effets secondaires importants du tamoxifène, ces travaux allaient permettre de découvrir des médicaments plus efficaces pour la prévention du cancer.

Le médecin de Deborah l'avait assurée que le tamoxifène augmentait le risque de cancer de l'utérus de 1 % seulement. Pourtant, d'autres chercheurs affirment que ce risque est accru de près de 70 %. Essayons d'y voir un peu plus clair.

Le tamoxifène est un médicament faiblement œstrogénique, non stéroïdien, qui se lie aux récepteurs des œstrogènes. Théoriquement, le tamoxifène réduit le risque de carcinome mammaire en inhibant de puissants œstrogènes comme l'œstrone et l'œstradiol. La plupart des médecins pensent que le tamoxifène est un « anti-œstrogène ». Au cours de l'étude du NCI, on donna à 13 000 femmes soit du tamoxifène, soit un placebo. Cent cinquante-quatre femmes ayant pris le placebo développèrent un cancer du sein invasif contre quatre-vingt-cinq femmes traitées au tamoxifène. En d'autres termes, sur mille femmes traitées au tamoxifène, neuf femmes environ (c'est-à-dire environ une femme sur cent) auraient échappé à un cancer du sein invasif grâce à ce médicament. L'étude devait durer plus longtemps mais elle fut interrompue sous prétexte que les femmes sous placebo pourraient de la sorte bénéficier d'un traitement au tamoxifène. Ces résultats sont en totale contradiction avec deux études européennes (Powles et Veronesi), portant sur des effectifs moins importants mais de plus longue durée, qui ont démontré que le tamoxifène n'avait aucun effet protecteur.

Le tamoxifène est apparu sur la scène médicale il y a vingt-cinq ans. Après cinq ans d'utilisation, on découvrit que son action protectrice contre le cancer était moins bénéfique que prévu. Qui plus est, de nombreux effets secondaires du médicament se manifestèrent. L'expérimentation sur l'animal et l'être humain a clairement montré que le tamoxifène entraînait un épaississement de l'utérus (considéré comme un précurseur du cancer) chez pratiquement tous les sujets traités. Le tamoxifène est suffisamment œstrogénique pour occasionner un cancer de l'endomètre (corps utérin) et est répertorié par l'OMS comme un médicament pouvant provoquer le cancer. Richard D. Klausner, directeur du National Cancer Institute, a aussi noté que parmi les femmes prenant du tamoxifène, trente-trois avaient développé un cancer de l'utérus pour quatorze femmes seulement dans le groupe placebo.

Parmi les autres effets secondaires, on retiendra que le tamoxifène triple le risque potentiellement fatal de formation de caillots sanguins dans les poumons et accroît le risque d'attaque, de cécité et de dysfonctionnement hépatique. En fait, il n'a jamais été démontré que le tamoxifène diminuait le taux de mortalité des femmes qui l'utilisaient, indépendamment de son effet « protecteur » contre le cancer du sein. Toutes ces données sont connues depuis vingt ans et il est clair que le tamoxifène ne résoudra pas le problème du cancer du sein.

L'information la plus intéressante à retenir dans cette étude est qu'elle précise que le cancer du sein est dû à une exposition prolongée aux œstrogènes non contrebalancés (dominance en œstrogènes) et que le tamoxifène ne résout pas le problème. A moins de recourir à la castration (ablation des ovaires) afin de faire cesser la production d'œstrogènes, de quel traitement disposons-nous pour protéger les femmes de la dominance en œstrogènes ? Heureusement, le traitement est relativement simple et sain de surcroît, et consiste à éviter la dominance en œstrogènes et à maintenir autant que possible l'équilibre hormonal.

∾ LE CÔTÉ ÉMOTIONNEL DU CANCER DU SEIN

Les nombreuses recherches sur le cancer du sein ont permis de mettre en évidence les traits de personnalité de la femme victime de cette maladie. C'est une femme qui peut donner à tous ceux qui l'entourent mais est incapable de recevoir. Elle ira chez l'épicier acheter les aliments favoris des membres de sa famille mais si vous lui demandez quel est son plat préféré, elle ne pourra pas vous répondre. Pour le docteur Hanley, il s'agit d'un refus de son propre cycle nourricier – les seins étant le symbole nourricier par excellence. Quand le cycle autonourricier est rompu, l'énergie nourricière est bloquée dans les seins.

Comme le docteur Hanley appartient à une famille présentant un risque élevé de cancer du sein, elle apprend à ses patientes à examiner leurs seins et elle a remarqué que quand une femme connaît bien ses seins, elle devient capable de déceler précocement une grosseur anormale.

Elle conseille aussi d'effectuer un massage des seins, basé sur un exercice du taoïsme chinois, qui fait partie des soins énergétiques de la femme. Ces mouvements circulaires effectués quotidiennement stimulent la circulation, les voies lymphatiques et les glandes, nombreuses autour des seins. On peut effectuer ces massages tous les matins sous la douche.

Le docteur Hanley explique à ses patientes qu'elles ne doivent pas craindre de palper leurs seins. Elle encourage les femmes qui ont peur du cancer du sein ou qui ont les seins douloureux et gonflés à dire au moment du massage : « Je prends soin de vous. » Une femme qui masse régulièrement ses seins acquière une connaissance intime de leur architecture particulière et se familiarise avec les changements liés aux différentes phases du cycle menstruel. Certaines femmes s'effraient lorsque leurs seins deviennent plus granuleux avant les règles. Celles qui massent leurs seins ne s'inquiètent pas de ces changements.

Pour le docteur Hanley, ces massages présentent aussi l'avantage de chasser les herbicides, pesticides et autres produits chimiques dangereux qui se logent dans les tissus adipeux des seins. Une femme qui prend soin de ses seins se sent plus forte car elle participe à sa propre protection, à la prévention et au dépistage précoce d'une grosseur inhabituelle.

Le docteur Hanley conseille à ses patientes de ne pas porter un soutien-gorge à armatures, ou même serré, sauf dans les grandes occasions car ils bloquent les glandes lymphatiques qui jouent un rôle important dans le drainage des toxines au niveau des seins.

Elle recommande également un programme régulier de détoxification à toutes les femmes ayant un risque élevé de n'importe quel cancer. Cela peut aller d'une simple diète végétarienne riche en fibres pendant quelques jours par mois à un programme de nettoyage précis comprenant des plantes et des nutriments. Ce processus dépuratif régénère le foie qui assure l'élimination des hormones en excès et de leurs sous-produits.

Les jus de légumes frais et crus sont dépuratifs et détoxifiants et ils apportent des sources concentrées de nutriments et d'enzymes à l'organisme. N'utilisez que des légumes biologiques afin de ne pas absorber de hautes doses de pesticides et consommez peu de jus de carotte et de betterave car ces légumes sont riches en sucre. Il existe d'excellents livres qui expliquent comment se soigner avec des jus de fruits et de légumes crus.

Programme de base de prévention du cancer du sein du docteur Lee

Si les recommandations suivantes étaient suivies par une majorité de femmes, l'incidence des cancers hormono-dépendants (mais aussi probablement celle des autres cancers) enregistrerait une baisse drastique en une génération.

● Limitez votre consommation de sucre, d'hydrates de carbone raffinés (pâtes, pain et riz blanc), de matières grasses partiellement hydrogénées (huiles hydrogénées, margarine, aliments frits) et d'aliments riches en œstrogènes comme le lait de vache et la viande provenant d'animaux élevés industriellement. Privilégiez les aliments riches en aminoacides soufrés, comme les haricots, les oignons et l'ail.

● Afin d'éviter un risque accru de cancer dans les générations à venir, les femmes (et les hommes) qui envisagent d'avoir un enfant devraient éviter les xénobiotiques présents dans les aliments contenant des résidus de pesticides et d'insecticides et ne consommer que des aliments issus de l'agriculture biologique. Ils devraient éviter également autant que possible les aliments en conserve car ils contiennent des colorants dangereux et un pot-pourri d'autres produits chimiques dont les effets sont inconnus. N'utilisez ni pesticides, ni herbicides, ni fongicides, renoncez en particulier aux bombes insecticides à l'intérieur de la maison et à tous les traitements chimiques pour la pelouse et le jardin. Ce choix représente également une étape importante dans la prévention du cancer du sein et de la prostate chez l'adulte.

● Les femmes doivent prendre conscience que les déséquilibres hormonaux apparaissent plus précocement dans les pays industrialisés. Un déficit en progestérone peut très bien se manifester dès l'âge de vingt-cinq ou trente ans. Aux Etats-Unis, il affecte actuellement environ 50 % des femmes âgées de trente-cinq ans, créant en conséquence une dominance en œstrogènes. Lorsque des dosages hormonaux ou des symptômes révèlent une dominance en œstrogènes, il faut une supplémentation en progestérone.

● Les composés exogènes des médicaments analogues à la progestérone (*progesterone-like*) comme ceux qui entrent dans la composition du Provera et des pilules ne doivent pas être confondus avec la véritable progestérone et doivent être évités. Comme les pilules créent des déséquilibres hormonaux précoces, il est préférable de choisir d'autres méthodes contraceptives.

● Même après la ménopause, l'organisme continue à fabriquer des œstrogènes (œstrone) au niveau des cellules adipeuses. Une faible dose préventive d'une supplémentation en progestérone (12 à 15 mg par jour) peut être utilisée 24 à 25 jours par mois. Une supplémentation en œstrogènes n'est indiquée qu'en cas de sécheresse et d'atrophie vaginales, de sueurs nocturnes et de bouffées de chaleur persistantes. La dose correcte est constituée par la plus faible dose en mesure de prévenir ces symptômes. En ce qui concerne le cancer du sein, l'œstriol est moins dangereux que l'œstrone ou l'œstradiol.

● Tout traitement comportant des œstrogènes non contrebalancés devrait être banni. On ne devrait jamais prescrire des œstrogènes sans progestérone, même en cas d'ablation de l'utérus ou des ovaires. En outre, il n'y a aucune raison de croire que les progestatifs, comme le Provera, sont aussi bénéfiques que la progestérone dans la prévention du cancer. Si une supplémentation en œstrogènes est nécessaire, elle doit être précédée d'une supplémentation en progestérone et la dose d'œstrogènes doit être la plus faible possible. Comme la progestérone rétablit la sensibilité normale des récepteurs d'œstrogènes, des concentrations de progestérone normales font baisser le besoin d'œstrogènes supplémentaires et réduisent les effets secondaires indésirables des œstrogènes.

• Toutes les patientes devant subir une chirurgie de carcinome mammaire devraient utiliser de la crème à la progestérone avant l'intervention.

• Les patientes ayant eu un cancer du sein devraient prendre un complément de progestérone pour le restant de leurs jours, c'est-à-dire avant, pendant et après la chirurgie.

• Toutes les femmes ayant des antécédents familiaux de cancer du sein devraient être surveillées afin d'éviter une dominance en œstrogènes.

∽ CANCER DE L'ENDOMÈTRE (DU CORPS UTÉRIN) ET HORMONES

Le cancer de l'endomètre est relativement peu fréquent et rarement mortel. Il ne fait pas partie des cinq premiers cancers féminins tous âges confondus ni des dix premiers cancers de l'homme et de la femme. Aux Etats-Unis, il est responsable de 2,6 décès pour 100 000 femmes, un pourcentage approximativement dix fois inférieur à celui du cancer du sein et cinq fois inférieur à celui du cancer côlo-rectal. Le cancer de l'endomètre se développe lentement ; il est rare qu'il migre vers d'autres tissus et forme des métastases à distance. En général, il apparaît au cours de la préménopause lorsqu'une femme souffre d'une dominance en œstrogènes suite à une chute des taux de progestérone, liée aux cycles anovulatoires, alors que les taux d'œstrogènes restent normaux.

Chez les femmes ménopausées se plaignant de saignements anormaux, le cancer de l'endomètre est dépisté par un curetage biopsique ou par une biopsie de l'endomètre. En principe, l'ablation de l'utérus soigne ce cancer.

Les œstrogènes non contrebalancés sont la seule cause connue du cancer de l'endomètre. Ces hormones stimulent l'hyperplasie endométriale (développement cellulaire anormal) et peuvent finalement induire un cancer de l'endomètre. La progestérone s'oppose aux effets des œstrogènes. Pendant une génération, cette information a fait partie des études médicales mais, influencés par la publicité des laboratoires pharmaceutiques, les médecins qui prescrivent des traitements hormonaux substitutifs semblent l'avoir oubliée.

Au début des années 70, l'usage généralisé des thérapies œstrogéniques substitutives (*estrogen replacement therapy*, ERT) a entraîné un accroissement évident des cancers de l'endomètre : la fréquence de ce cancer est six à huit fois plus élevée chez les femmes ayant pris un ERT que chez celles qui n'en ont pas utilisé. En 1976, on a donc ajouté la prise d'un progestatif en plus des œstrogènes chez les femmes ménopausées ayant toujours leur utérus. C'est ce qu'on appelle aujourd'hui traitement hormonal substitutif.

En 1993, la comparaison entre 142 femmes ayant eu un cancer de l'endomètre et un groupe de contrôle comprenant 1 042 femmes a mis en évidence que l'usage de contraceptifs oraux qui, pour la plupart, contenaient des hormones de synthèse analogues à un progestatif protégeait partiellement du cancer de l'endomètre. L'usage d'œstrogènes non contrebalancés par un progestatif constituait un facteur indépendant d'accroissement du risque de cancer de l'endomètre. En d'autres termes, même les hormones *progesterone-like* comme les progestatifs des contraceptifs oraux ont un effet protecteur contre le cancer de l'endomètre comparées à une œstrogénothérapie isolée.

Toujours en 1993, un groupe de chercheurs sous la direction de K. Boman rapporta dans la revue *Cancer* que quand les femmes avaient des taux plasmatiques de progestérone endogène suffisamment élevés, l'activité proliférative des cellules cancéreuses de l'endomètre décroissait et la différenciation cellulaire était bonne à modérée. En cas de taux de progestérone bas, les cellules étaient moins différenciées et les taux de prolifération plus élevés.

En 1995, fut lancée une étude nommée PEPI (*postmenopausal estrogen/progestin interventions*) au cours de laquelle 875 femmes ménopausées en bonne santé furent réparties au hasard dans différents groupes traités avec un placebo, des œstrogènes non contrebalancés, des œstrogènes et un progestatif, des œstrogènes et de la progestérone par voie orale. Elles furent suivies pendant trois ans afin que soit évalué l'effet des hormones sur les facteurs de risque cardiaque potentiels. L'une des observations secondaires de l'étude PEPI permit de montrer qu'un progestatif (la medroxyprogestérone acétate ou Provera) et la progestérone (progestérone micronisée par voie orale) avaient le même effet protecteur contre l'hyperplasie de l'endomètre.

Deux femmes (l'une appartenant au groupe traité aux œstrogènes non contrebalancés, l'autre, au groupe prenant un placebo) développèrent un cancer de l'endomètre localisé et subirent une hystérectomie. Douze autres femmes traitées aux œstrogènes non contrebalancés durent aussi subir une hystérectomie à cause d'anomalies induites par les œstrogènes : hyperplasie atypique, hyperplasie adénomateuse, tumeur fibroïde, masse pelvienne ou saignements vaginaux anormaux. 32 % des femmes traitées aux œstrogènes non contrebalancés développèrent une hyperplasie atypique. Aucune des femmes qui avaient pris de la progestérone ou un progestatif en association avec les œstrogènes ne souffrit d'hyperplasie ou n'eut besoin d'une hystérectomie.

Le docteur Lee a observé six patientes chez lesquelles d'autres médecins avaient diagnostiqué, grâce à un curetage biopsique ou une biopsie, un cancer de l'endomètre alors qu'elles suivaient un traitement œstrogénique substitutif. Après abandon du traitement œstrogénique et restauration d'un taux normal de progestérone grâce à l'utilisation d'une crème à la progestérone, des biopsies répétées ne dépistèrent plus de cellules cancéreuses. Ces patientes ont été suivies pendant six à dix-huit ans à ce jour sans développer de cancer de l'endomètre. Comme le développement de ce cancer est relativement lent, la plupart des femmes pourraient essayer d'utiliser sans aucun risque de la progestérone avant de subir une hystérectomie.

∾ HORMONES ET CANCER DE LA PROSTATE

De même que les testicules sont l'équivalent masculin des ovaires, la prostate est l'équivalent chez l'homme de l'utérus ; les mêmes cellules embryonnaires sont à l'origine de ces deux organes. Il n'y aurait donc rien de surprenant si nous obser-vions les mêmes effets hormonaux au niveau de la prostate et de l'utérus. Le docteur Lee, le docteur Hanley et un nombre croissant d'autres médecins et chercheurs pensent qu'une exposition excessive aux œstrogènes représente une des causes principales de l'hypertrophie et du cancer de la prostate. Des dizaines de comptes rendus non publiés faisant état d'une réduction de l'hypertrophie prostatique et d'un arrêt du cancer de la prostate grâce à des applications de petites quantités de crème à la progestérone constituent une première preuve que la progestérone peut jouer un important rôle protecteur de la glande prostatique. Nous espérons que cette théorie sera vali-dée par des recherches dans un avenir proche.

∿ CANCER DES OVAIRES ET HORMONES

Comme nous l'avons mentionné dans le chapitre 7, le cancer des ovaires est particulièrement effrayant car au moment où il est diagnostiqué, chez 70 à 80 % des femmes atteintes, il s'est déjà disséminé dans d'autres parties de l'organisme et entraîne donc un taux élevé de mortalité. Il représente près de 20 % des cancers gynécologiques et il arrive en cinquième position dans le taux de mortalité féminine par cancer. La plupart des cancers de l'ovaire apparaissent chez les femmes ménopausées âgées d'une cinquantaine d'années.

La palpation des ovaires au moment de l'examen gynécologique par le médecin est le meilleur moyen de diagnostiquer ce cancer. Avant la ménopause, les femmes jeunes ont souvent des kystes ovariens hypertrophiés ou « fonctionnels » et dans ce cas, le médecin donne six semaines au kyste pour disparaître – ce qui a lieu habituellement – avant de faire pratiquer une chirurgie exploratoire. Les femmes ménopausées d'une cinquantaine d'années ont des ovaires atrophiés que la palpation, normalement, ne permet pas de détecter si bien que la présence d'un ovaire plus volumineux chez une femme ménopausée constitue un signe clinique alarmant.

Les kystes de l'ovaire bénins (non cancéreux) sont très fréquents au cours de la préménopause et le processus qui entraîne leur régression ou leur disparition peut engendrer toutes sortes de symptômes : douleur et gonflement abdominal ; douleurs et crampes ; impression de souffrir d'indigestion ; parfois des saignements irréguliers. Entre des ovaires capricieux et un utérus parfois tracassier qui occasionne des crampes, la plupart des femmes s'habituent à éprouver des douleurs sporadiques dans cette partie de leur corps si bien que les symptômes d'un cancer ovarien peuvent passer inaperçus jusqu'à ce qu'il atteigne d'autres parties de la cavité pelvienne. Des symptômes liés à un excès ou à un déficit de progestérone, d'œstrogènes et d'androgènes (hormones mâles) peuvent aussi être dus à un cancer des ovaires car une tumeur peut entraîner de tels déséquilibres. Ils peuvent ne pas inquiéter une femme en période de préménopause dont les hormones fluctuent. Dans la plupart des cas, ils n'ont rien d'alarmant. En revanche, si vous êtes ménopausée, vous devez consulter un médecin à ce sujet.

Il est clair aujourd'hui que l'usage répandu des inducteurs d'ovulation destinés à stimuler la maturation folliculaire est une des causes du taux accru de cancers ovariens. Plus l'usage de ces médicaments est prolongé, plus le risque de cancer de l'ovaire augmente. Une étude a montré que les inducteurs d'ovulation multipliaient par trois le risque de cancer ovarien et par vingt-sept ce même risque chez les femmes n'ayant jamais eu d'enfants. D'autres études font ressortir que les femmes stériles ou qui ont attendu le plus tard possible pour tomber enceinte ont un risque plus élevé que les autres de contracter un cancer des ovaires. En conséquence, une femme qui prend des inducteurs d'ovulation peut accroître significativement un risque déjà élevé. Le docteur Hanley pense que l'usage croissant des inducteurs d'ovulation associé à une généralisation de la dominance en œstrogènes risque de créer une épidémie de cancers ovariens dans les décennies à venir.

Le risque de cancer de l'ovaire est augmenté en cas d'antécédents familiaux, de consommation élevée de produits laitiers et d'utilisation de talc. La poudre de talc contient des toxines telles que les métaux lourds qui migrent du vagin vers les ovaires en passant par l'utérus.

Plus une femme a eu de grossesses menées à terme, plus son risque de développer un cancer ovarien est bas. La grossesse représente une mise au repos de l'ovaire de neuf mois et certains chercheurs pensent qu'une ovulation continue (cas d'une femme n'ayant pas eu d'enfant) accroît le risque d'apparition d'un kyste cancéreux. Pendant la grossesse, les concentrations de progestérone sont très élevées et, comme nous l'avons vu précédemment, un taux important de progestérone a un effet protecteur sur le cancer.

Une étude de 1995 de C. Rodriquez et collaborateurs, publiée dans l'*American Journal of Epidemiology*, concluait que parmi les 240 073 femmes suivies, le risque relatif de cancer ovarien mortel était de 72 % plus important chez les femmes ayant pris des œstrogènes pendant six ans ou plus. Cette étude, conduite dans le cadre de l'Emory University School of Public Health et de l'American Cancer Society, au cours de laquelle des femmes en période de préménopause et ménopausées furent suivies pendant huit ans, établit que ce risque n'était pas modifié par les autres facteurs de risque tels que l'âge de la puberté, l'âge de la ménopause, la prise d'un contraceptif oral, la ligature des trompes, les antécédents familiaux, l'indice de masse corporelle ou l'éducation. Les auteurs concluaient que « la prise à long terme d'une thérapie œstrogénique substitutive peut accroître le risque de cancer ovarien mortel ».

Cette conclusion confirme l'hypothèse que la dominance en œstrogènes augmente de manière significative le risque de cancer des ovaires mortel. Cependant, la dominance en œstrogènes ne se limite pas aux seules femmes ayant pris des œstrogènes non contrebalancés. Comme vous l'avez appris en lisant ce livre, les femmes en période de préménopause sont souvent dominantes en œstrogènes. Si, dans l'étude conduite par Rodriquez, on avait comparé des patientes prenant un traitement œstrogénique substitutif à des femmes ne présentant pas de dominance en œstrogènes, le taux de risque aurait été bien plus élevé chez celles traitées aux œstrogènes.

Troisième partie

PROGRAMME D'ÉQUILIBRE DE LA PRÉMÉNOPAUSE

Étapes pratiques
vers une santé optimale

Chapitre 13

---~~---

RETROUVER L'ÉQUILIBRE
ET LE CONSERVER

*J*anet était une Californienne de trente-six ans, très mince, athlétique, en bonne forme physique et axée sur le sport : randonnée, ski, escalade en montagne, surf et rafting. Son mari et elle travaillaient pour une grande entreprise de vêtements et d'équipements sportifs et voyageaient souvent dans des pays exotiques pour faire des photos destinées au catalogue de vente par correspondance de l'entreprise. Quelle que soit leur destination, ils profitaient de leurs déplacements pour partir quelques jours à l'aventure. Ils gagnaient peu d'argent, étaient locataires et conduisaient une vieille voiture mais ils s'estimaient très heureux de pouvoir faire ce qu'ils aimaient le plus au monde.

Lors de son premier rendez-vous avec le docteur Hanley, Janet essaya de traiter ses symptômes avec désinvolture mais il était clair qu'en dépit de son grand sourire et de son visage bronzé, elle était au bord des larmes. Elle ne tenait pas en place, changeait de position sur sa chaise, passait les doigts dans ses cheveux et parlait avec animation. Elle expliqua au docteur Hanley que lors de leur dernier voyage au Pérou, elle avait dû renoncer à une randonnée de quatre jours dans les Andes péruviennes tellement elle était fatiguée et facilement essoufflée. Elle souffrait d'aménorrhée après avoir eu pendant longtemps des règles courtes, peu abondantes et irrégulières. Elle se sentait « frigorifiée » en permanence, même par temps chaud, pleurait pour un oui ou pour un non et était déprimée, ce qui ne lui ressemblait pas. Elle dormait mal, se levait la nuit à plusieurs reprises et se surprenait à manger n'importe quoi.

Lorsque le docteur Hanley dit à Janet qu'elle souffrait du syndrome de la préménopause, celle-ci répondit aussitôt : « Oh, non, c'est impossible ! Je suis encore bien loin de la ménopause ! » La réaction de Janet est courante. On comprend qu'une femme de trente-six ans s'étonne lorsqu'elle entend un diagnostic où il est question de « ménopause ». Non seulement Janet était jeune mais elle avait le cœur jeune et espérait faire encore de nombreux voyages et avoir des enfants.

« Nous aimerions vous proposer un autre terme pour qualifier ce qui vous arrive, lui répondit le docteur Hanley, mais pour l'instant, nous n'en possédons pas. Ne vous inquiétez pas. Je suis certaine que vous ne serez pas ménopausée avant bien des années. Vous aurez largement le temps de réaliser vos rêves, y compris celui d'avoir des enfants. »

Les règles trop peu abondantes ou inexistantes se rencontrent fréquemment chez les jeunes athlètes. Quand le corps est soumis à des efforts physiques trop intenses, il juge que ce n'est pas un environnement propice à la grossesse et interrompt la fonction reproductive. Mais Janet présentait aussi d'autres symptômes. Le fait qu'elle soit fatiguée et ait en permanence les mains et les pieds froids indiquait que la thyroïde ne faisait pas correctement son travail. Comme elle mangeait n'importe quoi, il fallait rééquilibrer son alimentation. La nervosité, l'anxiété et l'insomnie, ajoutées à une envie de pleurer et à un sentiment de découragement, constituaient des signes d'une dominance en œstrogènes, tout à fait logique puisque Janet n'avait plus d'ovulation et ne fabriquait donc plus de progestérone au niveau des ovaires pour contre-balancer les effets des œstrogènes. Lorsque le docteur Hanley lui posa des questions sur son alimentation, Janet reconnut qu'en voyage, elle mangeait surtout des barres nutritionnelles et des fruits, peu de légumes frais, de viande et de poisson.

Bien que le bilan thyroïdien de Janet fût normal, le docteur Hanley suspectait que la dominance en œstrogènes bloquait la fonction thyroïdienne. Plutôt que de lui prescrire tout de suite des suppléments thyroïdiens, elle lui proposa d'utiliser une crème à la progestérone afin de vérifier si un rééquilibrage des œstrogènes était en mesure de rétablir la fonction thyroïdienne.

Le docteur Hanley demanda aussi à Janet de tenir un journal où elle noterait quotidiennement ce qu'elle ressentait physiquement et émotionnellement afin d'évaluer ses progrès et de découvrir ce qui, outre la dominance en œstrogènes, pouvait occasionner ses symptômes. Six semaines plus tard, lors de la seconde consultation, Janet confia au docteur Hanley que grâce à ces notes journalières, elle avait compris qu'elle était lasse de voyager et désirait maintenant posséder sa propre maison et avoir des enfants. Elle avait aussi découvert qu'elle était jalouse des mannequins d'une vingtaine d'années qui les accompagnaient dans leurs voyages pour réaliser les séances de photos, qu'à cause de leur énergie et de leur jeunesse, elle se sentait vieille et qu'elle appréhendait le prochain voyage.

Dès que Janet eut pris conscience de ses sentiments, elle put en discuter avec son mari. Elle fut étonnée de découvrir qu'il désirait lui aussi moins voyager, que les les jeunes manequins ne l'attiraient nullement et qu'il appréciait plus encore qu'avant leur relation. Il était d'accord pour avoir des enfants et demandait simplement à Janet d'attendre qu'ils aient acheté une maison et que leur vie soit plus stable.

Un an plus tard, grâce à une modification de son alimentation, des plantes et de la crème à la progestérone, Janet avait à nouveau des règles régulières et avait retrouvé son énergie et son enthousiasme. Elle dit au docteur Hanley que le fait de tenir un journal et de prendre conscience de ses propres besoins avait représenté une étape fondamentale qui lui avait permis de guérir complètement.

Comme le montre l'exemple de Janet, le syndrome de la préménopause a de multiples causes, y compris le stress physique et émotionnel. Il n'existe pas de livre de recettes pour soigner ce syndrome et rééquilibrer l'organisme. Il incombe à chaque femme de déterminer ses propres symptômes et de découvrir ce qui les occasionne. Janet n'a pu guérir qu'en rééquilibrant sa vie à tous les niveaux – c'est là le point essentiel pour créer un mode de vie sain.

∿ ÉQUILIBREZ VOTRE VIE

Même si cela vous semble incroyable, dans la majorité des cas, la recette de l'équilibre est très simple : apprenez à prendre soin de vous-même au lieu de vous occuper de tout le monde, vous excepté. Il ne s'agit pas d'être égoïste ou égocentrique. Loin de là. Mais si vous êtes malade, comment pourrez-vous vous charger de ceux que vous aimez ? Comment aiderez-vous les autres à avoir une bonne qualité de vie si vous négligez la vôtre ?

En général, la première étape consiste à déterminer ce dont on a besoin pour rester équilibrée ou, si vous préférez, à découvrir la cause du déséquilibre. Mais il faut aussi avoir envie de modifier la situation à l'origine de ce déséquilibre. La notion d'équilibre de vie est très belle et s'applique à tout ce que vous pensez, dites et faites. Elle concerne les aspects physiques, émotionnels, mentaux et sprituels de votre personnalité. Faire simplement l'inventaire de ce qui est équilibré et ne l'est pas constitue une prise de conscience et un processus de guérison remarquables. Vous serez étonnée de la rapidité avec laquelle la vie peut changer lorsqu'on s'efforce d'en rééquilibrer les détails.

Parfois, on a besoin d'aide pour identifier quels aspects de soi-même souffrent d'un déséquilibre. Janet se sentait insatisfaite mais elle ignorait ce qui lui manquait. Extérieurement, elle avait tout ce qu'elle désirait. Il lui suffit de prendre conscience qu'elle négligeait une part importante d'elle-même et de vouloir changer pour qu'une nouvelle vie s'ouvre devant elle. On peut accéder à une conscience plus élevée grâce à un maître spirituel, un livre, un passe-temps créatif, la tenue d'un journal, un ami ou un parent, un membre du clergé ou un thérapeute. Quelquefois, il suffit de prendre des vacances pour découvrir un point de vue différent sur son existence.

Un bon moyen de rééquilibrer sa vie consiste à déceler les secteurs où l'on tombe dans l'excès et à revenir vers un juste milieu en procédant par petites étapes. Pour Janet, par exemple, réaliser qu'elle avait besoin de « faire son nid » fut curatif et eut pour heureuse conséquence de resserrer ses liens avec son mari. Pour Marie, la femme d'affaires décrite dans le chapitre 1, marcher tranquillement au lieu de traverser en trombe le hall qui menait à son bureau représenta une petite étape dans la bonne direction, à partir de laquelle elle réussit à ralentir son rythme de vie.

Si le café vous fait mal à l'estomac mais que vous êtes incapable de vous en passer, commencez par boire du café « semi-caféiné ». Si vous êtes une fana du ménage et avez tendance à passer l'aspirateur à minuit, commencez par une pièce de la maison et laissez les moutons s'accumuler sous un des meubles de cette pièce. Si, en revanche, votre maison est tellement en désordre qu'on a du mal à s'y déplacer, rangez d'abord un coin de l'une des pièces. Si vous êtes perfectionniste au point de préparer chaque soir un repas pour toute la famille, essayez d'utiliser des assiettes en carton un ou deux soirs par semaine. Si vous êtes une abonnée des fast-foods et des dîners devant la télé, faites simplement l'effort de cuisiner un repas rapide et simple et ne vous lancez surtout pas dans la préparation d'un festin qui exigerait des heures de préparation. Si vous semblez ne jamais devoir finir ce que vous commencez, dressez une liste sur laquelle vous cocherez chaque tâche que vous aurez menée à bien. Si vous décidez de finir dans la semaine tout ce qui est en attente, vous courez à l'échec.

Lorsqu'on rééquilibre sa vie, il ne faut pas adopter des attitudes excessives qui auraient pour seule conséquence de créer de nouveaux déséquilibres. Soyez douce avec vous-même. Si vous ne supportez pas qu'il y ait des moutons sous le canapé, trouvez un autre secteur où vous vous montrerez moins stricte vis-à-vis de vous-même.

La plupart des femmes en période de préménopause veulent faire trop de choses, ce qui est amplement suffisant pour engendrer des déséquilibres hormonaux. Mais il existe certaines stratégies pour rester équilibrée. Voici un canevas qui vous permettra d'établir votre propre liste.

– Ne regardez pas la télévision tous les soirs.

– Renoncez au café et buvez du thé (le thé vert est le meilleur).

– Limitez votre consommation d'alcool à un verre au moment du dîner – si cela vous fatigue ou vous donne envie de dormir, renoncez à l'alcool.

– Ecoutez de la musique relaxante ou un livre-cassette lorsque vous êtes en voiture. Si vous avez des enfants, profitez de ces trajets pour parler avec eux. N'utilisez votre portable qu'en cas d'urgence. Partez à l'avance et respectez les limitations de vitesse.

– Apprenez à dire non avant d'accepter une nouvelle responsabilité que vous ne pourrez pas assumer.

– Pratiquez la méditation ou des exercices de méditation comme ceux que proposent le tai-chi ou le yoga, ayez une pratique spirituelle ou un but élevé dans la vie. Cela vous fournira un « lieu » à l'intérieur de vous-même où vous pourrez vous réfugier en cas de coup dur.

– Si vous avez des enfants, n'oubliez pas de penser à vos propres besoins autant qu'aux leurs et trouvez le moyen de répondre à vos besoins même s'ils ne coïncident pas exactement avec les leurs.

– Si les deux adultes du couple travaillent, répartissez-vous les tâches domestiques et la cuisine. Renoncez à être une superwoman.

– N'ayez des rapports sexuels avec votre partenaire que quand vous en avez envie et si quelque chose ne vous a pas plu dans ce domaine parlez-en avec lui.

– Si quelque chose vous ennuie, discutez-en avec votre partenaire. Ne laissez pas de petites frustrations se transformer en colère.

– Prenez chaque jour de l'exercice. Inutile de faire une heure d'aérobic exténuante. Contentez-vous de marcher après le dîner, de partir en bicyclette avec vos enfants ou de passer un moment dans le jardin. L'important c'est de se mouvoir.

– Consommez des aliments complets et naturels (si possible biologiques), buvez de grandes quantités d'eau et prenez un bon complément vitaminé.

– Evitez autant que possible les médicaments délivrés sur ordonnance, les opérations et les hôpitaux. Trouvez un médecin ou un professionnel de la santé qui partage vos valeurs concernant la santé et les traitements.

– Sur le plan des dépenses financières, restez dans des limites raisonnables.

– Si vous êtes maltraitée sur le plan familial ou professionnel et que cette situation ne peut pas évoluer, mettez-y fin. Cela concerne les sévices mentaux, émotionnels et physiques. Si vous maltraitez les autres, consultez un psychologue.

– Si vous souffrez de solitude, trouvez une activité bénévole dans le cadre de laquelle vous pourrez aider les autres.

– Dormez le plus possible.

– Faites-vous aider quand vous en avez besoin et remerciez ceux qui vous auront aidée.

– Prenez le temps de faire des choses qui vous font rire.

– Soyez bonne avec vous-même, ne vous faites pas de reproches, ne vous jugez pas avec trop de sévérité. Fichez-vous la paix.

– Evitez d'être intransigeante et moralisatrice en toutes choses.

– Restez en contact avec votre famille et vos amis.

– Reconnaissez, acceptez et admettez les émotions excessives mais, dans le même temps, considérez-les d'une manière objective. Ces réactions ne doivent être ni ignorées ni portées aux nues.

∿ JONGLEZ AVEC VOS SOINS

Si vous êtes à l'écoute de votre corps, de vos émotions et de vos pensées, vous serez mieux en mesure de conserver un équilibre lorsque vos hormones vont commencer à fluctuer au moment de la préménopause. Chaque aspect de vous-même vous fournira d'utiles indications sur un possible déséquilibre et vous pourrez alors choisir les moyens de rétablir l'équilibre en fonction de vos préférences personnelles.

Par exemple, si vous avez les mains et les pieds froids, cela peut être le signe d'un dysfonctionnement thyroïdien. Il peut s'agir d'un effet secondaire d'une dominance en œstrogènes qui bloque le fonctionnement de la thyroïde ou d'une véritable hypothyroïdie. Vous pouvez stimuler l'activité de la thyroïde et rétablir l'équilibre en consommant des algues contenant de l'iode comme le nori ou le kombu ; ou acheter dans une boutique diététique un complément composé d'extraits thyroïdiens et d'acides aminés ; ou encore consulter votre médecin et faire un bilan thyroïdien.

Si vous faites de la rétention d'eau et avez le visage rouge, il y a de grandes chances que vous soyez dominante en œstrogènes. Si, en plus, vous êtes constipée, il est possible que vous ne consommiez pas suffisamment de fibres et qu'en conséquence, votre foie ait du mal à éliminer les œstrogènes qui, normalement, devraient l'être grâce aux fibres. Dans ce cas, vous pouvez simplement consommer du pain au son ou faire un choix plus complexe et demander à votre médecin un dosage hormonal.

Si vous avez des difficultés à vous lever le matin, vos

surrénales sont peut-être fatiguées. Vous avez le choix entre rééquilibrer vos surrénales, rester au lit une heure de plus (ou toute la journée), ce qui ne peut vous faire que du bien, ou boire une infusion de réglisse ou de ginseng ou prendre de la DHEA ou de l'hydrocortisone, ou encore faire tout ce qui précède à la fois.

Lorsque vous aurez fini de lire ce livre, vous posséderez suffisamment d'indications concernant d'éventuels déséquilibres, qui vous permettront, dans la plupart des cas, de les corriger. Mais n'oubliez pas qu'il suffit rarement de modifier le fonctionnement de la thyroïde, de réduire les œstrogènes ou de soutenir les surrénales. Vous vous souvenez sans doute de la symphonie hormonale. Soigner des symptômes précis améliorera votre état mais l'harmonie ne peut naître que lorsque tous les instruments jouent à l'unisson. En général, vous serez tenue d'agir à plusieurs niveaux. Y a-t-il d'autres signes de déséquilibre dans votre vie ? Dormez-vous suffisamment ? Mangez-vous des légumes frais ? Avez-vous fait une promenade récemment ? Avez-vous respiré des gaz d'échappement alors que vous étiez assise dans votre voiture, vitres ouvertes, à la fin d'une journée de travail particulièrement fatigante ? Si vous ne vous attaquez pas aux causes sous-jacentes du déséquilibre, les violons seront accordés mais les cuivres inaudibles.

La manière dont vous allez harmoniser votre symphonie hormonale n'appartient qu'à vous. Certaines femmes jonglent avec les compléments nutritionnels et hormonaux, d'autres préfèrent consommer du soja et des jus de légumes, d'autres encore ont besoin d'une heure de gymnastique par jour. Vous pouvez aussi faire du yoga, prendre un bain moussant ou vous offrir un moment de détente en regardant votre comédie préférée si c'est ce dont vous avez besoin pour rétablir l'équilibre.

Tout savoir sur la préménopause

∿ PROCESSUS D'APPROFONDISSEMENT ET D'ÉCOUTE

Lorsque votre corps est sujet à des déséquilibres, il vous le dit à travers des symptômes. Si vous écoutez attentivement et répondez soigneusement, votre santé s'améliorera et vous perdrez moins de temps, d'énergie et d'argent pour rétablir l'équilibre. En revanche, si vous ne tenez pas compte de ces premiers signaux d'alarme, vous risquez d'être confrontée à des problèmes plus graves. Ne pas prêter attention à des brûlures d'estomac peut déboucher sur un ulcère. Négliger la fatigue peut conduire à l'épuisement. Une douleur articulaire dont on ne se préoccupe pas peut se transformer en inflammation chronique. Il est relativement facile de traiter les causes sous-jacentes des brûlures d'estomac, de la fatigue ou d'une douleur articulaire mais c'est une autre paire de manches que de soigner les conséquences plus sérieuses provoquées par la méconnaissance de ces symptômes. Il en est de même pour l'équilibre hormonal.

Si vous n'avez jamais été à l'écoute de votre corps, le meilleur moyen de modifier cette attitude consiste à tenir un journal où vous noterez chaque jour vos remarques qui peuvent aller d'une crampe dans le doigt de pied à une envie de pleurer ou d'une sécheresse cutanée et à un trop-plein d'énergie. A la longue, vous parviendrez à distinguer un enchaînement des causes et des effets et vous pourrez agir sur la cause au lieu de subir les effets. Cela s'appelle la prévention.

Nous ne vous conseillons pas pour autant de vous passer d'un professionnel de la santé. Même une femme exceptionnelle ne peut s'apercevoir qu'elle a un cancer du col, il est donc judicieux de faire un frottis vaginal tous les deux ou trois ans (et même plus souvent si vous avez pris des contraceptifs oraux). Comme il est impossible de déceler une ostéoporose à ses débuts, vous pouvez faire pratiquer une mesure de la densité osseuse à trente-cinq ans, ce qui vous servira de base pour

270

traiter ce problème. Si vous avez des saignements irréguliers qui, malgré vos efforts, ne disparaissent pas au bout de quelques mois, il faut consulter un médecin afin de vous assurer qu'il ne s'agit pas d'un cancer de l'endomètre.

Pendant la préménopause, c'est-à-dire durant dix à vingt ans, votre corps ne va pas toujours se comporter d'une manière prévisible. Ses réactions n'obéiront pas obligatoirement à des critères précis et mesurables qui pourraient être qualifiés de normaux, moyens ou standards. Vous devez devenir votre propre expert et déterminer ce qui est normal dans votre cas et ce qui vous convient le mieux. En vieillissant, vous deviendrez plus sensible aux toxines de l'environnement, donc mieux à même de remarquer leurs effets. Une femme jeune peut respirer des gaz d'échappement lorsqu'elle conduit fenêtres ouvertes dans les embouteillages ou inonder sa maison de produits insecticides sans éprouver aucun symptôme. Dans la même situation, une femme plus âgée souffrira de congestion des sinus, de sécheresse oculaire ou d'enflure du visage et des mains.

A partir de trente-cinq ans, vous abordez un nouveau cycle de vie : vous avez vécu suffisamment longtemps pour posséder votre propre façon de penser. Vos opinions et vos expériences, vous les devez à vos parents, amis et amants ainsi qu'aux institutions scolaires et religieuses que vous avez fréquentées ; elles ont fini par tisser la trame de votre psyché, ce qui constitue le commencement de la sagesse et du discernement. Votre corps est maintenant plus sensible aux influences environnementales, alimentaires et émotionnelles ; sur le plan de l'esprit et des émotions, vous êtes plus réceptive à ce qui se passe en vous et hors de vous – mais aussi chez les autres.

Plus vous montrerez de respect à l'égard de vous-même et mieux vous accueillerez cette transformation merveilleuse, moins vous aurez de mal à l'assumer à long terme. Au fur et à mesure que vous approcherez de la ménopause, vous serez étonnée par votre faculté de percevoir quasiment toutes les facettes de votre vie. C'est là une qualité qu'apprécient tout particulièrement la famille et l'entourage d'une femme d'âge mûr.

Le docteur Hanley a eu comme patiente une femme nommée Claudia qui, d'après son médecin, souffrait d'une ménopause précoce alors qu'elle n'était âgée que de trente-quatre ans. Elle avait des bouffées de chaleur et des sueurs nocturnes, présentait un déséquilibre hormonal complet et une échographie avait révélé des kystes ovariens.

Lors de la première consultation, comme le docteur Hanley lui demandait si elle n'avait pas subi un événement traumatique au cours des années précédentes, Claudia lui fit un récit tragique. Son premier enfant était atteint d'une maladie rare qui le condamnait à mener une existence difficile. Lorsque Claudia était retombée enceinte contre son gré, les médecins l'avaient assurée que le second enfant ne risquait rien, le premier ayant été victime d'une mutation génétique. Mais quelques semaines plus tard, on avait découvert la même maladie chez son mari et un test génétique avait montré que l'enfant qu'elle portait était atteint, lui aussi. Claudia s'était donc fait avorter. Peu après, elle avait présenté tous les symptômes de la ménopause.

Quand Claudia avait demandé à son médecin traitant si tous ces traumatismes ne pouvaient pas avoir provoqué une ménopause précoce, il lui avait répondu que cela n'avait rien à voir. Il lui avait conseillé une ablation des ovaires à cause des kystes et comptait ensuite lui proposer une hormonothérapie substitutive. Claudia savait au fond d'elle-même qu'il se trompait et c'est ce qui la poussa à consulter le docteur Hanley.

Le docteur Hanley assura Claudia que les drames qu'elle venait de vivre avaient, presque à coup sûr, provoqué une ménopause précoce. Elle lui prescrivit des hormones naturelles et des plantes et travailla avec elle sur ses traumatismes émotionnels pendant six mois. Les symptômes de Claudia diminuèrent graduellement et elle recommença à avoir des règles. Une seconde échographie montra que les kystes ovariens avaient disparu.

Si Claudia avait écouté son médecin au lieu de faire confiance à sa propre intuition, elle aurait réellement souffert d'une ménopause précoce et aurait eu d'autres problèmes dus à la prise d'hormones de synthèse dont son corps n'avait nul besoin. Les deux seules choses dont elle avait besoin étaient d'être prise en charge sur le plan émotionnel et que l'on soulage son organisme exténué.

Nous ne devrions jamais sous-estimer le pouvoir qu'exerce la vie émotionnelle sur le corps ni notre capacité à connaître nos propres besoins et à retrouver un équilibre.

Chapitre 14

---------- ∼ ----------

EN QUOI L'ALIMENTATION INFLUENCE-T-ELLE L'ÉQUILIBRE HORMONAL ?

*M*ême si la progestérone naturelle a des effets curatifs remarquables sur les symptômes du syndrome de la préménopause, son efficacité sera encore accrue si vous consommez des aliments sains, prenez garde aux allergies alimentaires et utilisez des compléments alimentaires. Les bénéfices retirés d'un régime alimentaire nourrissant dépassent de loin les sacrifices qu'exige une alimentation de qualité. Vous aurez moins de risques de souffrir d'une maladie cardiaque, d'un cancer, de diabète, d'ostéoporose et d'arthrite. Si vous aviez l'habitude de consommer des aliments hautement calorifiques mais peu nourrissants comme les confiseries en barre et les gâteaux secs, votre énergie et votre humeur vont considérablement s'améliorer. Si vous souffrez de troubles digestifs, de gaz intestinaux, de ballonnements et de constipation, vous allez découvrir qu'une nourriture de qualité et l'élimination des allergènes (aliments qui déterminent ou favorisent l'allergie) constituent, dans la plupart des cas, un traitement adapté.

Vous serez moins sujette au rhume et à la grippe car votre système immunitaire sera renforcé, vous perdrez plus facilement vos kilos superflus et votre peau sera nettoyée. Dans certains cas, un régime alimentaire individualisé et bien ciblé et des compléments suffisent à rétablir l'équilibre pendant la préménopause et au-delà. Si vous ne subissez pas l'influence des xénohormones, vous pourrez peut-être même vous passer de crème à la progestérone.

Quels sont ces aliments magiques que vous êtes censée consommer ? Comment choisir parmi les innombrables régimes dont on vous rabat les oreilles à longueur d'année ? Quels compléments alimentaires faut-il prendre alors que les boutiques diététiques en proposent des centaines ? Il n'existe pas de réponse toute faite, valable pour tous les individus, mais ce chapitre vous permettra d'élaborer votre propre programme d'équilibre hormonal.

Quand le docteur Hanley reçoit pour la première fois une patiente en période de préménopause, elle discute longuement avec elle de son alimentation. Un certain nombre de femmes n'ont aucune idée de ce qu'elles mangent jusqu'au jour où elles essaient de maigrir. Les plus décidées ont acheté le dernier best-seller traitant des régimes amaigrissants. D'autres disent qu'elles ont essayé un régime riche en glucides et pauvre en lipides et qu'elles se sentent encore plus mal qu'avant alors que certaines affirment être en pleine forme grâce à ce type de régime mais avouent être incapables de s'y tenir. On rencontre aussi des femmes qui ne jurent que par les livres diététiques en vogue proposant des apports équilibrés de lipides, protéines et glucides alors que d'autres jugent ce genre de régime trop contraignant, peu goûteux ou difficile à suivre. La plupart d'entre elles sont frustrées sur le plan alimentaire, en particulier pendant la préménopause lorsqu'elles prennent du poids pour la première fois de leur vie et semblent incapables d'y remédier.

Votre première tâche consiste à ne plus vous faire de soucis au sujet des kilos en trop. Il ne s'agit pas de devenir obèse mais d'abandonner l'image idéale du mannequin famélique. Si vous acceptez vos formes féminines, vous offrirez cette nouvelle image aux générations futures. Les femmes doivent prendre un peu de poids en période de préménopause, la nature en a décidé ainsi. Cela vous permettra d'avoir moins de problèmes au moment de la ménopause et vous protégera de l'ostéoporose et des attaques. Des recherches récentes montrent que, quand la prise de poids ne se transforme pas en obésité, le risque de cancer ou de crise cardiaque baisse, tout particulièrement si l'équilibre hormonal est maintenu. On ne parle d'obésité que quand la prise de poids entraîne une moins grande mobilité ou des problèmes tels le diabète, l'arthrite ou les difficultés respiratoires.

En dépit des courbes, graphiques et études brandis par tout un chacun, de l'American Heart Association au gouvernement fédéral, il n'existe pas de régime alimentaire convenant à tous les individus. Personne ne peut prétendre vous conseiller dans ce domaine sans avoir réuni préalablement un nombre impressionnant de données. Tous ceux qui se sont efforcés de découvrir les aliments et les compléments qui leur convenaient vous diront que cette démarche exige du temps, de l'attention et des recherches approfondies. Il en est toujours ainsi quand on s'essaie à quelque chose de nouveau. Dans ce cas précis, cela suppose que l'on renonce aux aliments industriels, pourtant si commodes, et qu'on les remplace par des aliments naturels, sains et nourrissants. Il faut aussi observer comment le corps répond aux différents aliments et éliminer ceux qui ont des effets négatifs sur la santé. Personne ne peut le faire à votre place. Mais ce travail d'investigation n'est pas du tout désagréable et vous serez largement récompensée de vos efforts.

Il vous faudra faire des expériences afin de déterminer les aliments qui vous conviennent le mieux et les doses de compléments dont vous avez besoin. La vitamine C est recommandée par tous les experts de la santé et pourtant, certaines personnes ne la supportent pas. (L'étude récente tendant à prouver que la vitamine C altère l'ADN est peu concluante et contrebalancée par des centaines d'études montrant les bénéfices de cette vitamine ; continuez donc à prendre de la vitamine C.) Les hydrates de carbone complexes présents dans le riz complet et les céréales complètes ont d'innombrables vertus mais certaines personnes ne peuvent en consommer sans souffrir de gaz intestinaux et de dyspepsie. Il vous faut donc trouver ce qui est bon pour vous.

Pendant des années, on nous a dit et répété que le régime alimentaire idéal devait être riche en hydrates de carbone et pauvre en lipides. L'opinion publique étant versatile, on vous conseille aujourd'hui une alimentation riche en protéines et en lipides et pauvre en glucides. Aucun de ces choix ne peut satisfaire l'individu moyen.

La plupart des personnes suivant un régime riche en glucides et pauvre en lipides avouent avoir toujours faim et se jettent sur les sucres raffinés présents dans les confiseries et les biscuits pour satisfaire leurs fringales ; à la longue, ils grossissent et souffrent de malnutrition. Les femmes qui ont une alimentation pauvre en graisses et en protéines sont bien souvent victimes d'hypoglycémie. Lorsqu'on vous apprend à faire un feu, on vous explique qu'il faut commencer par de minuscules brindilles. Mais, avant d'allumer votre feu, vous devez avoir ramassé de plus grosses branches qui vous permettront de l'entretenir. Si votre alimentation est composée de glucides, vous vivez sur des brindilles. Tandis qu'elles brûlent, vous arpentez les environs à la recherche de branches plus grosses et quand vous revenez, les brindilles se sont consumées et vous êtes sans cesse obligée de le rallumer.

A l'opposé, les régimes riches en protéines et en lipides rendent la plupart des gens léthargiques et provoquent de légers problèmes de santé. Ils permettent de perdre du poids car l'organisme n'a rien d'autre à brûler que des lipides et des protéines, des substances incapables de procurer le combustible nécessaire en cas de réelle dépense énergétique. Le corps doit faire d'importants efforts pour continuer à fonctionner en l'absence d'hydrates de carbone, indispensables à la santé. Un régime alimentaire composé de viande, de produits de la mer, d'œufs, de produits laitiers riches en matières grasses et de quelques rares légumes peut acidifier l'organisme. L'acidité excessive entraîne une déminéralisation osseuse. Ce type de régime revient à allumer un feu uniquement avec de grosses branches. En l'absence d'hydrates de carbone, donc sans bois d'allumage, votre feu aura du mal à démarrer.

∽ LES COMPOSANTES D'UNE ALIMENTATION SAINE

Chaque type d'aliments (légumes, fruits, céréales, noix, graines, viandes, volailles et produits de la mer) a ses avantages et ses inconvénients si bien que pour découvrir les aliments qui vous conviennent, il faut en faire l'expérience. Ce chapitre est avant tout destiné à vous fournir des points de repère pour cette démarche.

Les seuls aliments bons pour quasiment la majorité des gens sont les fruits et les légumes frais, et si possible biologiques. Toutefois, il existe des variations individuelles importantes dans la tolérance à tel fruit ou tel légume. Par exemple, certaines personnes sont allergiques aux légumes de la famille des solanacées qui comprend les pommes de terre, tomates, poivrons et aubergines. D'autres ne supportent pas les crucifères : choux, brocoli et choux-fleurs. A l'intérieur d'une même famille de légumes, il est possible que certains d'entre eux soient mal supportés. On peut, par exemple, digérer l'ail et non l'oignon.

On observe le même phénomène avec les fruits. Le raisin, par exemple, contient beaucoup de sucre. Si votre glycémie a tendance à fluctuer, mieux vaut éviter ce fruit. Bien que les pommes soient très appréciées, elles peuvent provoquer des crampes d'estomac chez certaines personnes. Les agrumes figurent en tête des fruits allergisants alors que les poires ne provoquent quasiment aucune intolérance.

Le poisson frais et les viandes fraîches ne contenant pas d'hormones et ne provenant pas d'élevages industriels sont bien tolérés mais à l'heure actuelle de nombreuses personnes hésitent à consommer de la viande pour des raisons éthiques et morales. Si vous digérez bien la viande et que cet aliment fait partie de vos menus, rassurez-vous : consommée avec modération, la viande biologique est bonne pour la santé. Ce n'est ni le bœuf, ni le porc, ni l'agneau en tant que tels qui occasionnent les maladies cardiaques mais un excès de viandes grasses qui déséquilibre l'organisme.

Les légumes secs et les légumineuses comme le soja représentent une excellente source de fibres, de protéines et d'autres nutriments mais ils peuvent aussi provoquer des gaz douloureux et des ballonnements. Nous reviendrons en détail sur le soja dans ce chapitre.

Les céréales ont, elles aussi, leurs bons et leur mauvais côtés. Les céréales complètes offrent à la fois des nutriments, des fibres et des hydrates de carbone de bonne qualité. Néanmoins, le blé et toutes les céréales contenant du gluten arrivent en bonne position dans la liste des aliments allergisants. Et les personnes qui veulent éliminer le blé de leur régime alimentaire rencontrent bien des difficultés car cette céréale est omniprésente dans notre alimentation.

Les produits laitiers sont très riches en nutriments mais occasionnent fréquemment des allergies. La pasteurisation, qui détruit les organismes pathogènes, détruit également toutes les enzymes et les bactéries bénéfiques nécessaires à une digestion correcte du lait. A cause de son faible ratio calcium/magnésium, le lait apporte peu de calcium pour la construction osseuse.

Les noix (amandes, noisettes, etc.) et les graines sont des aliments très nourrissants, remplis de nutriments et d'huiles de bonne qualité. Malheureusement, elles rancissent facilement et perdent quasiment toute valeur quand elles sont grillées à haute température, salées et enrobées d'huile d'arachide. (Les huiles rances dégagent une mauvaise odeur, ce qui n'est jamais le cas d'une huile fraîche.) Mieux vaut acheter ces aliments crus et les consommer ainsi ou les faire griller soi-même pendant dix minutes maximum (dans le four à 175 °C). Conservez-les dans un récipient étanche, à l'abri du soleil et mangez-les dans un délai d'une à deux semaines.

Les noix et les graines renferment des centaines, peut-être même des milliers de phytochimiques (composés végétaux) que nous ne connaissons pas tous actuellement et qui peuvent avoir des effets variés et nombreux sur l'organisme. La cacahouète, souvent rance, est la plus allergisante des graines. Choisissez avec soin le beurre de cacahouètes que vous consommez et si vous faites griller cet oléagineux, évitez les huiles hydrogénées et le sucre. Assurez-vous de la fraîcheur du produit au moment de l'achat (consultez la date de péremption), conservez-le dans le réfrigérateur et jetez-le dès qu'il a une odeur rance.

Commencez par considérer la nourriture comme un médicament ayant un effet spécifique sur votre corps et votre humeur car c'est exactement le cas. Ce que vous mangez affecte l'ensemble de votre organisme depuis votre acuité mentale jusqu'à votre force physique et bien entendu, votre équilibre hormonal. Si vous consommez trop peu de cholestérol, votre corps sera privé des composants dont il a besoin pour fabriquer les hormones ovariennes et surrénaliennes (75 % du cholestérol provient des glucides, les 25 % restants des graisses et des huiles). Une consommation excessive de sucre entraînera des variations en dents de scie des taux de cortisol et d'adrénaline qui déséquilibreront les autres hormones et vous rendront anxieuse. Si vous souffrez d'hypoglycémie, vous n'aurez plus de force, vous serez irritable et ralentie intellectuellement. Si vous mangez d'importantes quantités de fibres, votre côlon éliminera plus facilement les excédents d'œstrogènes et les autres toxines. Si cette consommation est trop faible, les œstrogènes et les toxines seront recyclés à l'intérieur du foie.

Il vous sera plus facile d'évaluer vos réactions à un aliment donné si vous tenez un journal dans lequel vous noterez ce que vous mangez et comment vous vous sentez. Lorsque vous aurez fini de lire ce chapitre, vous aurez assez confiance en vous pour déterminer les aliments qui vous conviennent plus précisément.

Le docteur Hanley est un exemple typique des nombreuses femmes nées au moment du baby-boom. Sa mère fumait, elle fut nourrie au biberon puis prit tous ses repas devant la télé et but beaucoup de lait. Pendant les quinze premières années de sa vie, elle fut malade en permanence et régulièrement traitée aux antibiotiques. A dix-sept-ans, grâce à une amie, elle devint végétarienne. L'alimentation végétarienne lui permit de renoncer à un grand nombre d'aliments préjudiciables à sa santé et à son dynamisme. Les effets dépuratifs de ce nouveau régime permirent à son organisme de se détoxifier d'une manière naturelle et elle reprit goût à la vie. Néanmoins, un peu avant la cinquantaine, elle sentit qu'elle était à nouveau victime d'un déséquilibre qui se traduisait par des problèmes de santé et une fatigue persistante. Elle ajouta alors de la viande et des graisses saines à son alimentation afin de la rééquilibrer et utilisa des compléments alimentaires pour combler les déficits dont elle souffrait. Cela lui permit de rester mince, en bonne santé et pleine d'énergie. Mais elle ne se repose pas pour autant sur ses lauriers : elle sait qu'elle va, à son tour, être confrontée aux transformations de la périménopause et de la ménopause et qu'elle devra alors effectuer certains réajustements ici et là.

∾ CONSIDÉREZ LA NOURRITURE INDUSTRIELLE COMME UN ENNEMI

Lorsque la mention allégé ou sans matière grasse figure sur un emballage, on est en droit de penser que ce produit est bon pour la santé, n'est-ce-pas ? En réalité, le mieux que vous ayez à faire dans ce cas-là est de tourner les talons. Les aliments allégés ne nous poussent pas à consommer plus de légumes, de fruits et de céréales complètes mais à manger plus d'hydrates de carbone raffinés, c'est-à-dire des céréales qui ont perdu tous leurs nutriments et auxquelles on a ajouté des huiles hydrogénées. Les placards de cuisine des Américains soucieux de leur santé sont remplis de produits allégés ou sans matières grasses : chips, biscuits à apéritif, pains et pâtisseries industrielles, qui ne sont que de mauvais aliments camouflés. Dans la plupart des cas, les aliments allégés sont riches en sucre ou en sel, ce qui ne fait que déplacer le problème. Les aliments industriels, transformés et conditionnés, ont perdu quasiment tout leur pouvoir nutritif initial et ce qu'on leur a ajouté est dangereux pour la santé. Si vous voulez rester en bonne forme, vivre longtemps et conserver votre équilibre hormonal, contentez-vous de consommer des aliments complets et naturels.

Avant l'époque des réfrigérateurs, des congélateurs et de la nourriture industrielle, les gens mangeaient des aliments frais et complets car ils n'avaient pas d'autres choix. Le repas classique était constitué d'une faible quantité de protéines animales (viande, volaille ou poisson), de céréales (riz, pain complet) ou de féculents (pomme de terre) et de légumes (carottes, haricots verts, brocolis, etc.). Il s'agit là d'un repas parfaitement sain, relativement facile à préparer et équilibré sur le plan nutritionnel pour la plupart des gens. Nous avons fait fausse route le jour où nous nous sommes mis à manger d'énormes quantités de protéines, des légumes en boîte (pour ne pas dire : aucun légume) et d'importantes quantités de glucides raffinés comme les pâtes, le riz et le pain blanc. Nous avons la chance, aujourd'hui, de pouvoir acheter tout au long de l'année des légumes et des fruits frais. Profitons-en !

Quel que soit votre héritage ethnique et culturel (donc alimentaire), si vous remontez suffisamment loin, vous vous apercevrez que le régime alimentaire de vos ancêtres était constitué d'aliments sains et variés.

∾ RENONCEZ AU SUCRE ET AUX HYDRATES DE CARBONE RAFFINÉS

Les hydrates de carbone raffinés (pâtes, pain et riz blanc, aliments cuits au four, chips, etc.) sont hypercaloriques mais ne peuvent être considérés comme nourrissants car ils renferment très peu de nutriments indispensables à l'organisme et provoquent une hypersécrétion d'insuline. L'insuline intervient dans le stockage des graisses et plus la concentration sanguine d'insuline est élevée, plus les graisses sont stockées dans l'organisme. Quand vous mangez un repas riche en glucides raffinés (par exemple : du pain blanc, avec une margarine allégée et de la confiture), l'absence de fibres, de protéines et de matières grasses (destinées à ralentir la digestion et l'assimilation) entraîne une digestion rapide. Quand ces glucides raffinés se retrouvent dans le système sanguin et que la teneur du sang en glucose augmente soudainement, le pancréas a une réaction d'alarme et sécrète suffisamment d'insuline pour évacuer ces importantes quantités de sucre du sang. En effet, le pancréas est programmé pour répondre à des aliments naturels (non raffinés). Une partie du glucose produit à partir de ces aliments passe dans les cellules de l'organisme et le reste est stocké sous forme de glycogène (matière glucidique de réserve susceptible de se transformer en glucose) ou de graisse. La teneur en sucre du sang baisse et à nouveau, vous avez faim.

Le sucre raffiné est un immunosuppresseur, un aliment encore plus déséquilibré que les produits à base de farine blanche. Son goût extrêmement sucré n'existe pas dans la nature et il crée une dépendance chez la plupart des gens. Même les fruits les plus sucrés, comme le raisin par exemple, ne peuvent rivaliser avec lui. N'ayons pas peur des mots : le sucre est une véritable drogue. On a envie de consommer toujours plus de cette poudre blanche et cristalline et l'on devient irritable quand on en est privé. Bien des femmes désireuses de réduire leur consommation de matières grasses se rabattent sur des friandises bourrées de sucre pour avoir leur dose d'aliments. Comme tous les aliments ayant subi de nombreuses transformations, le sucre ne contient aucun des nutriments nécessaires à sa digestion et à son assimilation, il vous pousse donc à puiser dans vos précieuses réserves de nutriments. Les maladies cardiaques sont liées autant à la consommation de sucre raffiné qu'à la surconsommation de matières grasses. Même consommé en petites quantités, bien inférieures à ce qu'absorbe quotidiennement l'Américain moyen, le sucre porte atteinte au fonctionnement du système immunitaire.

Lorsque vous avez un petit creux et que vous mangez un gâteau allégé, un yaourt surgelé ou une confiserie quelconque, l'élévation du glucose sanguin et l'hypersécrétion d'insuline déclenchent un état d'alerte dans l'ensemble du système neuroendocrinien. Les surrénales sécrètent de l'adrénaline afin de vous requinquer car votre taux de glucose, après une brusque montée en flèche, s'est effondré. Il s'agit véritablement d'un cercle vicieux.

Aussi bien le docteur Lee que le docteur Hanley ont souvent constaté des troubles du comportement et émotionnels graves chez des patients qui avaient une alimentation de mauvaise qualité dénuée de nutriments. Le docteur Lee a soigné pendant des années une famille très à cheval sur la qualité de son alimentation. Un beau jour, il reçut un coup de fil affolé de la mère : leur fille Cindy, qui les avait quittés six mois plus tôt pour suivre des études universitaires, avait besoin de consulter un psychiatre car elle était déprimée, souffrait de somnanbulisme et avait de mauvaises notes pour la première fois de sa vie.

Le docteur Lee proposa de discuter avec Cindy dès qu'elle rentrerait chez elle à l'occasion des vacances scolaires. Quand il lui demanda ce qu'elle avait mangé, Cindy lui répondit : des pâtes, des frites, du pain blanc et des glaces. Autant dire des aliments de mauvaise qualité et bourrés de sucre alors qu'elle avait toujours consommé des céréales complètes et d'importantes quantités de fruits et de légumes frais et biologiques. Si l'on ajoutait à cela le stress provoqué par le fait de quitter sa famille pour la première fois, on comprenait qu'elle ait des problèmes !

Cindy guérit complètement lors des vacances passées à la maison et lorsqu'elle retourna au collège, elle se débrouilla pour que son alimentation se rapproche de celle prônée par sa famille. Elle n'eut plus jamais de problèmes.

Les gens qui ont consommé de la nourriture industrielle dès leur plus jeune âge opposent de vives résistances lorsqu'ils doivent y renoncer au profit d'une alimentation saine. Ils invoquent parfois des raisons pratiques. Il est vrai que préparer un repas à base d'aliments naturels nécessite plus de temps (mais moins d'argent) que d'ouvrir un sachet ou d'enfourner une barquette surgelée dans le micro-ondes. Mais vous n'avez pas besoin d'être une cuisinière hors pair pour ce faire. Il existe des dizaines de livres de cuisine, des cours, des émissions télévisées et des articles publiés par les magazines féminins pour apprendre à confectionner rapidement et facilement des plats sains. Si vous ne vous êtes encore jamais alimentée de cette manière, vous serez obligée de faire un effort mais cela en vaut vraiment la peine.

Il peut s'avérer particulièrement difficile de modifier les habitudes alimentaires d'enfants qui consomment (depuis toujours) des aliments industriels. Pourquoi renonceraient-ils à leur dose de calories rapides et aux sucreries alors qu'ils n'ont qu'un geste à faire pour se les procurer ? Une mère de famille de notre connaissance réussit à faire manger des légumes à ses enfants en déposant sur la table un plat rempli de légumes émincés (carotte, céleri, concombre, courgette, poivron rouge, etc.) et légèrement salés une demi-heure avant le repas, c'est-à-dire au moment où ils étaient le plus affamés. Quelle que fût l'activité des enfants – regarder la télé, faire leurs devoirs, jouer au basket – le plat était vide au moment où ils passaient à table. Si ces légumes avaient été proposés au moment du dîner, personne n'y aurait touché. Il ne faut que quelques minutes pour préparer des légumes coupés en lamelles et si les carottes sont biologiques, vous n'avez même pas besoin de les éplucher.

Certaines personnes sont dépendantes d'aliments industriels précis. Elles ont absolument besoin, par exemple, d'hydrates de carbone raffinés à cause du coup de fouet que provoquent ces aliments et sont alors victimes du cercle vicieux dont nous avons parlé. L'ironie de la chose, c'est qu'elles cherchent ainsi un réconfort. Si vous n'avez pas le moral, au lieu de vous précipiter sur des glucides raffinés, essayez plutôt la méditation, la tenue d'un journal intime, l'exercice physique ou alors confiez-vous à un être aimé. Quelques jours suffisent pour que l'envie de glucides diminue. Le docteur Hanley conseille à ses patientes qui veulent cesser de consommer des hydrates de carbone de prendre chaque jour 200 µg de picolinate de chrome afin de stabiliser la glycémie.

Pour perdre l'habitude de consommer des hydrates de carbone raffinés, remplacez graduellement les aliments composés de farine blanche par des céréales complètes comme le riz complet, l'amarante, le millet, le quinoa et le boulgour. Consommez du pain contenant des céréales complètes (pas uniquement de la farine complète) ou des céréales germées et lisez attentivement les étiquettes avant de faire votre choix. Essayez de manger des haricots secs. Si vous les faites tremper la veille et jetez l'eau de trempage avant cuisson, vous ne devriez pas souffrir de flatulences. Les aliments à base de soja sont à la mode et des recherches prometteuses attestent de leur richesse en phytœstrogènes et autres composés. Néanmoins, comme tous ces produits ne sont pas fabriqués de la même manière nous reviendrons sur le sujet plus en détail.

Les légumes crus en salade ou légèrement cuits à la vapeur (essayez les légumes à feuilles vertes comme les choux pointus, choux frisés et épinards) ou cuits au four (betteraves, pommes de terre, patates douces, carottes et navets) et les fruits capables d'assouvir vos envies de sucre contiennent beaucoup de nutriments et très peu de matières grasses. Les aliments complets fournissent à votre organismes les lipides dont il a besoin pour fabriquer les membranes cellulaires et le cholestérol et jouent aussi une myriade d'autre rôles. Les légumes contiennent eux aussi des lipides, pas suffisamment pour vous faire grossir mais en mesure de fournir aux cellules les acides gras essentiels nécessaires à leur fonctionnement. Si nous prenons des compléments alimentaires tels que l'huile d'onagre, de bourrache ou de graine de lin, c'est parce qu'il nous manque les acides gras essentiels présents dans les céréales complètes, les noix, les graines, les fruits et les légumes frais. Il est bien plus sain de consommer des aliments riches en acides gras essentiels plutôt que de prendre des compléments alimentaires qui risquent d'être rances.

Les poissons des mers froides vivant suffisamment au large pour ne pas être contaminés par la pollution des zones côtières ou des eaux fluviales constituent une source importante d'acides gras essentiels et d'autres nutriments. Nous vous conseillons avant tout le saumon, le hareng, la sardine et la morue. Le thon a lui aussi de grandes qualités mais il ne faut pas en consommer plus d'une fois par semaine car il peut être contaminé par le mercure. Si vous n'aimez pas le poisson, essayez néanmoins d'en manger jusqu'à ce que vous découvriez un poisson qui vous plaise et une manière de l'accommoder agréable au goût. La plupart des gens apprécient le saumon grillé servi avec un filet de citron – et honnêtement, existe-t-il un plat plus simple ?

Adopter du jour au lendemain une alimentation naturelle composée de fruits, de légumes et de céréales complètes peut entraîner des troubles digestifs, il vaut donc mieux procéder par étapes. N'hésitez pas à investir dans une bonne centrifugeuse au début de votre changement d'alimentation. Les jus de fruits et de légumes frais possèdent d'excellents nutriments sous une forme concentrée et sont bien pratiques pour les femmes qui disposent de peu de temps et d'énergie. N'en abusez pas cependant – les jus de carotte, de betterave et de fruit

sont riches en sucre et ne contiennent pas les fibres nécessaires à une bonne digestion, à une détoxification et à un nettoyage des intestins.

᧞ LES MATIÈRES GRASSES ET LES HUILES NATURELLES SONT BONNES POUR LA SANTÉ

De nos jours, on fait un mauvais procès aux matières grasses.
En réalité, votre alimentation doit comporter des matières
grasses, y compris celles qui contiennent du cholestérol. Un
régime très pauvre en lipides déclenche un état d'alerte dans
l'organisme. Ce dernier a la sagesse de réagir à cette carence
alimentaire en bloquant le fonctionnement ovarien. En effet,
si vous êtes sous-alimentée, il y a peu de chances que vous
puissiez mener une grossesse à terme et mettre au monde un
enfant en bonne santé. Les cycles anovulatoires entraînent
alors une dominance en œstrogènes. Néanmoins, vous devez
choisir avec soin les matières grasses que vous consommez.

Les lipides fournis par l'alimentation servent, entre
autres, à construire et à entretenir les membranes cellulaires,
le cholestérol et les hormones. Un déséquilibre des lipides
provoque un état inflammatoire.

Les prostaglandines, hormones sécrétées dans l'ensemble de l'organisme, participent à de nombreux processus
physiologiques, notamment la tension artérielle et veineuse et
l'inflammation. La production des prostaglandines dépend
dans une large mesure de la consommation de matières
grasses et d'huile. Un excès de certaines prostaglandines
entraîne des déséquilibres hormonaux. La fabrication de telle
ou telle prostaglandine va dépendre de l'équilibre entre les
« mauvaises » graisses polyinsaturées, hydrogénées et
oxydées (rances) et les « bonnes » graisses fournies par le
poisson, les légumes et les fruits frais, et par l'huile d'olive.
Un déséquilibre dans ce domaine va provoquer un excès de
certaines prostaglandines responsables des processus

inflammatoires, de la rétention d'eau, de la constriction des vaisseaux sanguins et du SPM.

Une consommation judicieuse et équilibrée d'acides gras essentiels vous permettra d'avoir un teint clair, des règles régulières et moins douloureuses. Votre faculté de concentration et votre humeur s'amélioreront si vous consommez des matières grasses de qualité. Si vous souhaitez contrôler votre consommation de lipides, sachez que le pourcentage idéal de matières grasses par rapport au nombre total de calories ingérées est de 25 à 30 % pour la plupart des femmes. Ce pourcentage est une moyenne générale ; il peut varier de 20 à 40 % selon les personnes.

Dans les pays industrialisés, les huiles rances et partiellement hydrogénées représentent une part significative des graisses consommées. Les huiles instables ou insaturées comme les huiles de maïs, de carthame, de tournesol, d'arachide, de noix et d'autres graines s'oxydent facilement. De même qu'une pomme coupée brunit à l'air ou que le métal rouille, les molécules lipidiques s'oxydent. Les huiles polyinsaturées sont rapidement dégradées sous l'action de la chaleur et de l'oxygène et deviennent alors de dangereux vecteurs de radicaux libres. Bien que la production d'une certaine quantité de radicaux libres et leur oxydation soient nécessaires au bon fonctionnement de l'organisme, un excédent de radicaux libres endommage rapidement les protéines, les membranes cellulaires et même l'ADN. Dans les pays industrialisés, quasiment personne ne souffre d'un défaut d'oxydation. Les nutriments antioxydants comme les vitamines C et E, le zinc et le sélénium ainsi que le glutathion, produits par l'organisme ou fournis par l'alimentation, protègent nos cellules des radicaux libres en se combinant avec eux et les neutralisant.

L'huile hydrogénée est une huile végétale liquide que l'on a bombardée avec des molécules d'hydrogène pour la rendre plus solide, donc la protéger de l'oxydation et l'empêcher de rancir. Ces huiles non naturelles sont utilisées dans la fabrication de la plupart des aliments industriels : margarines, pâtisseries, chips, desserts glacés, etc. Les matières grasses hydrogénées sont indiscutablement responsables d'un risque accru de maladie artérielle car elles endommagent, semble-t-il, les parois très fragiles des vaisseaux sanguins. Comme elles bloquent l'action des « bons » acides gras essentiels, elles sont aussi responsables des déséquilibres hormonaux. Si vous ne consommez plus d'huiles hydrogénées, vous aurez moins de crampes douloureuses et un SPM atténué.

Une étude récente, conduite par le médecin suédois Alicja Wolk et publiée dans les *Archives of Internal Medicine*, a porté sur 61 000 femmes âgées de quarante à soixante-dix ans. Pour Wolk et ses collaborateurs, il n'y a pas de relation entre le cancer du sein et la quantité totale de matières grasses ingérées mais les acides gras polyinsaturés présents dans les huiles végétales accroissent le risque de cancer alors que la consommation d'une huile monoinsaturée, comme l'huile d'olive, réduit ce risque. Cinq grammes de matières grasses insaturées par jour suffisent pour accroître de 69 % le risque de cancer du sein. Il n'existe pas de corrélation entre la consommation d'acides gras saturés et un risque accru de carcinome mammaire.

Les graisses saturées comme le beurre, l'huile de noix de coco et le lard sont solides à température ambiante, très stables et non susceptibles de s'oxyder. Vous pouvez laisser ces aliments hors du réfrigérateur sans qu'ils se gâtent et les faire chauffer sans qu'ils libèrent de radicaux libres. L'huile de noix de coco non raffinée et le beurre sont parfaits pour la pâtisserie. Ils ne s'oxydent pas à la cuisson et il n'y a pas mieux pour confectionner des desserts savoureux. Ce n'est pas parce que vous mangez des graisses saturées que vous aurez une crise cardiaque – à moins que vous n'en abusiez. Si vous mangez une noix de beurre sur un toast au petit-déjeuner, cela ne vous fera pas mourir et contribuera au maintien d'un bon équilibre hormonal. Mais ne mangez qu'un toast et consommez aussi des protéines et un fruit afin d'équilibrer votre repas. Et n'oubliez pas que la consommation quotidienne de viande rouge grasse entraîne obligatoirement un excédent d'acides gras saturés.

L'huile d'olive est un corps gras mono-insaturé, c'est-à-dire presque aussi stable que les graisses saturées tout en étant liquide. Chez les peuples dont la consommation quotidienne de graisses est représentée presque exclusivement par l'huile d'olive, l'incidence des maladies cardiaques et du cancer du sein est plus faible. Utilisez toujours de l'huile d'olive de préférence à une huile végétale insaturée. Choisissez une huile « vierge extra » d'un vert sombre. Elle vous coûtera un peu plus cher que les autres mais vous investirez dans un produit excellent pour la santé. Comme ces huiles sont très goûteuses, vous utiliserez des quantités moins importantes. Nous vous conseillons aussi l'huile d'avocat, mono-insaturée et riche en acides gras essentiels.

L'huile de canola est mono-insaturée mais elle a subi de nombreuses transformations industrielles, il est donc préférable de n'en consommer qu'exceptionnellement. Si vous achetez des chips, choisissez des chips cuites dans de l'huile de canola plutôt que dans des huiles insaturées ou hydrogénées, présentées comme « partiellement hydrogénées » sur l'emballage. (Mieux vaudrait cependant que vous les prépariez vous-même.) Les huiles insaturées, également appelées polyinsaturées, sont presque toujours rances au moment où vous ouvrez la bouteille pour les utiliser ; il est donc facile d'imaginer ce qu'elles deviennent quand elles sont restées un certain temps sur une étagère de la cuisine ou qu'elles sont portées à de hautes températures au moment de la cuisson.

En général, les huiles raffinées comme l'huile de canola ont subi de nombreuses transformations industrielles. Pour extraire ces huiles des végétaux, des noix ou des graines, on utilise des produits chimiques toxiques qui laissent derrière eux des résidus toxiques. Dans certains cas, on ajoute aussi des conservateurs de synthèse afin de remplacer les antioxydants naturels qui ont été détruits au cours du processus de transformation.

∾ LES ALIMENTS BIOLOGIQUES SONT LA CLEF DE L'ÉQUILIBRE HORMONAL

Les aliments biologiques sont cultivés sur des sols non contaminés par les pesticides (herbicides, fongicides et insecticides), sans engrais ni additifs chimiques et sans boue d'épuration. Ils n'ont pas fait l'objet de manipulations génétiques. Au fil des ans, les agriculteurs biologiques se sont aperçus qu'un sol sain produit des plantes saines renfermant de nombreuses substances naturelles qui leur permettent de mieux résister aux maladies et aux insectes nuisibles.

Les fruits et légumes de l'agriculture conventionnelle sont pauvres en nutriments, hybridés, cultivés avec des engrais et traités à grand renfort de pesticides xénohormonaux et autres poisons de toutes sortes. L'agriculture non biologique prive les sols de tous les minéraux nécessaires à la production de plantes saines et résistantes. Elle est donc obligée d'utiliser des engrais xénœstrogéniques et des insecticides pour faire pousser des plantes qui, aussi robustes soient-elles, ne pourraient se nourrir sur des sols épuisés. L'hybridation des plantes – qui nous vaut les légumes et les fruits énormes et sans défaut vendus dans tous les supermarchés – provoque une déperdition encore plus importante de nutriments.

Les plantes cultivées aujourd'hui possèdent moitié moins de nutriments que celles consommées il y a un siècle et nous mangeons moins que nos ancêtres (qui étaient astreints à des travaux pénibles tout au long de la journée). Dans les sociétés industrialisées, l'apport nutritionnel de l'individu moyen est très faible pour trois raisons : une mauvaise digestion, un mode de cuisson des légumes qui les prive de la plupart de leurs nutriments et une consommation importante d'aliments transformés au détriment des aliments naturels ; ces carences entraînent des problèmes de santé.

Les produits de l'élevage industriel (viandes et laitages) sont encore plus dénaturés que les végétaux. Les vaches et les porcs sont élevés dans d'immenses fermes industrielles, parqués dans des enclos à l'intérieur desquels ils ne peuvent bouger et ne voient jamais la lumière du jour. On les nourrit avec des aliments dont vous ne voudriez pas pour tout l'or du monde. Si vous êtes ce que vous mangez, vous êtes aussi ce que mangent les animaux que vous mangez. Dans certaines exploitations, on nourrit le bétail avec de vieux journaux sur lesquels d'autres animaux ont uriné, des mélanges d'huiles, des déchets agricoles ou les parties invendables des carcasses de leurs congénères. Avec une telle alimentation, les animaux sont généralement incapables de se défendre contre les infections, on doit donc leur administrer systématiquement des antibiotiques pour les empêcher de mourir. Aux Etats-Unis, on leur donne aussi des hormones pour les engraisser artificiellement. En revanche, la viande des animaux élevés dans des pâturages est naturellement maigre. Les graisses de ces animaux sont stables et saturées alors que celles du bétail des fermes-usines industrielles forment un étrange mélange de graisses insaturées et polyinsaturées, de produits chimiques et d'hormones. Les œufs des poulets et le lait des vaches élevés industriellement renferment les substances toxiques contenues dans leur alimentation.

Les xénohormones (les pesticides, par exemple) présentes dans les aliments (comme les céréales) destinés au bétail se concentrent dans les tissus adipeux ; vous en absorbez donc d'importantes quantités lorsque vous mangez des viandes grasses. Voilà pourquoi il est essentiel de consommer, dans la mesure du possible, de la viande, des œufs et des produits laitiers biologiques. Si votre budget ne vous permet pas de manger uniquement biologique, achetez au moins de la viande, des œufs et des laitages issus de l'agriculture biologique.

Si vous buvez du lait, assurez-vous qu'il provient de vaches auxquelles on n'a pas administré une hormone de croissance, appelée rBGH, destinée à accroître la production de lait. Le lait de ces animaux contient d'importantes quantités de pus (signe d'une infection) et nous ignorons totalement les conséquences à long terme de l'usage de cette hormone.

L'étiquetage du lait devrait mentionner que le produit acheté est exempt de rBGH ou alors cette indication devrait figurer dans les rayons de produits laitiers.

∿ SOIGNEZ-VOUS AVEC LES LÉGUMES

Un grand nombre de phytochimiques (ou composés végétaux) permettent de rester en bonne santé. On estime à plus de dix mille les composés végétaux présents dans les plantes que nous mangeons. Les phytœstrogènes font partie des phytochimiques ; ils ont une faible action analogue à celle des œstrogènes. Comme ils entrent en compétition au niveau des récepteurs des œstrogènes, ils inhibent l'excès d'œstrogènes. Le soja est, à l'heure actuelle, la source la mieux connue de phytœstrogènes ; il contient aussi des composés utiles pour lutter contre le cancer. Si vous consommez divers légumes frais et, deux ou trois fois par semaine, des produits à base de soja, vous bénéficierez des bienfaits de ces phytœstrogènes. De nombreuses plantes sont riches en phytœstrogènes, notamment la racine de réglisse, l'anis, le fenouil et le *black cohosh*[7].

Méfiez-vous du battage médiatique fait autour du soja. Bien qu'il contienne des composés en mesure de faciliter l'équilibre hormonal, il ne constitue pas pour autant une solution miracle. Certains de ses composés bloquent l'absorption digestive de nutriments indispensables comme le zinc et d'enzymes nécessaires à la production d'autres nutriments. Ils inhibent aussi le fonctionnement de la thyroïde et l'assimilation des protéines. De nombreuses personnes sont allergiques au soja et les femmes particulièrement sensibles aux œstrogènes peuvent mal réagir à cette légumineuse.

Les méthodes asiatiques traditionnelles utilisées pour fabriquer des produits fermentés à base de soja – tofou,

---

7. *Black cohosh* (*Cimicifuga racemosa*), renonculée originaire de l'Est américain.

tempeh, miso – éliminent la plupart des toxines du soja et permettent à l'organisme de profiter pleinement des phytochimiques bénéfiques. Le tofou et le tempeh sont des protéines quasiment complètes et, en tant que telles, représentent une excellente alternative pour ceux qui ne consomment pas de viande. Le miso dilué dans de l'eau chaude avec des algues comme le kombu ou le nori peut servir de base à une soupe ou à une boisson. Pour contrebalancer les côtés négatifs du soja, le docteur David Zava recommande de manger les produits à base de soja et le tofou comme le font les Asiatiques, c'est-à-dire avec du poisson et des algues riches en minéraux.

Les laits de soja et les protéines de soja en poudre ne font pas partie de la même catégorie d'aliments que le soja fermenté. Consommez-les avec modération. Il y a de fortes chances que les toxines du soja soient plus concentrées dans ces produits ; ils risquent donc de vous faire plus de mal que de bien à long terme.

Ne mangez pas du soja trois fois par jour, ni même quotidiennement. Cela irait à l'encontre d'une alimentation équilibrée. Contentez-vous de consommer cette légumineuse deux ou trois fois par semaine et trouvez le reste des phytochimiques dont vous avez besoin dans les fruits et les légumes frais.

Certains phytochimiques permettent de combattre efficacement le cancer. Ainsi s'explique que les personnes qui consomment beaucoup de légumes ont un taux nettement plus bas de cancers de tout type. Voici une liste de quelques végétaux connus pour leur action anticancéreuse.

Quelques phytochimiques présents dans les aliments et leur rôle anticancéreux		
Aliments végétaux	**Substance chimique**	**Action dans l'organisme**
Brocoli	Sulforaphane	Elimine les carcinogènes de la cellule en augmentant l'activité enzymatique
	Phénétyle isothiocyanate	Se lie aux enzymes qui, sinon, lieraient les carcinogènes à l'ADN
Brocoli, chou-fleur, chou	Indol-3 carbi-nol	Permet à un précurseur des œstrogènes d'évoluer vers une forme bénigne plutôt que vers une forme cancéreuse
Agrumes	Flavonoïdes	Empêche les hormones occa-sionnant le cancer de prendre possession de la cellule
Oignon et ail	Allylique sul-furée	Détoxique des carcinogènes
Piments	Capsaïcine	Empêche les molécules toxiques de se combiner à l'ADN
Soja	Génistéine	Prévient la croissance de nou-veaux vaisseaux sanguins des cellules cancéreuses, nécessaires à la croissance de la tumeur
Tomate	Acide p-coumarique Acide chlorogénique	Interrompent l'union chimique de deux constituants courants de la cellule. Cette union pouvant produire des carcinogènes comme, par exemple, la nitrosamine

∾ IL N'Y A PAS MIEUX QUE LES FIBRES POUR DÉTOXIQUER ET RÉGULARISER L'ORGANISME

Les fibres dont notre organisme a besoin se trouvent dans les membranes cellulaires des plantes. Leur rôle ne se limite pas à un bon coup de balai pour faciliter les mouvements de l'intestin. Elles fournissent aussi des nutriments aux bactéries bénéfiques qui vivent dans le système digestif.

La cellulose, présente dans la plupart des aliments végétaux, retient les liquides du système digestif, ce qui facilite et rend plus fréquente l'élimination. D'autres types de fibres forment des gels à l'intérieur desquels est emprisonné l'excédent de cholestérol ingéré si bien que celui-ci n'est pas absorbé par l'organisme. Les fibres des haricots et celles qui entourent la couche interne et humide des graines ont de puissantes propriétés anti-cholestérol. Ainsi, la lignine est décomposée en constituants qui ont un effet protecteur contre le cancer.

On sait aujourd'hui que de nombreuses maladies sont dues à une alimentation pauvre en fibres. L'hypertension, les maladies cardiaques, les varices, les diverticules (poches douloureuses du côlon), le syndrome de l'intestin irritable, la constipation, le cancer du côlon, la maladie de Crohn (grave inflammation chronique du côlon) et les hémorroïdes (varices du rectum), pour ne citer qu'eux, pourraient être évités grâce à un régime riche en fibres.

En cas de constipation, les déchets séjournent plus longtemps dans le côlon, les xénœstrogènes qu'ils contiennent sont réabsorbés, ce qui entraîne une surcharge en œstrogènes toxiques. Si vous allez à la selle au moins une fois par jour, vous éliminez les toxines de votre organisme au lieu de les réabsorber.

Une alimentation riche en fibres préserve les bactéries « amies » du côlon comme le *Lactobacillus*. Ces dernières empêchent la prolifération des levures et bactéries productrices de toxines. (Nous reviendrons sur ce sujet lorsque nous aborderons la candidose.)

Un herbivore sauvage de notre taille consomme 30 à 60 g de fibres par jour. L'être humain n'en consomme en moyenne que 10 g. Pour rester en excellente santé, il faut compter au moins 30 g de fibres par jour. Si vous mangez des aliments complets, cela vous sera facile. En outre, avec un régime alimentaire riche en fibres, vous serez plus vite rassasiée, vous mangerez moins et perdrez sans doute quelques kilos.

Si malgré une alimentation riche en fibres, vous n'allez pas à la selle une fois par jour, vous pouvez prendre du psyllium. Essayez le Metamucil ou une autre marque, après avoir vérifié que le produit que vous achetez ne contient ni colorant ni édulcorant. Vous pouvez aussi acheter du psyllium en vrac dans un magasin diététique. Diluez une à trois cuillères à café de psyllium dans un grand verre d'eau que vous boirez d'un trait ou diluez la même quantité dans un demi-verre d'eau et buvez un second verre d'eau ensuite. Troisième possibilité : utilisez du son de riz mélangé à votre alimentation.

ᗰ IDENTIFIER ET ÉLIMINER LES PROBLÈMES ALIMENTAIRES

Jennifer était une entraîneuse sportive cotée, elle s'exerçait tous les jours, suivait un régime strictement végétarien et utilisait des compléments alimentaires. Néanmoins, dès la première consultation, le docteur Hanley se rendit compte que malgré son corps athlétique, sa patiente avait des problèmes de santé. La peau de Jennifer était pâle et couverte de taches, elle semblait exténuée, avait du mal à respirer et toussait à s'arracher les poumons.

« Je ne sais plus quoi faire, confia-t-elle au docteur Hanley. Je souffre d'asthme depuis la fin de mes études, c'est-à-dire depuis cinq ans. Je n'en avais jamais eu auparavant. Lorsque je me suis mariée et que je suis devenue végétarienne, j'ai eu pour la première fois des difficultés respiratoires au cours de mon footing matinal. Depuis, cela n'a fait qu'empirer.

Maintenant, le simple fait de descendre la rue provoque une crise et j'utilise si souvent mes inhalateurs qu'ils ne me font presque plus d'effet. »

Deux fois par an, avec une régularité métronomique, Jennifer avait une bronchite et sa dernière crise d'asthme avait été si grave qu'elle avait été admise au service des urgences en pleine nuit. Suite à des tests nombreux et coûteux, elle avait découvert qu'elle était allergique à presque tous les pollens, aux poils de chat et de chien et aux acariens de la poussière. Elle souffrait d'eczéma, de dépression, de ballonnements, de constipation et d'hémorroïdes. Elle avait de plus en plus de difficultés à se lever, besoin de boire deux tasses de café le matin et une dans l'après-midi. Son médecin voulait lui prescrire des médicaments stéroïdiens et du Prozac mais Jennifer avait décidé de se soigner autrement.

Après l'avoir questionnée sur son régime alimentaire, le docteur Hanley s'aperçut que, même si Jennifer consommait des légumes, des légumineuses et des fruits, la base de son alimentation était le blé. Elle mangeait du pain à chaque repas et certains jours, uniquement des produits à base de froment jusqu'au dîner. Jennifer était aussi très stressée. Elle tenait à assumer ses responsabilités familiales et professionnelles et subvenait aux besoins du ménage afin que son mari puisse terminer ses études universitaires. Même lorsqu'elle souffrait d'une crise d'asthme, elle continuait à enseigner et à s'entraîner. Elle essayait de tenir le coup à grand renfort de cafés et d'inhalateurs, ce qui ne faisait qu'accroître sa nervosité.

Lorsque le docteur Hanley lui recommanda d'ajouter quelques protéines animales à son régime végétarien, Jennifer eut un rire gêné. « Jamais mon mari ne l'acceptera ! Il refuse qu'il y ait des œufs, des produits laitiers ou de la viande à la maison. Il faudra que je sorte en douce et que je mange ailleurs. » Comme elle semblait décidée à se soigner, le docteur Hanley lui demanda de renoncer pendant quelques semaines aux aliments à base de blé et de les remplacer par des aliments complets et du poisson qu'elle mangerait deux ou trois fois par semaine au restaurant à l'heure du déjeuner. Jennifer accepta aussi de ne plus boire de café. Le docteur Hanley lui prescrivit des enzymes digestives, du chlorhydrate de bétaïne, de la quercétine, un complexe de vitamines B et de l'hydrocortisone naturelle à prendre au moment des repas en plus de ses compléments alimentaires habituels. (Nous reviendrons sur les compléments alimentaires à la fin de ce chapitre et sur l'hydrocortisone dans le chapitre 17.)

Lorsque Jennifer revint consulter le docteur Hanley six semaines plus tard, elle était méconnaissable. Ses traits étaient détendus, sa peau lisse et elle n'haletait plus. Son énergie semblait totalement différente : plus régulière et plus soutenue. Les allergies nasales et les démangeaisons oculaires avaient pratiquement disparu et elle respirait plus librement. Son visage n'était plus bouffi. « Je ne m'inquiète même plus des chats qui vivent dans la maison, avoua-t-elle. Ils pourraient dormir près de moi si je voulais. Je fais davantage de yoga et de méditation. Grâce à vous, j'ai l'impression d'avoir pris un nouveau départ dans la vie. »

Le régime alimentaire à base de blé de Jennifer avait occasionné un état inflammatoire dans l'ensemble de son organisme et elle avait développé des allergies si nombreuses que son système immunitaire était devenu incapable de faire la différence entre les substances sans danger et celles contre lesquelles il devait se défendre, qu'il s'agisse des pollens, de la poussière, des aliments ou de la pollution. A cause des effets cumulatifs d'un stress excessif, ses voies respiratoires étaient hypersensibles à n'importe quel stimulus. Comme cette situation durait depuis des années, Jennifer avait épuisé ses réserves d'énergie et aggravé encore le problème en utilisant le café et les inhalateurs pour se requinquer.

Pendant ses vacances, elle se remit à manger des aliments à base de blé plusieurs fois par jour. Aussitôt, son corps se vengea et les symptômes réapparurent. Elle cessa de consommer du blé pendant six mois et aujourd'hui, elle peut en manger une ou deux fois par semaine sans avoir de problèmes.

La majorité des médecins ignorent tout des allergies alimentaires. Ils pensent que c'est de la blague bien qu'ils soient incapables de soigner des maladies dues à des allergies alimentaires comme le syndrome de l'intestin irritable, la maladie de Crohn, la colite, l'eczéma, l'acné, la fibromyalgie, l'arthrite et la dépression. Leur attitude n'a rien de surprenant puisque les études médicales font pratiquement l'impasse sur la nutrition. En général, les allergies alimentaires ne vous feront pas couler le nez et ne vous irriteront pas les yeux comme le font les pollens ; elles ne provoqueront pas de poussées d'urticaire ni d'œdème exigeant une hospitalisation d'urgence. Ces réactions allergiques précises et immédiates sont faciles à diagnostiquer et renvoient à des allergisants spécifiques comme les pollens, les acariens de la poussière ou les piqûres d'abeille. Certains aliments (les fraises, les fruits de mer, les cacahouètes et les produits laitiers) peuvent induire des réactions allergiques immédiates. Il n'est pas rare que les enfants soient victimes de ce genre d'allergie alimentaire mais, dans la plupart des cas, ils les surmontent facilement.

En revanche, Jennifer souffrait d'une allergie alimentaire différée. Dans ce cas, la réponse à l'allergisant est lente, prolongée et difficile à localiser tant que l'on n'a pas éliminé les aliments potentiellement problématiques afin d'observer si les symptômes disparaissent. Ces derniers sont diffus, apparaissent graduellement, après avoir consommé quotidiennement pendant des années les aliments auxquels vous êtes sensibilisée (c'est-à-dire : allergique). Une allergie alimentaire peut affecter la digestion, les muscles, les articulations, l'équilibre émotionnel, le tonus, la peau, les poumons, l'équilibre hydrique et occasionner des maux de tête, des éruptions cutanées, des douleurs articulaires et musculaires, de la fatigue, des rhumes des foins, de l'asthme, une mauvaise absorption des nutriments et de la dyspepsie. Il est frappant de constater que tant de gens malades et fatigués en permanence s'imaginent que c'est normal et qu'il faut s'y habituer.

∿ LA CURE D'ÉLIMINATION

Si vous voulez être en pleine forme, vous devez identifier et éliminer les aliments auxquels vous êtes sensibilisée. Agir ainsi modifie le fonctionnement de l'organisme si profondément qu'il faut en avoir fait l'expérience pour le croire. Commencez par noter tous les aliments que vous consommez pendant deux semaines, puis faites la liste de ceux que vous consommez quotidiennement ou plus de cinq fois par semaine. Il s'agit vraisemblablement d'aliments dont vous ne sauriez vous passer et qui satisfont vos fringales. Voici, à titre d'exemple, la liste des aliments allergisants les plus courants : produits à base de blé, maïs, agrumes, produits laitiers, légumes de la famille des solanacées (tomate, pomme de terre, poivron rouge et vert, piment de cayenne et aubergine), cacahouètes, café, œufs, bœuf. Si vous mangez surtout des aliments industriels, comme les gâteaux et les confiseries, relevez les principaux ingrédients. (La plupart de ces aliments contiennent du blé et du lait.) Si vous avez un intestin irritable – alternance de diarrhée et de constipation, gaz intestinaux douloureux et ballonnements – vous êtes sans doute allergique aux produits laitiers.

La maladie de Celiac, souvent confondue avec la maladie de Crohn, est une réaction allergique aux graines renfermant du gluten. On trouve du gluten notamment dans le blé, l'avoine, le seigle, l'orge, le quinoa, l'épeautre et l'amaranthe. Si vous êtes allergique au blé, vous l'êtes sans doute aux graines renfermant du gluten. Vous pouvez les remplacer par le riz, le maïs (mais certaines personnes ne le supportent pas), le sarrasin, le millet, le soja, la farine de pomme de terre, le tapioca et les produits à base d'arrow-root. Vous trouverez dans les boutiques diététiques un choix d'aliments sans gluten.

Les conservateurs et additifs sont irritants pour certaines personnes. Soyez attentive aux nitrates, sulfites, benzoates, aux colorants alimentaires rouges et jaunes, au MSG (glutamate de monosodium) et au BHA (butyle hydroxyanisole) ainsi qu'à tout ce qui semble fabriqué dans un laboratoire et non par la nature.

Prenez soin aussi d'éliminer les aliments allergisants qui peuvent se cacher dans les vitamines et la nourriture industrielle. En fait, au cours de la cure d'élimination, il est préférable de ne consommer aucun aliment industriel.

Lorsque vous avez dressé la liste des aliments suspects, le moment est venu de les éliminer totalement de votre régime alimentaire pendant quinze jours au moins. Durant ces deux semaines, évitez de consommer quotidiennement n'importe quel aliment ; sinon, vous risquez de créer une nouvelle sensibilisation à un aliment. Continuez à noter tout ce que vous mangez et la manière dont vous réagissez.

Il se peut que vous vous sentiez très mal pendant les trois premiers jours. Ne vous étonnez pas si vous avez des symptômes de rejet impressionnants. Lorsque l'on est allergique à un aliment, l'organisme se défend en sécrétant des substances comme l'adrénaline qui améliorent l'humeur et accroissent l'énergie si bien que nous avons tendance à devenir dépendants des aliments auxquels nous sommes le plus sensibilisés. A partir du moment où vous cessez de consommer les aliments allergisants, votre corps en profite pour se détoxiquer, ce qui entraîne des symptômes comme les maux de tête et les éruptions cutanées. Si vous êtes réellement allergique aux aliments que vous avez éliminés, vous vous sentirez mieux après quelques jours de cure.

Au bout de quinze jours, réintroduisez les aliments suspects un par un et en observant un délai de vingt-quatre heures entre chaque aliment réintroduit. Si vous observez une réaction, attendez vingt-quatre heures de plus avant de consommer un autre aliment suspect. Continuez à noter vos symptômes. Les aliments incommodants peuvent occasionner les symptômes suivants : rythme cardiaque accéléré ou irrégulier, somnolence ou fatigue, léthargie mentale, crampes d'estomac, ballonnements, gaz, diarrhée, constipation, maux de tête, frissons, sueurs, afflux de sang au visage, courbatures.

Quand vous avez réintroduit tous les aliments suspects et identifié ceux qui entraînent une réaction, éliminez-les de votre régime alimentaire pendant deux mois minimum ou six mois, si les symptômes étaient importants. Le moment venu, réintroduisez les aliments incriminés en les mangeant à jeun et attendez au moins une heure avant de manger autre chose. Si vous avez à nouveau une réaction allergique, attendez six mois encore avant d'essayer à nouveau. A la longue, vous pourrez consommer ces aliments de temps à autre mais si vous recommencez à en manger chaque jour, il y a de grandes chances que l'allergie réapparaisse. Les personnes souffrant d'allergies alimentaires ont tout intérêt à éviter de consommer un aliment quelconque quotidiennement.

∾ UN BON ÉQUILIBRE HORMONAL COMMENCE AU NIVEAU DU SYSTÈME DIGESTIF

Si vous souffrez de dyspepsie, de brûlures d'estomac, de gaz, de ballonnements ou de constipation, il y a fort à parier que votre système digestif a besoin d'un coup de main. Mais cela ne veut pas dire prendre du Tagamet. Dans certains cas, il suffit de consommer des aliments complets et d'éviter les allergisants alimentaires.

Les brûlures d'estomac ne sont pas dues à un excès d'acidité gastrique mais provoquées par une digestion trop lente et un retour des aliments dans l'œsophage. Comme ceux-ci sont maintenant mélangés à de l'acide gastrique, ils occasionnent des brûlures désagréables. Voilà pourquoi un repas trop riche en matières grasses ralentit la digestion et provoque des brûlures d'estomac. Un nombre important de personnes qui prennent du Pepto-Bismol et du Zantac pour soulager leurs symptômes souffrent en réalité d'une acidité gastrique insuffisante. Si les cellules de l'estomac sécrétantes d'acidité ne font pas correctement leur travail, les aliments séjournent trop longtemps dans cet organe. C'est le taux d'acidité de la masse des aliments digérés qui finit par déclencher le signal qui commande le passage de celle-ci dans l'intestin grêle. Quand l'acidité est insuffisante, les aliments mettent plus de temps à quitter l'estomac.

Si vous avez des troubles digestifs chroniques (renvois, ballonnements, pesanteur ou brûlures d'estomac) vous ne fabriquez sans doute pas suffisamment d'acide gastrique. Parfois, le problème peut être résolu en buvant un verre d'eau une demi-heure avant le repas afin de stimuler la sécrétion d'acide gastrique. Une cuillère à café de vinaigre de cidre dans un tiers de tasse d'eau ou 500 mg de vitamine C en poudre dilués dans un verre d'eau, pris juste avant le repas, auront le même effet. Vous pouvez aussi essayer le chlorhydrate de bétaïne, complément qui contient les mêmes acides que ceux fabriqués par l'estomac. Prenez entre 2 et 20 granules, en augmentant la dose progressivement, ou suivez la posologie indiquée sur le flacon. Si vous ressentez des brûlures d'estomac après la prise de ce complément, la dose est trop forte. N'utilisez pas de chlorhydrate de bétaïne lorsque vous souffrez d'un accès de brûlures d'estomac ou si vous avez un ulcère gastrique.

Au moment où les aliments traversent l'intestin grêle, le pancréas sécrète des enzymes. Leur action se conjugue à celle des enzymes présentes d'une manière naturelle dans les aliments crus afin de décomposer les protéines, lipides et glucides en la plupart de leurs composants (acides aminés, acides gras libres et glucose). Au cours de ce processus, des vitamines et des minéraux nécessaires à l'absorption digestive sont aussi libérés. Si le pancréas ne libère pas assez d'enzymes, les aliments ne sont pas décomposés complètement ou absorbés correctement. Dans ce cas, vous devriez retrouver une quantité importante d'aliments non digérés dans vos selles.

Certains problèmes digestifs sont occasionnés par une intolérance au lactose, protéine présente dans le lait. Les personnes intolérantes au lactose ne fabriquent pas de lactase, enzyme nécessaire à la décomposition du lactose. Faute de cette enzyme, les molécules de lactose traversent le système digestif sans être digérées et fermentent dans le côlon sous l'action de bactéries, ce qui provoque des gaz, des ballonnements et de la diarrhée. Voilà donc ce qui arrive quand votre organisme ne fabrique pas les enzymes nécessaires.

Essayez un complément d'enzymes digestives contenant : protéase, amylase, lipase, cellulose et lactase (si vous consommez des produits laitiers). Certains compléments enzymatiques renferment aussi de la papaïne et de la bromeline (deux enzymes extraites respectivement du latex de papayer et de l'ananas). Prenez ces compléments en suivant la posologie indiquée.

⌇ LA CANDIDOSE EXISTE BEL ET BIEN

Nous avons déjà mentionné brièvement les bactéries « amies ». Ces bactéries, encore appelées probiotiques, fabriquent certaines vitamines B et certains acides gras ; elles constituent aussi la défense de l'organisme contre la prolifération d'une levure (*Candida albicans*) et un nombre quasiment infini d'autres bactéries hostiles et de virus exogènes. Les candidas se développent d'une manière naturelle dans l'intestin grêle et le côlon et ne présentent aucun danger tant qu'ils ne prolifèrent pas. En cas de consommation régulière de sucre et de farine raffinés – les aliments favoris des levures – ils se développent d'une manière incontrôlée, occasionnant une prolifération de levures dans le vagin et le système gastro-intestinal (candidose). Si vous avez pris beaucoup d'antibiotiques dans votre vie, vous êtes plus exposée à souffrir de candidose. Les antibiotiques tuent toutes les bactéries, bonnes et mauvaises, si bien que les levures peuvent se développer en toute liberté. Chaque fois que l'on vous prescrit des antibiotiques, lorsque vous avez terminé le traitement, prenez pendant deux semaines des compléments probiotiques ; ils contiennent des bactéries « amies » qui permettent de tenir les candidas en échec. Vous trouverez ces compléments dans le rayon réfrigéré des boutiques diététiques.

La plupart des femmes savent à quel point une candidose vaginale est déplaisante mais la prolifération de ces levures dans le système digestif pose aussi des problèmes. Elles créent un état inflammatoire et libèrent des toxines dans le système sanguin, qui provoquent toutes sortes de symptômes. Les symptômes de la candidose, plus encore que ceux des allergies alimentaires, tendent à se généraliser et ne sont pas assez graves pour qu'on s'en préoccupe. La fatigue, les éruptions cutanées, les troubles intestinaux, les douleurs diffuses et les allergies peuvent être rattachés à une prolifération des levures. La candidose prédispose aux allergies alimentaires. Cet état de déséquilibre peut aussi entraîner une aggravation du syndrome prémenstruel, des sautes d'humeur, de la rétention d'eau, des règles irrégulières ainsi que la stérilité et l'endométriose.

Bien souvent, les médecins conventionnels ne prennent pas la candidose au sérieux et quand ils sont confrontés à la gamme des symptômes de cette maladie, ne sachant pas comment les soigner, ils ont recours à des antidépresseurs ou des anxiolytiques combinés avec des médicaments puissants qui bloquent la sécrétion d'acide gastrique. Ce traitement ne fait qu'aggraver le problème et peut entraîner à la longue une maladie grave et un affaiblissement général.

Certains professionnels de la santé prescrivent des antifongiques puissants pour traiter la candidose mais il semble logique d'essayer, dans un premier temps, des approches plus douces comme de renforcer le système immunitaire et soutenir le système digestif. Les antifongiques pharmaceutiques peuvent avoir de nombreux effets secondaires et s'avérer nocifs pour le foie et les reins.

On soigne couramment la prolifération de candidas grâce à un régime alimentaire très strict qui consiste à supprimer les aliments liquides et solides contenant des glucides (les aliments favoris des candidas) ainsi que ceux qui aggravent la réaction excessive du système immunitaire à la prolifération de bactérie, c'est-à-dire tous les aliments fabriqués à partir de levures, comme le pain et la bière et les aliments fermentés, comme le vin et le fromage.

Si votre médecin a diagnostiqué une candidose ou si vous pensez être atteinte de cette maladie, le meilleur remède est de se défendre. Pour soutenir votre système digestif, prenez des probiotiques, mangez des aliments complets riches en fibres et cessez totalement de consommer des hydrates de carbone raffinés et du sucre. Les yaourts aux ferments actifs et le kéfir constituent d'excellentes sources de bactéries « amies ». Au moment de l'achat, vérifiez qu'ils contiennent bien des ferments vivants. Choisissez des yaourts entiers, ne contenant aucun sucre caché, et ajoutez-y des fruits. Si vous utilisez des probiotiques, conservez-les dans votre réfrigérateur et prenez-les à jeun, en vous conformant à la posologie indiquée sur la notice.

La plupart des allergies alimentaires et des problèmes digestifs sont imputables aux déficiences nutritionnelles, à la suralimentation, à la consommation d'aliments contenant des toxines et à la prise fréquente d'antibiotiques. Les cellules qui fabriquent les acides digestifs et les enzymes ont trop à faire. Comme il leur manque les nutriments dont elles auraient besoin pour assimiler les importants apports alimentaires de l'Américain moyen, elles ne peuvent tenir le coup à long terme sans être épuisées ou même endommagées.

Il en va de même pour la délicate muqueuse de l'intestin grêle. Dans les circonvolutions de ce long tube, les nutriments sont absorbés à travers des millions de saillies filiformes, semblables à des doigts minuscules, appelées villosités. Une alimentation carencée, l'usage intempestif de médicaments anti-inflammatoires non stéroïdiens comme l'aspirine et l'ibuprofène, les antibiotiques et l'infection contribuent à créer un état appelé « intestin poreux » qui, d'après le docteur Hanley et d'autres tenants de la médecine alternative, est endémique aux Etats-Unis. La muqueuse intestinale est criblée de trous microscopiques à travers lesquels les toxines passent dans le sang et qui bloquent la capacité d'absorption des nutriments des villosités. Quand des particules d'aliments non digérés et des toxines pénètrent dans le sang, le système immunitaire attaque.

L'intestin poreux est vraisemblablement la cause la plus fréquente des allergies et de l'arthrite. Pour soigner cet état, il faut suivre les différentes étapes que nous avons indiquées : consommation d'aliments complets, élimination des aliments posant problème et consommation abondante d'eau. Vous pouvez également prendre quatre fois par jour maximum 500 mg de glutamine, acide aminé qui est le combustible favori de la muqueuse intestinale. Mangez abondamment des poissons vivant en eaux profondes et des légumes frais qui vous fourniront des huiles aux vertus anti-inflammatoires.

ᄼ PROGRAMME DE COMPLÉMENTS ALIMENTAIRES DE LA PRÉMÉNOPAUSE

La plupart des gens peuvent bénéficier d'un bon complexe vitaminé. Même si vous avez une alimentation saine, les vitamines vous protégeront des carences nutritionnelles, des toxines de l'environnement et du stress quotidien.

Si vous ne supportez pas les complexes vitaminés, ne vous sentez pas obligée d'en prendre. Votre corps possède sa propre sagesse ; mieux vaut lui faire confiance que de suivre un conseil nutritionnel général. De nombreuses polyvitamines sont en partie contaminées par les sous-produits de fabrication, les liants et les enrobages et il est très possible que vous réagissiez à ces composants. Parfois, c'est l'odeur des vitamines B qui est en cause. Si cette odeur vous répugne, prenez vos vitamines séparément ou choisissez un produit ne contenant pas de levure, laquelle a souvent une odeur nauséabonde. Vous pouvez, par exemple, prendre un bon antioxydant et un bon complément associant plusieurs minéraux. Si l'odeur d'un complexe de vitamines B ne vous gêne pas, vous en avez certainement besoin. Certaines personnes sont allergiques à la vitamine C. Dans ce cas, choisissez un antioxydant ne contenant pas de vitamine C.

Les vitamines et les minéraux sont conditionnés sous toutes les formes possibles et imaginables. Si vous n'aimez pas avaler des comprimés ou des gellules, achetez des vitamines liquides ou en poudre. Vous pouvez aussi les inhaler, les placer sous la langue ou les frotter sur la peau. Faites l'expérience et déterminez ce qui vous convient le mieux.

Il y a tant de complexes vitaminés sur le marché qu'il peut s'avérer difficile de choisir mais les conseils que nous allons vous fournir pourront vous aider. En général, les vitamines vendues en supermarché sont à éviter car elles sont faiblement dosées – vérifiez donc les dosages. Assurez-vous que les comprimés sont effectivement solubles dans l'eau. Si ceux-ci ne sont pas dissous au bout de quinze minutes, changez de marque.

➤ LES VITAMINES

En ce qui concerne les dosages, vous serez sans doute amenée à faire des essais avant de découvrir ce qui est adapté à votre cas personnel. Vous devriez trouver un complexe vitaminique qui contient tous ces nutriments aux doses recommandées.

Bêtacarotène/Caroténoïdes

Prendre 10 000 à 15 000 UI de bêtacarotène par jour. Les caroténoïdes sont des antioxydants très actifs présents dans les fruits et les légumes colorés, plus particulièrement ceux de couleur jaune, orange et rouge. Le bêtacarotène est un important caroténoïde dont une part est convertie en vitamine A au niveau de l'organisme. Contrairement à la vitamine A, le bêtacarotène est soluble dans l'eau si bien que les quantités excédentaires sont éliminées dans les urines. Prenez toujours du bêtacarotène associé à d'autres caroténoïdes et antioxydants, dont la vitamine E, car il est prouvé que, pris seul, il peut être dangereux. Ce qui semble logique puisque, dans la nature, le bêtacarotène est toujours lié à des centaines d'autres composants. Chez la femme, on trouve les concentrations de bêtacarotène les plus élevées au niveau des ovaires. C'est là un signe de son effet protecteur. Mangez des carottes ! Et choisissez un complexe vitaminé contenant des caroténoïdes.

Vitamine A

Prendre 5 000 à 10 000 UI de vitamine A par jour (en plus des caroténoïdes). Cet antioxydant est liposoluble et des réserves peuvent être emmagasinées dans le foie pendant une longue période. Mais cela implique aussi que si l'on prend, à long terme, plus de 10 000 UI par jour, cette concentration trop élevée devient toxique. La vitamine A aide l'organisme à lutter contre les infections et accélère la cicatrisation des blessures. Si vous souffrez d'une infection, vous pouvez prendre jusqu'à 50 000 UI pendant une semaine maximum sauf si vous êtes enceinte. N'ayez pas peur néanmoins de la vitamine A pendant une grossesse : des doses adéquates sont indispensables pour mettre au monde un bébé en bonne santé. Pour une femme enceinte, la dose maximale est de 10 000 UI par jour. Le poisson, la viande et le poulet sont naturellement riches en vitamine A.

Vitamine B

Les vitamines B suivantes devraient être prises quotidiennement.
    Biotine : 100 à 300 µg (microgrammes)
    Choline : 50 à 100 mg
    Acide folique/folate/folacine : 400 à 800 µg

Inositol : 150 à 300 mg

Niacine (B3) : 20 à 25 mg

Acide pantothénique (B5) : 50 à 100 mg

Pyridoxine (B6) : 25 à 50 mg

Riboflavine (B2) : 25 à 50 mg

Thiamine (B1) : 25 à 50 mg

Vitamine B12 : 1 000 à 2 000 µg

C'est généralement au cours de la préménopause que les femmes sont le plus stressées. Comme elles travaillent ou élèvent leurs enfants ou font les deux, elles épuisent rapidement leurs réserves. Les vitamines B jouant un rôle important dans le système qui permet d'amortir le stress, vous pouvez ajouter un complexe de vitamines B aux polyvitamines lorsque vous êtes particulièrement stressée.

Les vitamines B exercent de multiples fonctions, notamment au niveau du cerveau, de la régulation de l'humeur, de la transformation des aliments en énergie à l'intérieur des cellules et de la neutralisation de l'homocystéine, sous-produit toxique du métabolisme des protéines. De fortes concentrations d'homocystéine endommagent les parois des vaisseaux sanguins et constituent un facteur de risque substantiel, d'apparition récente, des maladies cardiaques.

Les vitamines B, et tout particulièrement la vitamine B6, sont des cofacteurs enzymatiques qui transforment une hormone en une autre. Une carence en vitamine B6 et en acide folique peut contribuer à une hyperplasie du col utérin et une carence en acide folique a de fortes incidences sur le cancer du côlon. Tout au long de la grossesse et même à son tout début, une carence en acide folique peut occasionner des défauts du tube neural. Cette vitamine est donc indispensable pour toutes les femmes qui risquent de tomber enceinte.

L'acide pantothénique et l'inositol jouent un rôle essentiel dans la régulation de la glycémie, le contrôle des allergies, l'arthrite et la production d'énergie au niveau cellulaire.

Sauf lorsqu'il s'agit de traiter un problème de santé spécifique, les vitamines B devraient être prises en totalité (sous forme de complexe de vitamines B) car l'apport d'une seule d'entre elles peut déséquilibrer les autres. La pratique erronée consistant à éliminer les vitamines B de la farine de blé au cours du raffinage, puis à en réintroduire certaines, entraîne indubitablement de multiples problèmes de santé – et représente une raison supplémentaire de consommer des céréales complètes.

Les céréales complètes, la viande et particulièrement le foie sont les principales sources de vitamines B mais on en trouve aussi, en moindre quantité, dans la plupart des aliments. (Comme le foie concentre les toxines, assurez-vous que celui que vous consommez est biologique.) Lorsque l'on est végétarien, on risque de manquer de vitamine B12 ; il faut donc recourir à des compléments quand on ne ne mange pas de viande ou de produits laitiers. Il suffit parfois d'un complément de chlorydrate de bétaïne pour accroître l'acidité gastrique et permettre la conversion de la vitamine B12 au niveau de l'estomac. Comme les symptômes d'une carence en vitamine B12 peuvent tarder à se manifester, mieux vaut s'entourer de garanties et prendre un complément de bétaïne si l'on craint de souffrir d'un manque d'acidité gastrique.

Vitamine C

Prendre 500 à 1 000 mg de vitamine C par jour. Ce nutriment antioxydant a fait la une depuis des décennies, très exactement depuis que les recherches de Linus Pauling ont permis de découvrir ses effets étonnants sur le renforcement du système immunitaire. La vitamine C est aussi un composant important du collagène, protéine de la substance intracellulaire du tissu conjonctif. Comme elle est hydrosoluble, vous éliminez les quantités non nécessaires. Lorsque l'on est malade ou stressé, on a besoin de quantités plus importantes de vitamine C. Il est bon d'avoir toujours à portée de main un flacon de vitamine C (soit sous sa forme estérifiée soit sous forme d'ascorbate de calcium ou de magnésium) afin d'en prendre quand on se sent abattu ou en cas de coup de pompe. Si vous êtes particulièrement stressée ou malade, vous pouvez prendre jusqu'à 10 000 mg par jour. Si cela vous donne la diarrhée, diminuez la dose. On trouve des quantités appréciables de vitamine C dans les agrumes, les tomates, les pommes de terre, les mangues, les kiwis et les poivrons rouges. La vitamine C ayant une durée de vie courte et étant détruite par la chaleur, voici encore une bonne raison de consommer des aliments crus et frais.

Vitamine D

Prendre 100 à 400 UI de vitamine D par jour. La vitamine D s'apparente davantage à une hormone qu'à une vitamine et a de nombreux effets sur l'organisme. Même si l'on synthétise un peu de vitamine D lorsqu'on s'expose au soleil, il est néanmoins conseillé de compléter cet apport quand on est une femme et pendant l'hiver. Si vous vivez sous un climat nordique et pluvieux ou si vous êtes végétarienne, prenez des doses plus élevées. Dans la mesure du possible, exposez-vous au soleil un quart d'heure par jour sans lunettes de soleil et sans écran protecteur. Les propriétés de la vitamine D ne sont pas encore toutes connues mais nous savons qu'elle interagit avec le calcium et le phosphore afin de construire des os sains et solides.

Etant liposoluble, la vitamine D peut atteindre des concentrations toxiques si elle est prise à de trop hautes doses à long terme. Le poisson constitue la meilleure source de vitamine D et le lait de vache (qui, en général, n'est pas recommandé sauf pour les veaux) est renforcé en vitamine D.

Vitamine E

Prendre 200 à 400 UI de vitamine E par jour. Les rôles multiples de cet antioxydant liposoluble font, actuellement, l'objet de nombreuses recherches. La vitamine E empêche les radicaux libres d'endommager les cellules et renouvelle les antioxydants et les vitamines B « dépensées » par l'organisme. Elle fluidifie le sang d'une manière naturelle, guérit les seins fibrokystique et l'œdème et renforce la paroi des vaisseaux sanguins. De nombreux travaux ont démontré que la vitamine E protégeait contre les crises cardiaques et l'embolie. Elle occupe une place prépondérante dans le traitement du SPM. On trouve de la vitamine E dans les céréales complètes, les légumes et les noix. Notre alimentation à base d'hydrates de carbone raffinés a entraîné une épidémie de carences en vitamine E. Cette vitamine est détruite au cours de la transformation des aliments et par la lumière. Administrée sous forme de complément alimentaire, elle est bénéfique pour quasiment la totalité des gens.

∾ LES MINÉRAUX

Pour que les minéraux puissent pénétrer à l'intérieur de la cellule et en sortir il faut que la membrane cellulaire soit saine. L'équilibre nécessaire à ces opérations est délicat. Des concentrations trop élevées d'œstrogènes associées à la prise de progestatifs de synthèse portent atteinte à l'activité des membranes cellulaires alors que la progestérone naturelle est bénéfique à ces membranes et permet de restaurer un équilibre des minéraux normal. Un traitement quotidien à base de compléments minéraux comprendra du bore, du calcium, du chrome, du cuivre, du magnésium, du manganèse, du sélénium, du vanadyle sulfate et du zinc.

Bore

Prendre 1 à 5 mg de bore par jour. Bien que nous ne connaissions pas exactement le mode d'action de cet oligoélément, nous savons qu'il joue un rôle dans le maintien de la bonne santé des os.

Calcium

Prendre 300 mg de calcium par jour en association avec du magnésium. Quatre-vingt-dix neuf pour cent du calcium présent dans l'organisme sont utilisés pour la construction de l'os et des dents. Le calcium ne peut pénétrer à l'intérieur de l'os sans l'aide d'autres sustances, les plus importantes étant le magnésium et la vitamine D. Le 1 % de calcium restant joue un rôle indispensable dans la construction des nerfs, la contraction musculaire, la régulation du rythme cardiaque et de la tension, la coagulation sanguine et le fonctionnement de la thyroïde. Contrairement à ce qu'affirment les publicités de l'industrie laitière, le lait est une faible source de calcium car il manque à cet aliment le magnésium nécessaire à la pénétration du calcium à l'intérieur de l'os. En outre, le lait favorise les maladies cardiaques. Aussi bien le docteur Lee que le docteur Hanley recommandent d'éviter le lait. Le tofou (lait de soja coagulé et pressé), les haricots à œil noir (ou pois du Brésil), les légumes à feuilles vertes et le brocoli constituent de bonnes sources de calcium.

Chrome

Prendre 200 à 400 µg de chrome par jour. Cet oligoélément maintient constant le taux de glucose du sang et permet donc de lutter contre les envies de sucre et d'hydrates de carbone raffinés. Il participe aussi à la fabrication de nutriments nécessaires comme le cholestérol et les acides gras. On le trouve à l'état naturel dans les champignons, le bœuf, les betteraves, le foie et les céréales complètes. Une alimentation à base de produits industriels allégés occasionne souvent une carence en chrome.

Cuivre

Prendre 1 à 5 mg de cuivre par jour. Le cuivre intervient à plusieurs niveaux dans l'organisme. Citons notamment : la cicatrisation des blessures ; le transport de l'oxygène sanguin (en tant que composant de l'hémoglobine) ; le maintien de l'intégrité des nerfs, de la peau et des os. On le trouve dans les produits de la mer, les haricots, les amandes, les céréales complètes et les légumes à feuilles vertes.

Les femmes dominantes en œstrogènes doivent savoir qu'un usage à long terme de contraceptifs (pilule, injection), d'œstrogènes et de progestatifs a pour effet secondaire d'entraîner une perte du zinc et une rétention de cuivre. Ces deux minéraux agissent en tant que coenzymes impliquées dans la fabrication des neurotransmetteurs au niveau cérébral. Un déséquilibre zinc/cuivre peut provoquer des sautes d'humeur et affaiblir les réactions au stress. Un excès de cuivre chronique occasionne des épisodes psychotiques. Ce déséquilibre a été noté pour la première fois par le docteur Ellen Grant, spécialiste des hormones, et d'après le docteur Lee, c'est lui qui transforme l'irritation du SPM en accès de rage incontrôlés.

Magnésium

Prendre 400 à 600 mg de magnésium (chélaté) chaque soir au coucher. Cet oligoélément est impliqué dans la quasi-totalité des processus physiologiques. Il représente 0,05 % du poids corporel et fait partie aussi bien de l'os que de tous les autres tissus. Calcium et magnésium ont besoin l'un de l'autre pour remplir leurs fonctions respectives. Le magnésium a été utilisé avec succès en injections intraveineuses dans le traitement de l'arythmie cardiaque, l'hypertension, l'insuffisance cardiaque, l'asthme, la fibromyalgie et le syndrome de la fatigue chronique. Pris à hautes doses par voie orale, c'est aussi un laxatif efficace. La plupart des Américains sont gravement carencés en magnésium, oligoélément que l'on trouve dans les noix, les graines, les figues, le maïs, les pommes, le lait et les germes de blé.

Le magnésium est impliqué dans l'activité de la plupart des hormones. Pour soulager les migraines, il suffit souvent de prendre 400 à 800 mg de magnésium par jour.

Si vous souffrez d'asthme, de crampes musculaires chroniques ou d'hypertension, si vous avez de nombreux facteurs de risque d'ostéoporose ou de maladie cardiaque, prenez 400 mg de magnésium le matin et à nouveau 400 mg le soir – à condition que ces doses ne provoquent pas de diarrhées.

Ce complément est bénéfique quasiment pour tout un chacun.

Manganèse

Prendre 5 à 20 mg de manganèse par jour. Pour accomplir leur travail, les vitamines B et la vitamine C ont besoin de manganèse. Cet oligoélément facilite la production hormonale des ovaires et de la thyroïde et participe à la synthèse des hydrates de carbone, des acides gras, du cholestérol, des protéines et des os. Le manganèse joue un rôle important dans l'équilibre hormonal et la prévention des maladies cardiaques et du diabète. Le blanc d'œuf, les légumes verts, les graines, les céréales complètes et les noix contiennent des quantités appréciables de manganèse.

Sélénium

Prendre 100 à 200 µg de sélénium par jour. Cet oligoélément se comporte comme un antioxydant : de concert avec la vitamine E, il empêche l'oxydation des graisses insaturées au niveau de la circulation sanguine. Il est indispensable à la production des prostaglandines, joue un rôle dans la production d'énergie de la cellule et possède de puissantes vertus anti-cancéreuses. Comme le sélénium est aussi une substance antivirale très efficace, on peut l'utiliser à des doses plus élevées pour combattre le rhume, la grippe et prévenir les poussées d'herpès. Si vous l'utilisez d'une manière préventive, vous pouvez prendre 200 µg de sélénium deux ou trois fois par jour pendant une semaine maximum. De hautes concentrations de sélénium à long terme (plus de 1 mg par jour pendant plus de deux semaines) peuvent s'avérer toxiques. N'abusez donc pas de ce minéral.

Vanadyle sulfate

Prendre 5 à 10 mg de vanadyle sulfate par jour. Pris sous cette forme, le vanadium équilibre, lui aussi, la glycémie. Il travaille en coopération avec le chrome et renforce le processus qui permet le passage du glucose sanguin à l'intérieur de la cellule.

Zinc

Prendre 15 à 30 mg de zinc par jour. Comme nous l'avons signalé précédemment, une carence en zinc associée à un excès de cuivre peut entraîner de graves troubles de l'humeur. Les aliments à base de soja bloquent l'absorption du zinc, ce qui explique en partie que nous vous ayons déconseillé d'en consommer quotidiennement.

Le zinc est aussi un important cofacteur dans le métabolisme hormonal et agit au niveau de la quasi-totalité des tissus de l'organisme. Bien que le zinc soit présent en quantités infimes dans la plupart des aliments, c'est dans la viande, le poulet, le poisson et les produits laitiers que l'on en trouve le plus. Les végétariens qui ne consomment que des aliments végétaux (qui sont donc végétaliens) ont absolument besoin de prendre un complément de zinc.

Vous avez sans doute remarqué que le fer n'est pas cité parmi les minéraux que nous recommandons. En effet, à moins de souffrir d'anémie ou d'une carence en fer déclarée, il n'y a aucune raison de prendre un complément de fer. Un excès de fer peut s'avérer nocif en déclenchant la formation de radicaux libres. Néanmoins, si vous avez des saignements abondants au cours de vos règles pendant plus de deux mois, nous vous conseillons de faire une analyse de sang afin de vérifier votre taux de fer.

∿ AUTRES COMPLÉMENTS ALIMENTAIRES POUR L'ÉQUILIBRE HORMONAL

Mis à part les vitamines et les minéraux, il existe d'autres compléments alimentaires en mesure de contribuer à l'équilibre hormonal. L'huile de bourrache et l'huile d'onagre contiennent des acides gras essentiels agissant comme des anti-inflammatoires naturels. Si vous prenez ces huiles avant l'apparition du syndrome prémenstruel et jusqu'à la date de vos règles, les symptômes en seront atténués. Choisissez une marque qui fournisse l'équivalent de 300 mg d'acide gamma-linoléique par jour et suivez la posologie de la notice.

La quercétine est un bioflavonoïde ayant de puissants effets antioxydants et antiallergiques. Présente dans certains aliments comme les pommes vertes et les oignons, elle a été très étudiée à cause de son rôle protecteur contre le cancer et les maladies cardiaques. Prennez 250 à 500 mg de quercétine trois fois par jour, entre les repas.

Le sélénium, les baies de sureau, l'échinacée et les antioxydants vous permettront d'échapper aux rhumes et aux grippes qui vous épuisent chaque hiver – ou de lutter contre n'importe quelle infection. Prenez du sélénium (200 μg de plus que la dose habituelle contenue dans votre complément vitaminique) deux ou trois fois par jour au moment des repas ; des baies de sureau (qui contiennent des antioxydants puissants) en suivant la posologie de la notice ; de la vitamine C sous forme tamponnée (jusqu'à 10 000 mg en plusieurs prises) ; de la vitamine E (800 UI) et du bêtacarotène (25 000 UI). Cette association de nutriments renforce votre système immunitaire et lui permet de répondre rapidement aux agressions. Prenez ces compléments lorsque vous sentez que votre système immunitaire est affaibli, en voyage, par exemple, lorsque vous couvez un rhume ou une grippe ou lorsque ces maladies se sont déclarées. Ce traitement ne doit pas être prolongé au-delà de deux semaines.

L'échinacée est un plante qui stimule le système immunitaire. Il faut l'utiliser avant que le rhume ou la grippe ne se déclarent (suivez la posologie indiquée). Ensuite, elle est pratiquement sans effet.

∿ A VOUS DE JOUER

A l'heure actuelle, nous sommes tous assaillis par les toxines et victimes du stress. Même dans le meilleur des cas, notre alimentation n'est pas suffisamment riche en nutriments. Nous devons donc admettre les faiblesses de notre mode de vie actuel et faire en sorte de combler ces lacunes. Il ne s'agit pas de s'obséder sur l'alimentation et les compléments alimentaires ni de renoncer à une vie stressante mais passionnante. Mais nous devons faire tout notre possible pour nous nourrir correctement et nous protéger des agressions extérieures.

Notre organisme a besoin de véritables aliments, d'exercice et de respect. Les femmes jeunes peuvent se permettre de traiter leur corps n'importe comment mais à partir de trente ans, ce n'est plus possible. Moins une femme est consciente de la nocivité de son alimentation et de son mode de vie, plus elle aura de problèmes en période de préménopause. Offrez-vous simplement le luxe d'être attentive à ce qui vous rend malade ou contribue, au contraire, à votre bien-être. Cette attitude vous permettra de faire des choix positifs et s'avérera un excellent traitement, en soi.

Chapitre 15

---～---

EN QUOI L'EXERCICE PHYSIQUE FAVORISE-T-IL L'ÉQUILIBRE HORMONAL ?

*I*l y a cent ans, les femmes ne se souciaient pas de faire de la gymnastique. Les travaux ménagers, la préparation des repas et l'éducation des enfants les obligeaient à s'activer du matin au soir : elles marchaient, soulevaient des poids, bêchaient le jardin et sollicitaient tous leurs muscles. Que deviendrions-nous sans les plats préparés achetés au supermarché, le rayon vêtements des grands magasins et les gadgets de nos cuisines modernes ? Combien de temps vous resterait-il pour vous asseoir devant la télévision si vous deviez cultiver et préparer la nourriture de votre famille, coudre vos vêtements et élever du bétail et des animaux de basse-cour ? Une chose est sûre : vous n'auriez pas besoin d'investir des sommes folles dans un vélo d'appartement ou d'autres gadgets du même genre pour rester en forme. Vous utiliseriez votre corps pour faire ce à quoi il est destiné ; cette dépense physique constante renfor-cereait vos muscles et vos os et assouplirait vos articulations.

Les commodités de la vie moderne nous ont dispensés presque intégralement du travail physique mais cette liberté nous coûte cher. Tout se passe comme si le temps gagné grâce à ces commodités était totalement dévolu à d'autres devoirs, d'autres obligations et d'autres nécessités qui exigent que nous restions assis pendant des heures dans une voiture ou sur une chaise.

Depuis une vingtaine d'années, le manque d'exercice physique est devenu un problème majeur pour la santé publique. Etudes après études démontrent que l'absence d'activité physique augmente considérablement le risque de souffrir de la plupart des maladies, notamment les maladies cardiaques et le cancer du sein. Si vous faites régulièrement du sport, non seulement vous aurez moins de chances de mourir jeune mais vous profiterez mieux de la vie.

La population des sociétés industrialisées est devenue sédentaire. D'après l'*American Surgeon General's Report on Physical Activity and Health*, 60 % des Américains n'ont pas d'activité physique régulière et sur ces 60 %, 25 % n'en ont aucune. Les automobilistes tournent autour des parkings rien que pour trouver une place qui les rapprochera le plus possible de l'endroit où ils vont. Un nombre sans précédent d'enfants passe plus de temps assis devant la télévision qu'à jouer dehors. De nombreux adultes assimilent l'exercice physique à une punition que l'on s'inflige après avoir fait des excès gastronomiques, sorte de pénitence qui prend fin dès que l'on a retrouvé son poids habituel.

Dans de nombreuses cultures, les pratiques qui harmonisent le corps et l'esprit, comme le yoga et le tai-chi, font partie de la vie dès l'enfance. Pour la culture occidentale, la santé et le bien-être ne sont pas une priorité, ce qui compte c'est plutôt la réussite sociale et les richesses matérielles.

Quand on veut faire un effort pour rester en forme, on s'arrête souvent en chemin faute de savoir quelle discipline choisir. Assailli par les publicités, les publireportages et les livres de professionnels bien intentionnés, on finit par hausser les épaules et on retourne s'allonger sur son canapé.

Si vous n'avez pas encore mis en place un programme

d'exercice physique, le moment est maintenant venu de le faire. Grâce à une modification de votre régime alimentaire, des hormones naturelles et des compléments, vous êtes en train de retrouver un équilibre et savez mieux qu'avant à quel point vos choix de vie influent sur votre santé. Faire simplement le tour de votre pâté de maisons à pied chaque jour représente une étape importante dans la bonne direction, de même que la prise de conscience de l'utilité de mouvoir son corps – se pencher, tendre les bras, s'étirer, porter un poids, tirer et pousser. Bien que nous ne soyons pas des partisans d'un programme strict de gymnastique, si vous choisissez cette voie, vous trouverez dans ce chapitre des directives qui vous permettront d'utiliser au mieux votre temps et votre énergie et qui s'appliquent d'ailleurs à l'ensemble des exercices pratiqués.

Le programme d'activités sportives idéal comprend des exercices cardio-vasculaires (aérobic), des exercices de force et du stretching. Il existe mille manières agréables d'intégrer ces trois types d'activité dans votre vie afin que l'exercice physique constitue un outil de plus pour conserver un bon équilibre.

Quand on n'a pas d'activité physique régulière, on ne peut plus affronter le moindre stress physique et les os se détériorent. Après des années d'inactivité, on se tord le dos en soulevant un sac rempli de produits d'épicerie et on se déchire un muscle en essayant de s'extraire de sa voiture. On perd le sens de l'équilibre et de la perception profonde. Comme on perd aussi le contact avec son corps, on ne prête pas attention aux signaux d'alarme de la douleur et de la maladie. Heureusement, les systèmes musculo-squelettique, neuroendocrinien et cardio-vasculaire s'adaptent rapidement dès que l'on prend de l'exercice et n'importe qui peut se muscler et accroître sa résistance physique à partir du moment où il pratique un sport.

Le concept d'équilibre s'applique plus encore à l'activité physique qu'à tous les autres aspects de la vie. Si l'on fait trop de sport, les défenses immunitaires et les taux d'antioxydants baissent alors qu'une activité sportive modérée a l'effet inverse. L'important, c'est de prendre soin de son corps et non de le faire souffrir. Si vous vous sentez extrêmement fatiguée après une séance de gymnastique, faites machine arrière et occupez-vous pendant un certain temps d'équilibrer vos hormones et votre alimentation. S'obliger à pratiquer un sport alors qu'on est fatigué est contre-productif. D'un autre côté, une activité physique modérée après une journée de travail stressante a un effet relaxant. Comme toujours, c'est à vous de décider ce qui vous convient le mieux.

Chacun sait que l'exercice physique est bon pour la santé. Mais connaissez-vous les améliorations qu'entraîne une pratique sportive ? Voici quelques-uns des bénéfices que vous retirerez d'une activité physique régulière :

– Le cœur et les vaisseaux sanguins étant renforcés, la circulation sanguine à travers l'organisme exige moins d'efforts. De nouveaux capillaires (vaisseaux sanguins minuscules) se forment, ce qui améliore la circulation.

– Comme les muscles deviennent plus fermes et que l'endurance s'accroît, les tâches journalières sont plus faciles et les séances d'entraînement plus grisantes.

– Les exercices de musculation et d'haltérophilie renforcent les os et les tissus conjonctifs. Plus on s'entraîne jeune, plus la densité osseuse s'accroît et moins on court de risque de souffrir d'ostéoporose quand on vieillit.

– Le risque de maladie cardiaque, d'hypertension, de diabète et de cancer du sein baisse considérablement.

– Les muscles du système respiratoire étant fortifiés, la respiration devient plus profonde et plus aisée pendant les séances d'entraînement et tout au long de la journée.

– L'exercice physique chasse l'excès de cortisol (hormone du stress) véhiculé par le sang. Voilà pourquoi une bonne séance de gymnastique a un effet relaxant après une journée stressante.

– Comme chaque séance d'entraînement accroît l'immunité

naturelle, une activité physique régulière permet de mieux lutter contre les maladies infectieuses.
– L'exercice physique accroît les défenses naturelles antioxydantes de l'organisme.
– L'exercice fait monter en flèche les lipoprotéines de haute densité ou cholestérol HDL, c'est-à-dire le « bon » cholestérol.
– Les jours où l'on fait du sport, le sommeil est de meilleure qualité.
– La pratique d'un sport va de pair avec une vie sexuelle plus satisfaisante.
– Lorsque l'on s'entraîne, l'organisme sécrète des hormones appelées endorphines, qui sont des analgésiques naturels et améliorent l'humeur.
– L'exercice est un anorexigène naturel et un bon moyen de lutter contre les fringales.
– Une bonne séance d'entraînement diminue les douleurs des règles et le SPM.
– Au cours des exercices de force, l'accroissement de la masse musculaire élève les besoins énergétiques de l'organisme. Cela implique une dépense calorifique plus élevée tout au long de la journée et jour après jour. L'idée selon laquelle la graisse se transforme en muscle est fausse. Néanmoins, plus on est musclé, plus on brûle de lipides.
– Si vous suivez nos conseils concernant l'activité sportive et l'alimentation, vous perdrez sans doute quelques kilos. Un excès de graisse entraîne un excédent d'œstrogènes. Si vous avez moins de graisse, votre taux d'œstrogènes baissera, ce qui constitue une étape importante en direction de l'équilibre hormonal après avoir souffert pendant des années d'une dominance en œstrogènes.

∿ L'AÉROBIC

Vous n'avez pas besoin de vous inscrire à un cours d'aérobic pour pratiquer cette discipline. Tout ce qui entraîne un mouvement des groupes musculaires majeurs ainsi qu'une accélération du rythme cardiaque et de la respiration est de l'aérobic : la marche, la course, la bicyclette, la natation et la danse rythmée. Vous faites aussi de l'aérobic lorsque vous passez l'aspirateur chez vous ou courez après un enfant en bas âge dans un parc.

L'exercice physique est la chose la plus natuelle au monde. Le corps a besoin de bouger et de s'étirer d'une manière régulière. Avant les tapis de jogging, les gens accomplissaient quotidiennement des tâches physiques et étaient donc obligés de se ménager. Comme nous passons nos journées assis, nous devons nous entraîner plus intensément pour obtenir les mêmes résultats que ceux d'une activité modérée pratiquée tout au long de la journée. A cause de notre mode de vie sédentaire, quand nous nous entraînons, notre corps a besoin d'un stimulus plus important afin de provoquer les phénomènes d'adaptation indispensables à une bonne santé.

Pour concevoir votre propre programme d'exercices, il vous suffit de comprendre et d'intégrer les notions de fréquence, d'intensité et d'endurance. La fréquence concerne le nombre de séances d'entraînement par semaine : trois séances hebdomadaires au moins, régulièrement réparties dans la semaine et, dans l'idéal, une séance par jour.

L'intensité dépend de la manière dont vous travaillez, c'est-à-dire de l'accélération du rythme cardiaque (reportez-vous au paragraphe suivant) ou si vous préférez, de la vitesse de combustion des calories. Si vous marchez pendant une demi-heure à une allure de 5 km/h, vous brûlerez environ 120 calories ; si vous marchez pendant le même laps de temps à une allure de 6,5 km/h, vous brûlerez près de 165 calories. Si vous travaillez avec des haltères, plus votre propre poids sera élevé, plus la dépense énergétique sera importante. La montée accroît les dépenses : chaque fois que la pente s'élève de 3 %, vous utilisez la même quantité d'énergie que si vous faisiez un kilomètre de plus à l'heure. Il faut savoir aussi que lors des séances d'aérobic, plus l'effort est grand, plus le phénomène de « postcombustion » (c'est-à-dire le temps pendant lequel l'organisme continue à utiliser une énergie plus élevée qu'au repos) est important.

La notion d'endurance dépend de la durée de chaque séance d'entraînement. Le but à atteindre est de vingt minutes minimum. Néanmoins, comme un peu d'entraînement est toujours préférable à pas d'entraînement du tout, si vous ne pouvez consacrer que dix minutes à une activité physique, partez marcher pendant ce laps de temps.

Ces trois facteurs doivent être pris en compte pour élaborer votre programme d'exercices physiques. Si vous n'avez pas le temps de faire plus de trois séances d'aérobic par semaine, celles-ci peuvent durer plus longtemps et être un peu plus intenses que si vous vous entraînez quotidiennement. Pour les mêmes raisons, si vous vous entraînez une heure, quatre fois par semaine, vous pourrez choisir une activité sportive moins intense que si vous ne vous entraînez que vingt minutes, avec la même régularité.

∽ LA MARCHE

Mettez des chaussures confortables et un chapeau et sortez de chez vous. N'oubliez pas votre montre et prévoyez une marche de vingt minutes aller-retour. Marchez d'un bon pas, le plus rapidement possible, le dos droit, à grandes enjambées, en laissant vos bras se balancer librement. Choisissez un secteur où il y a peu, ou pas du tout, de circulation – les gaz d'échappement risquant de gâter une promenade par ailleurs agréable – et un itinéraire adapté à votre forme physique. Si vous êtes en bonne forme, le parcours peut comporter quelques montées ou des volées de marches. Si vous commencez juste à vous entraîner, vous pouvez très bien vous rendre dans un centre commercial où vous serez assurée de marcher en terrain plat.

Une bonne marche doit vous essouffler légèrement et votre rythme cardiaque doit être environ deux fois plus rapide qu'au repos. Pour mesurer votre rythme cardiaque au repos, prenez votre pouls avant de vous lever, un matin où vous n'aurez pas été réveillée par la sonnerie du réveil, pendant une minute. Le pouls de la plupart des gens a entre 65 et 90 pulsations par minute. Notez ce chiffre et reprenez votre pouls après avoir pratiqué régulièrement un sport pendant deux mois ; en principe, le nombre de pulsations à la minute devrait avoir légèrement diminué. Lorsque l'on retrouve la forme, le cœur fait circuler plus de sang à chaque battement et il a donc besoin de moins de pulsations à la minute pour perfuser l'ensemble des tissus de l'organisme.

Voici une méthode simple qui vous permettra de calculer votre indicateur de rythme cardiaque quand vous marchez d'un bon pas.

1. Soustrayez votre âge de 220 afin d'obtenir votre rythme cardiaque maximum en fonction de l'âge (RCM).

2. Multipliez votre RCM par 65 %. Ce chiffre représente le nombre minimal de pulsations par minute de votre rythme cardiaque.

3. Multipliez votre RCM par 85 %. Ce chiffre représente le nombre maximal de pulsations par minute de votre rythme cardiaque idéal au cours de l'entraînement.

4. Divisez ces deux chiffres par six. Lorsque vous prenez votre pouls pendant dix secondes, le nombre de pulsations devrait se situer entre ces deux chiffres.

Au cours de la marche, prenez votre pouls pendant dix secondes à mi-parcours, c'est-à-dire au moment où vous allez faire demi-tour. Si le nombre de pulsations est inférieur à l'indicateur de votre rythme cardiaque, il vous faut choisir un itinéraire plus accidenté ou accélérer l'allure !

Prendre son pouls permet de savoir quand le moment est venu de modifier la séance d'entraînement. Quand celle-ci se répète à l'identique pendant un certain temps, le système cardio-vasculaire s'adapte et l'accélération cardiaque est moindre. Il est temps de choisir un itinéraire plus difficile.

Essayez de trouver le temps de marcher chaque jour. Cinq footings par semaine représentent un bon objectif mais vous pouvez aussi alterner footing et exercices d'aérobic : natation, bicyclette ou cours de danse. Certaines femmes s'entraînent plus facilement si elles pratiquent des activités physiques différentes d'un jour sur l'autre. D'autres préfèrent répéter les mêmes exercices chaque jour. Peu importe la méthode choisie. Ce qui compte c'est de bouger et de continuer à bouger !

Si vous vivez en ville ou sous un climat exécrable, vous préférerez sans doute vous inscrire dans une salle de gym ou acheter des appareils qui vous permettront de travailler chez vous. Cherchez une bonne salle de gym avec un personnel compétent en mesure de répondre à vos questions ; des appareils variés et bien entretenus ; des vestiaires propres. La plupart des salles proposent des cours de danse aérobic, de stretching, de musculation et même parfois du yoga. Si les cours mixtes vous intimident, vous trouverez facilement une salle de gym réservée aux seules femmes.

Si vous choisissez de vous entraîner chez vous, vous voudrez peut-être investir dans un tapis de jogging. Choisissez un modèle avec une ceinture électronique (et non un tapis que l'on fait avancer avec les pieds) et un plan incliné qui vous permettra d'effectuer des montées au milieu de votre séjour tout en regardant les informations télévisées. Les tapis de jogging sont plus efficaces que les bicyclettes fixes car ils conjuguent exercice aérobic et travail avec des poids, ce qui est bénéfique pour l'ossature.

❧ EXERCICES DE FORCE

Les muscles, les os et le système cardio-vasculaire répondent d'une manière spécifique à l'effort physique que l'on exige d'eux. Chez les personne sédentaires, on observe une perte rapide de la masse osseuse et musculaire. L'économie du corps humain interprète l'absence d'activité comme un signe qu'il est inutile de renforcer les tissus concernés. L'activité physique stimule l'organisme pour qu'il fixe des protéines (au niveau des muscles), des minéraux et du collagène (au niveau des os). Lorsqu'on reste actif, on risque beaucoup moins de se blesser dans la vie de tous les jours. Au fond, il s'agit de maintenir en bon état des muscles et des os dont, en réalité, nous n'avons plus besoin compte tenu de l'évolution de notre mode de vie.

L'ostéoporose n'est pas une maladie de la vieillesse. Elle apparaît chez des femmes jeunes et s'installe très lentement, au fur et à mesure que l'ossature subit une perte minime mais quotidienne de minéraux. Il faut compter des années avant que cette lente usure fragilise les os. Les meilleurs défenses contre l'ostéoporose sont l'activité physique (footing, jogging, travail de résistance et avec des poids), la progestérone naturelle et une alimentation saine.

Le travail de résistance comprend des exercices d'haltérophilie (soit avec des appareils, soit avec des poids), des exercices avec un élastique et des mouvements comme les pompes, par exemple, où le poids du corps tient lieu de résistance. Mais vous faites aussi ce genre d'exercices lorsque vous lavez les vitres, cirez les meubles, passez l'aspirateur, frottez le sol et soulevez un enfant ou quand vous jouez au tennis, nagez et montez à cheval (c'est alors le bas du corps qui est sollicité). Le hatha yoga comporte des poses qui font appel à la force musculaire et peuvent donc être considérées comme un travail de résistance.

Si vous fréquentez une salle de gym et désirez faire de l'haltérophilie, demandez un cours particulier afin d'apprendre à vous servir des appareils et des poids. Lorsqu'on débute dans ce domaine, on peut avoir besoin de plus d'un cours avant de se sentir à l'aise et même, ensuite, d'un cours par mois ou tous les deux mois pour mesurer ses progrès.

Si vous travaillez chez vous, vous achèterez sans doute des haltères. Faites l'acquisition pour commencer de deux poids de deux kilos cinq, de deux poids de quatre kilos et de deux poids de six kilos. Vous pouvez demander à un entraîneur de venir chez vous pour apprendre à vous servir des haltères ou suivre un cours pour commencer dans le cadre de votre salle de gym.

Il est conseillé de faire deux séances d'exercices de force au moins par semaine, trois dans l'idéal. Lorsque vous travaillez correctement, les exercices sont suffisamment difficiles pour rompre les fibres microscopiques qui composent le corps du muscle. Après une bonne séance d'entraînement, les douleurs que l'on ressent sont dues à ces microdéchirures. L'organisme répare ces lésions en accroissant légèrement la robustesse des fibres afin qu'elles résistent quand elles subiront à nouveau la même tension. Au bout de trois ou quatre semaines, les muscles se sont adaptés à l'effort exigé d'eux et vous pouvez alors soulever des poids plus lourds. Ce travail de résistance ne doit pas être effectué deux jours d'affilée car les muscles ont besoin de vingt-quatre heures au moins pour fixer de nouvelles protéines à l'endroit où les fibres musculaires ont été endommagées.

Le poids que vous soulevez doit être suffisant pour épuiser le groupe musculaire utilisé au cours d'une série de dix à douze répétitions. Chaque série de mouvements doit être accomplie lentement, d'une manière maîtrisée et sans retenir sa respiration. Vous pouvez commencer par une seule série de chaque mouvement, puis effectuer graduellement jusqu'à trois séries en respectant un repos de trente secondes entre chaque série. Si vous désirez raccourcir la séance, vous pouvez faire certains exercices un jour et le reste des mouvements le jour suivant, ce qui laissera à vos muscles le temps de se régénérer.

∾ L'IMPORTANCE DU STRETCHING

Une séance d'aérobic ou de musculation devrait toujours comporter quelques exercices de stretching. En réalité, s'il vous arrive de n'avoir aucune activité physique, choisissez ce jour-là de faire au moins du stretching.

Même les fanas de sport négligent souvent les étirements à la fin de leur séance d'entraînement. Le stretching exige du temps, de la concentration et se révèle parfois douloureux. Ce n'est pas une raison pour passer outre. Le stretching constitue la meilleure prévention contre les blessures et préserve la colonne vertébrale ainsi que les muscles qui la soutiennent.

Inutile d'enrouler ses jambes autour du cou pour profiter des avantages du stretching. Ce qui compte, c'est d'atteindre vos limites, quel que soit votre niveau actuel, et de les dépasser en douceur. Le yoga constitue un excellent moyen d'apprentissage du stretching. Vous pouvez acheter une vidéo de yoga qui met l'accent sur le stretching ou suivre un cours.

On ne doit pas étirer des muscles froids et tendus. Le mieux est donc de faire du stretching à la fin d'une séance d'entraînement ou alors de s'échauffer pendant cinq minutes au moins afin que les muscles et les articulations soient déjà assouplis au moment des étirements. Les mouvements de stretching doivent être accomplis en douceur. Si l'on étire brutalement un muscle, il se contracte d'une manière réflexe, ce qui est contreproductif et risque de provoquer une déchirure musculaire ou une tendinite.

Lorsque l'étirement devient légèrement douloureux, vous avez atteint vos limites. Continuez à respirer profondément en laissant les muscles étirés se détendre un peu plus à chaque expiration. Vous serez étonnée de découvrir jusqu'à quel point vous pouvez repousser vos limites en travaillant ainsi. Chaque mouvement de stretching doit durer une minute au moins.

Il importe particulièrement d'étirer le bas du dos, les jarrets (les muscles situés à la partie postérieure du genou) et le quadriceps et les muscles fléchisseurs de la hanche (ceux qui vont du genou au bassin). Si ces zones conservent leur souplesse, le bassin restera stable au lieu de sortir de son alignement, à cause de muscles et de ligaments trop tendus, et cela vous évitera de souffrir des lombaires.

Voici quelques étirements de base pour ces zones clés.

1. Stretch du bas du dos. Allongée sur le dos, pliez un genou sur le thorax, entourez-le avec vos bras et approchez votre nez du genou. Restez ainsi pendant plusieurs respirations, puis changez de jambe. Répétez l'exercice plusieurs fois.

2. Stretch du jarret. Assise, les jambes étendues devant vous, genoux en contact avec le sol, vérifiez que le poids de votre corps repose sur les deux os situés à la base du bassin. Respirez profondément et approchez le thorax des jambes en utilisant, pour vous pencher, l'articulation de la hanche (et non en arrondissant le dos). Attrapez vos jambes où vous pouvez – pieds, chevilles, genoux ou cuisses – et essayez de conserver un dos plat. A chaque inspiration, rapprochez un peu plus le thorax des jambes, puis laissez-le se détendre à chaque expiration. Si vous êtes extrêmement raide, allongez-vous sur le sol et placez vos jambes contre un mur pour étirer les muscles situés à l'arrière des mollets et des genoux.

3. Stretch du quadriceps et des fléchisseurs de la hanche. Debout, avancez la jambe gauche droit devant vous, puis faites une grande fente avant. Le genou gauche doit former un angle droit, le talon en appui sur le sol alors que le genou droit et la face antérieure du mollet droit reposent au sol. Posez les mains de chaque côté du pied ou de la cuisse gauche. A chaque expiration, laissez la hanche droite descendre vers le sol en faisant glisser un peu plus loin le genou droit si nécessaire. Conservez cette position pendant une minute, puis changez de côté

∽ QUELQUES POSTURES DE RELAXATION

A la fin d'une séance d'entraînement, ou à n'importe quel autre moment, vous pouvez vous régénérer grâce à diverses postures de relaxation. Les cours de yoga se terminent souvent sur une posture appelée *chavasana* ou « posture du cadavre ». Rester immobile pendant cinq à dix minutes est un moyen extraordinaire de rééquilibrer le corps et l'esprit. Vous pouvez en faire l'expérience en essayant les postures suivantes.

1. Posture fœtale. Assise sur les talons, posez le front sur le sol. Les bras peuvent être placés vers l'avant ou vers l'arrière, les deux mains agrippant alors les pieds. Il est généralement plus confortable d'ouvrir les genoux tout en gardant les pieds serrés, pour que l'abdomen repose entre les cuisses. Au cours de la respiration, le dos doit s'élargir à chaque inspiration et la détente s'approfondir à chaque expiration.

2. Flexion arrière douce. Posez sur le sol un ou deux oreillers ou quelques coussins, sur lesquels vous vous allongerez, sur le dos. La pile doit être assez haute pour que votre tête pende dans le vide alors que vos hanches touchent le sol. Détendez le cou et le visage, la tête pesant plus lourd à chaque expiration. Etendez les bras au-dessus de la tête ou sur les côtés afin de permettre une ouverture du thorax. Les jambes peuvent être étendues sur le sol ou croisées en tailleur ; vous pouvez aussi poser les plantes de pied l'une contre l'autre et laisser les genoux s'ouvrir de chaque côté afin de réaliser un stretch des muscles de l'aine. Pour sortir de cette posture, roulez sur le côté et appuyez les mains sur le sol avant de vous remettre en position assise.

3. Torsion de la colonne vertébrale. Allongez-vous sur le dos, ouvrez les bras à la hauteur des épaules, paumes contre le sol, repliez les jambes, genoux serrés et pieds reposant au sol. Laissez retomber les genoux à droite et tournez la tête du côté gauche sans que vos épaules quittent le sol. Détendez-vous et respirez profondément pendant une minute, puis changez de côté.

4. Posture du cadavre. Allongez-vous sur le dos, bras ouverts, paumes tournées vers le plafond, jambes détendues. Vous pouvez placer un coussin sous vos jambes ou sous votre cou si cela rend la position plus confortable. Fermez les yeux et laissez-vous aller à une relaxation profonde. Un morceau de musique apaisant vous aidera à vous détendre et vous permettra de conserver la notion du temps. Vous pouvez rester dans cette posture le temps de votre chanson préférée.

ᠵ VOTRE CORPS AIME LE MOUVEMENT

En ce qui concerne l'activité physique, dites-vous bien qu'un peu d'exercice vaut toujours mieux que pas d'exercice du tout, tout particulièrement quand on mène une vie sédentaire. Les effets bénéfiques de trente minutes d'activité physique par jour, même s'il ne s'agit pas d'un effort continu, sont énormes et plus vous vous entraînerez, plus ces effets seront importants.

Chapitre 16

---------------- ∿ ----------------

COMMENT UTILISER
LA PROGESTÉRONE NATURELLE

*M*aintenant que vous savez comment préserver votre équilibre hormonal grâce à une alimentation saine et des exercices physiques, ce chapitre va vous permettre d'utiliser la progestérone naturelle. Nous allons vous expliquer pourquoi les crèmes à la progestérone sont de loin supérieures aux autres modes d'administration et pourquoi les analyses de sang habituelles ne permettent pas de mesurer l'élévation de la progestéronémie (taux de cette hormone) obtenue grâce à la progestérone percutanée. Nous allons essayer de répondre aux besoins spécifiques des femmes ayant conservé leurs ovaires ; ayant subi une hystérectomie ou une ovariectomie ; souffrant d'endométriose, de fibromes, de migraines menstruelles ou du SPM ; ainsi qu'à ceux des femmes qui prennent des œstrogènes pour régulariser leurs cycles.

⌇ SUPÉRIORITÉ DES CRÈMES À PÉNÉTRATION PERCUTANÉE

Au moment où les œstrogènes et la progestérone sécrétés par les ovaires passent dans le sang, ces hormones sont entourées d'une « enveloppe » protéinique. Les œstrogènes sont liés à la SHBG (*sex hormone-binding globulin*) et la progestérone à la CBG (*cortisol-binding globulin*). Comme les hormones lipo-solubles, non liées à une protéine, ne se mélangent pas bien au plasma (partie liquide du sang), elles « font du stop » en quelque sorte et sont transportées par les membranes des globules rouges. Lorsqu'elles sont liées à une protéine, elles sont hydrosolubles. Seuls 2 à 10 % de la progestérone plasmatique sont non liés et aussitôt biodisponibles. Moins de 10 % de l'hormone liée à une protéine sont actifs.

La progestérone appliquée sur la peau traverse cette dernière, puis pénètre dans le pannicule adipeux (tissu sous-cutané constitué de petits lobules de graisse). Plus le déficit en progestérone est important, plus rapidement la progestérone est absorbée. Alors que la progestérone appliquée par voie percutanée entraîne une élévation du taux de cette hormone aussitôt mesurable grâce à un dosage salivaire, il faut parfois attendre trois mois pour que les concentrations hormonales mesurées par une analyse de sang indiquent les mêmes résultats. Cette diffusion graduelle de la progestérone percutanée est la seule méthode posologique qui se rapproche de la production naturelle de cette hormone par les ovaires.

La preuve la plus convaincante que la progestérone percutanée est effectivement absorbée, puis distribuée à travers l'organisme est que ces applications soulagent les symptômes de la dominance en œstrogènes. Le docteur Lee a guéri ainsi des seins fibrokystiques en l'espace de deux ou trois cycles. L'étude dirigée par K. J. Chang et collaborateurs en 1995, au cours de laquelle des femmes utilisaient des crèmes à base de diverses hormones avant une chirurgie mammaire, a montré qu'après huit à dix jours seulement de progestérone percutanée, les taux de progestérone des tissus mammaires étaient multipliés par cent et que la prolifération des cellules mammaires induite par les œstrogènes (première étape vers le développement du cancer du sein) était inhibée d'une manière significative.

La progestérone administrée par voie orale pose de nombreux problèmes. Après ingestion, la capsule se rompt et son contenu est absorbé à travers les parois intestinales et passe dans le système de la veine porte. Cette dernière amène la progestérone au foie où elle est métabolisée et excrétée dans la bile. C'est ce qu'on appelle la déperdition du premier passage hépatique.

Quand on administre une dose élevée de progestérone – la posologie habituelle par voie orale étant de 100 à 400 mg par jour alors que la dose de progestérone percutanée est de 15 à 30 mg par jour – cet apport hormonal est trop élevé par rapport aux possibilités d'excrétion du foie, si bien que certains produits de décomposition du métabolisme de la progestérone passent dans le plasma. Seuls 10 % environ de la dose orale se propagent dans l'organisme en tant que progestérone véritable. Quelle que soit la progestérone utilisée, elle est finalement transformée en ces métabolites et doit donc être évacuée de l'organisme.

Les principaux métabolites de la progestérone (prégnénédiones, prégnénolones et prégnénédiols) ne fonctionnent pas comme la véritable progestérone et entrent en concurrence avec elle pour occuper les récepteurs de cette hormone. Quand on utilise des doses physiologiques de progestéronne naturelle, le foie excrète facilement ces métabolites alors qu'il ne parvient pas à se débarrasser assez rapidement des doses élevées administrées par voie orale. Ces métabolites de la progestérone s'accumulent dans l'organisme, entraînant des altérations des membranes cellulaires et des récepteurs des œstrogènes. Il convient de noter en particulier que des doses élevées de certaines de ces substances affectent les neurotransmetteurs cérébraux, ce qui détériore la mémoire et occasionne lassitude et dépression.

Les doses importantes des capsules orales provoquent une élévation de la progestéronémie qui culmine une ou deux heures après ingestion, suivie d'une baisse rapide et de taux faibles pendant le reste de la journée. Les gouttes sublinguales et les ovules vaginaux entraînent un pic de progestérone encore plus rapide. L'absorption à travers les muqueuses de la bouche ou du vagin est extrêmement rapide et la progestéronémie s'élève en vingt minutes. Quatre-vingt-dix minutes suffisent pour que les taux soient faibles à nouveau. Ce n'est pas une manière physiologiquement adaptée d'administrer cette hormone – si ce n'est en cas de migraines prémenstruelles.

La progestérone percutanée maintient stables les concentrations salivaires pendant huit heures et même plus si bien qu'il suffit de 15 à 20 mg de progestérone par jour, répartis en deux applications, pour maintenir un taux normal de progestérone pendant vingt-quatre heures.

∾ DOSAGES HORMONAUX

La progestérone liée à une protéine est plus soluble dans les composants liquides du sang. Sous cette forme (liaison à une protéine), seul un faible pourcentage de l'hormone est actif. Il en est de même des œstrogènes, de la testostérone et des corticoïdes. Les concentrations hormonales plasmatiques ne permettent pas de mesurer avec précision la quantité d'hormone réellement active dans l'organisme car elles ne tiennent pas compte des quantités beaucoup plus importantes véhiculées par les membranes cellulaires.

Les analyses de sang ne mesurent que l'hormone liée à une protéine. La progestérone absorbée par voie percutanée n'est pas liée à un protéine mais il est certain qu'elle est biologiquement active. Elle est véhiculée par les membranes des globules rouges et d'autres constituants liposolubles du sang. Une analyse de sang permet de mesurer avec une certaine précision les hormones endogènes (fabriquées par l'organisme) mais n'est pas une mesure fiable des concentrations de progestérone lorsque l'on utilise un complément de cette hormone administré par voie percutanée. Le meilleur moyen de mesurer la progestérone (et les autres hormones stéroïdes) consiste à effectuer un dosage salivaire.

Quand une femme annonce à son médecin qu'elle emploie depuis peu de la progestérone percutanée, celui-ci fait pratiquer une analyse de sang afin de vérifier son taux de progestérone. Si le taux est faible, il conclut soit que la crème en question ne contient pas de progestérone, soit que la progestérone n'est pas absorbée à travers la peau.

Si cette patiente utilise une crème qui contient réellement de la progestérone naturelle, la première accusation n'a pas lieu d'être et la seconde est totalement fausse. Le moment est venu d'expliquer au médecin qu'il existe un dosage radio-immunologique des hormones contenues dans la salive ou RIA (*radioimmunoassay*).

La salive contient des mucines à l'intérieur desquelles la progestérone non liée à une protéine (c'est-à-dire : libre) est soluble. Les hormones biologiquement actives, non liées à une protéine, peuvent être mesurées grâce au RIA si bien que ce dosage constitue le moyen le plus précis, pertinent et pratique de déterminer les concentrations de progestérone libre en cas d'administration percutanée. L'Organisation mondiale de la santé a obtenu depuis cinq ans des résultats satisfaisants en utilisant un dosage salivaire. Ce dosage permet de vérifier une élévation de la progestéronémie pendant les trois à quatre heures succédant à l'application de crème, puis un taux maintenu pendant le même laps de temps, qui décroît ensuite pendant trois à quatre heures.

Les taux normaux de progestérone endogène (fabriquée par le corps) sont d'environ 12 à 24 ng/ml selon les analyses sanguines effectuées pendant la phase lutéale du cycle menstruel (quand le corps jaune fabrique de la progestérone).

Si l'on se réfère à un dosage salivaire, la progestéronémie doit être de 0,3 à 0,5 ng/ml et atteindre au maximum 2 ng/ml.

En principe, il n'y aucune raison de dépasser cette limite car elle correspond à la production de progestérone endogène. Néanmoins, un excès de cortisol peut bloquer les récepteurs de la progestérone et les rendre moins aptes à répondre à cette hormone. Une élévation du taux de cortisol est provoquée par le stress, qu'il s'agisse du stress émotionnel, d'un traumatisme ou d'un processus inflammatoire. Les maladies inflammatoires intestinales, par exemple, peuvent induire des taux élevés de cortisol et entraîner une réduction significative des effets de la progestérone, ainsi qu'une dominance en œstrogènes.

Si un dosage hormonal plasmatique ou salivaire indique des taux élevés d'œstradiol, il faut y remédier. On peut abaisser les taux d'œstrogènes grâce à une alimentation moins riche en calories, en évitant les sucres et les hydrates de carbone raffinés, en suivant un régime riche en fibres et en mangeant des produits riches en fibres tels que le psyllium et le riz complet. L'élimination des œstrogènes est accomplie par le foie. Il est donc important de consulter un nutritionniste en mesure de prescrire les nutriments dont le foie aura besoin au cours de ce processus.

∽ TROUVER LA DOSE EXACTE DE PROGESTÉRONE NATURELLE

Les processus métaboliques et physiologiques varient considérablement d'un individu à l'autre. Il n'est donc pas logique de prescrire la même dose médicamenteuse à tous les individus. Cela est vrai aussi de la progestérone naturelle.

Bien qu'un professionnel de la santé puisse vous donner des directives dans ce domaine, c'est à vous de trouver le dosage minimum adapté à votre organisme, c'est-à-dire, dans l'idéal, la dose de progestérone en mesure de soulager vos symptômes à long terme. Comme la progestérone naturelle ne présente aucun danger, vous pouvez vous permettre d'en utiliser un peu plus que nécessaire sans courir de risques. Cela vous laisse la possibilité de faire des expériences.

Toutes les recommandations de ce chapitre sont calculées par rapport à un tube de crème de 60 g (60 ml), contenant 960 mg de progestérone naturelle. Une demi-cuillère à café contient 40 mg de progestérone, un quart de cuillère à café, 20 mg, et un huitième de cuillère à café, 10 mg.

Voici une autre manière d'aborder la posologie : si vous utilisez entre 1/3 et 1/2 tube par mois, pendant 12 à 18 jours, vous appliquerez 15 à 30 mg par jour. C'est là la dose de base à appliquer lorsque vous aurez retrouvé l'équilibre. Le docteur Lee ne conseille pas les crèmes surdosées qui contiennent 3 000 mg ou plus de progestérone par tube de 60 ml car la supplémentation hormonale risque d'être trop élevée alors que nous visons avant tout l'équilibre, comme nous vous l'avons maintes fois répété dans ce livre. Si vous utilisez de trop hautes doses de progestérone, vous allez créer un déséquilibre hormonal. Si la dose physiologique (l'équivalent approximatif de ce que votre corps fabriquerait dans des conditions normales) ne permet pas de soulager vos symptômes après quatre à six mois d'utilisation, nous vous conseillons de consulter un professionnel de la santé afin d'en déterminer la cause.

Une femme souffrant d'une insuffisance en progestérone, si elle respecte les dosages recommandés, devrait découvrir au bout de trois à quatre mois de traitement que la progestérone a atteint un équilibre physiologique au niveau des tissus adipeux de l'organisme et que les taux mesurés grâce à un dosage salivaire sont similaires à ceux produits normalement par l'organisme au cours d'un cycle ovulatoire.

Pour le docteur Lee, la dose idéale pour chaque femme est celle capable de soulager les symptômes. Ou si vous préférez : la dose correcte, c'est la dose qui marche. (Question : Quelle quantité d'eau faut-il pour éteindre un feu ? Réponse : suffisamment.)

Chez une femme en période de préménopause (qui ne se prépare pas à une grossesse), le contenu d'un demi-tube de 60 g de crème, appliqué 24 à 25 jours par mois au maximum (ou environ 1/4 de cuillère à café par jour), devrait permettre de restaurer, en un mois ou deux, les bonnes concentrations de progestérone physiologiques. Ensuite, un tiers de tube (ou environ 1/8 de cuillère à café par jour) maintiendra ces taux. Lorsqu'on s'approche de la ménopause, il faut parfois augmenter ces doses.

C'est à vous de déterminer la dose mensuelle exacte dont vous avez besoin. La crème peut être appliquée une ou deux fois par jour. Le docteur Lee conseille deux applications, une dose de crème plus importante le soir au coucher et une dose plus faible le matin. Si vous n'utilisez pas exactement la bonne quantité de crème chaque jour, ce n'est pas grave car il y a un effet tampon au fur et à mesure que la progestérone est absorbée par les graisses sous-cutanées. La diffusion de l'hormone dans la circulation sanguine reste relativement stable, même lorsque les doses quotidiennes varient légèrement.

Voici quelques conseils généraux qui vous permettront de tirer le meilleur parti de ce traitement.

– Plus la surface d'application est étendue, plus l'absorption est importante.

– Pour obtenir un maximum d'absorption, il faut un laps de temps suffisant ; c'est là une des raisons d'appliquer la crème au coucher.

– Appliquez la crème sur les surfaces de peau les plus fines, les moins kératinisées et les plus vascularisées – les endroits où vous rougissez. Le biochimiste David Zava a découvert que les endroits du corps les plus propices étaient les paumes (si elles ne sont pas calleuses), la poitrine, la face intérieure des bras, le cou et le visage ; auxquels il faut ajouter les plantes de pied (à condition qu'elles ne soient pas épaissies par le fait de marcher pied nu). Contrairement à ce que conseillait le docteur Lee dans son premier livre, nous savons maintenant que des applications sur l'intérieur des cuisses, les fesses et le bas du ventre ne sont pas aussi efficaces.

– D'autres ingrédients présents dans la crème utilisée ou l'application d'une autre crème de soins peut empêcher l'absorption. N'employez que les crèmes que nous vous conseillons (reportez-vous p. 368) et n'enduisez pas d'une autre crème les endroits où vous appliquez la crème à la progestérone.

– Une autre raison d'utiliser cette crème au coucher est liée au fait qu'elle peut avoir un effet calmant et faciliter le sommeil. Si vous effectuez deux applications par jour, celle du soir doit être la plus conséquente.

– Comme les autres ingrédients de la crème risquent de ne pas être absorbés, si vous l'appliquez toujours au même endroit, une saturation peut se produire et réduire l'absorption de la progestérone. Alternez donc régulièrement les trois ou quatre surfaces de peau choisies pour les applications.

– Arrêtez le traitement pendant trois à sept jours chaque mois. (S'il y a une grave récurrence des symptômes pendant cet arrêt, vous pouvez interrompre les applications de crème pendant trois jours seulement. Toutefois, une interruption d'une semaine est préférable.) Cet arrêt empêche l'épaississement de la muqueuse utérine en permettant une chute complète de l'endomètre chaque mois – c'est-à-dire des règles. Chez les femmes en période de préménopause, une insuffisance en progestérone induit un « dérèglement » des récepteurs œstrogéniques ; l'utilisation d'une crème à la progestérone réactive ces récepteurs. Cela peut se traduire par un accroissement temporaire de la muqueuse utérine, provoquant des saignements irréguliers. Chez la plupart des femmes, ces symptômes œstrogéniques disparaissent après deux cycles menstruels.

∾ COMMENT TRAITER LES CYCLES ANOVULATOIRES

Des dosages salivaires pratiqués au milieu du cycle menstruel, au moment où les concentrations de progestérone devraient être les plus élevées, permettront de déterminer si vous souffrez de cycles anovulatoires. Dans ce cas, les taux de progestérone seront faibles. Les symptômes d'une dominance en œstrogènes constituent aussi un bon indicateur des cycles anovulatoires. Votre médecin saura vous éclairer dans ce domaine.

Lors d'une étude portant sur dix-huit femmes régulièrement réglées dont l'âge moyen était de vingt-neuf ans, sept femmes (39 %) présentaient des cycles anovulatoires et une absence de production de progestérone pendant la phase lutéale. De nombreuses femmes qui semblent normales par rapport à leur groupe d'âge ont des cycles anovulatoires et souffrent d'une insuffisance en progestérone.

Si c'est votre cas, utilisez 1/4 à 1/2 tube de crème de 60 ml, contenant environ 960 mg de progestérone (c'est-à-dire : 240 mg à 480 mg de progestérone par mois). L'objectif étant de fournir à l'organisme les 15 à 24 mg quotidiens fabriqués durant la seconde partie du cycle lorsqu'il y a eu ovulation. Cette phase lutéale peut durer de 12 à 18 jours, selon la date à laquelle vous ovulez et la longueur du cycle. Comme la sensibilité aux hormones varie considérablement d'une femme à l'autre, il vous incombe de trouver le juste dosage.

Commencez à utiliser la crème à la progestérone entre le dixième et le douzième jour du cycle, le début du cycle correspondant au premier jour des règles. Poursuivez les applications jusqu'à la veille des règles suivantes (chez la majorité des femmes, le cycle menstruel dure de 28 à 30 jours). Si vos cycles sont trop longs ou trop courts ou si vous avez des saignements irréguliers, choisissez arbitrairement un jour du mois pour commencer le traitement. Si vous avez vos règles avant le jour prévu pour l'arrêt du traitement, cessez les applications de crème et reprenez-les dix, onze ou douze jours après le début des règles.

Si vous êtes en mesure de déterminer que vous avez ovulé, en particulier grâce aux modifications de la glaire cervicale, ce mois-là, vous pouvez très bien ne pas utiliser de crème. (Mais vous pouvez aussi, sans risques, poursuivre les applications.) Si vous étiez sujette à des cycles irréguliers, il faut parfois compter trois mois de traitement avant que les cycles ne redeviennent normaux.

Il est préférable de synchroniser la supplémentation en progestérone naturelle avec les cycles hormonaux de l'organisme. En général, les dysfonctionnements menstruels ne sont pas dus uniquement à un déficit en progestérone. D'autres facteurs comme le stress, l'alimentation et la production de cortisol jouent aussi un rôle important en la matière. La coopération entre l'hypothalamus (qui contrôle le système endocrinien), l'hypophyse (la « glande maîtresse » qui adresse ses instructions aux autres glandes de l'organisme) et les ovaires peut ne plus être synchronisée parce que l'organisme est déséquilibré. Fournir un apport de progestérone au bon moment et en quantités adéquates aidera ce système complexe à retrouver son équilibre.

Les cycles anovulatoires apparaissent souvent huit à dix ans avant la ménopause. Chacun d'eux accentue la dominance en œstrogènes tandis que les réserves de progestérone des graisses de l'organisme diminuent. Comme les femmes très minces ont très peu de graisses endogènes, elles souffrent plus rapidement encore d'une dominance en œstrogènes. Il faut compter un à deux mois d'application de progestérone percutanée avant que les réserves de graisse de l'organisme ne soient reconstituées. Il est donc logique d'utiliser des doses plus élevées de progestérone pendant cette période. Si vous présentez les symptômes évidents d'une dominance en œstrogènes, utilisez la totalité d'un tube (960 mg ou 40 à 50 mg par jour) pendant trois semaines, suivez le même traitement pendant quelques mois, puis réduisez-le en n'appliquant la crème que douze à dix-huit jours par mois.

Nous ne répéterons jamais suffisamment que le dosage de la progestérone dépend des effets physiologiques observés. Y a-t-il une amélioration des symptômes du SPM ? Prenez-vous moins de poids avant vos règles ? La taille des kystes mammaires ou utérins a-t-elle diminué ? Avez-vous moins de sautes d'humeur ? Etes-vous moins anxieuse ? Il importe de trouver le juste dosage en mesure de résoudre le problème, puis la dose minimale capable de maintenir les effets attendus.

Chez les femmes en période de préménopause souffrant d'une insuffisance en progestérone depuis des années, il n'est pas rare que les applications initiales de progestérone provoquent de la rétention d'eau, des maux de tête et une tension mammaire – les symptômes de la dominance en œstrogènes. Cela est dû au fait que les récepteurs d'œstrogènes, jusqu'alors en sommeil, « se réveillent » soudain. Ces symptômes disparaîtront après une période allant de deux semaines à deux ou trois mois.

∿ COMMENT TRAITER L'ENDOMÉTRIOSE

En cas d'endométriose, utilisez la crème à la progestérone du huitième au vingt-sixième jour du cycle afin de réduire les effets des œstrogènes qui stimulent la croissance de l'endomètre. Puis interrompez le traitement durant une semaine afin de revivifier les récepteurs hormonaux. L'objectif étant de trouver la dose minimale nécessaire pour contrôler la stimulation de l'endomètre.

Le traitement commencera le huitième jour du cycle et se terminera entre le vingt-sixième et le trentième jour, c'est-à-dire approximativement le jour qui marque l'arrivée des règles, donc la fin du cycle normal. Vous pouvez utiliser jusqu'à 1/2 tube de crème par semaine (480 mg de progestérone) ou 68 mg par jour, jusqu'à la menstruation. Il vous faudra attendre six mois avant que les symptômes se calment et même alors, il est possible qu'ils ne se dissipent pas totalement. Dès que les poussées d'endométriose deviennent plus tolérables, diminuez la dose de crème et n'utilisez plus qu'un tube par mois (960 mg de progestérone) en faisant débuter les applications le douzième jour du cycle et en les interrompant avant l'arrivée des règles. Augmentez à nouveau la dose si les douleurs reprennent.

Si des doses élevées de crème à la progestérone entraînent une somnolence, la posologie est trop importante. Réduire les doses jusqu'à ce que la somnolence disparaisse.

∾ COMMENT TRAITER LES FIBROMES UTÉRINS

A moins que vous ne souffriez d'un cancer de l'utérus ou de saignements utérins sévères, avant de subir une hystérectomie, vous avez tout intérêt à essayer le même traitement que celui que nous conseillons pour les cycles anovulatoires : 1/2 tube de crème par mois (480 mg de progestérone) appliqué à partir du dixième, onzième ou douzième jour du cycle et jusqu'à la veille des règles (entre le vingt-sixième et le trentième jour, selon la longueur du cycle menstruel). Vous pouvez passer une échographie avant de commencer le traitement, puis à nouveau trois mois plus tard afin de contrôler les résultats. Si la taille du fibrome n'a pas augmenté ou a diminué de 10 à 15 %, les résultats sont satisfaisants. Auquel cas, vous pouvez poursuivre le même traitement jusqu'à la ménopause et réduire ensuite les doses de progestérone puisque la production d'œstrogènes aura baissé. En général, après la ménopause, suite à la baisse des œstrogènes, les fibromes s'atrophient.

∾ COMMENT TRAITER LES SEINS FIBROKYSTIQUES

Comme les seins fibrokystiques sont généralement liés à une dominance en œstrogènes, ils répondent bien à une thérapie progestéronique. Utilisez 15 à 20 mg de progestérone par jour à partir de l'ovulation et interrompez le traitement un ou deux jours avant les règles. Habituellement, trois à quatre mois suffisent pour que les tissus mammaires redeviennent normaux. Vous pouvez aussi prendre 400 UI de vitamine E au coucher, ainsi que 300 mg de magnésium et 50 mg de vitamine B6 par jour. Cela permet à la plupart des femmes de se passer de café et de réduire leur consommation de sucres et de lipides. Dès que vous constatez une amélioration notable, le traitement d'entretien doit se faire avec la plus petite dose efficace.

∽ CONSEILS AUX FEMMES PRENANT DES ŒSTROGÈNES

Certains médecins prescrivent des œstrogènes aux patientes qui souffrent de saignements irréguliers. C'est là une approche erronée. Il n'existe aucune raison valable de donner des œstrogènes à une femme ayant encore des cycles menstruels. A moins que vous ne soyez à la veille de la ménopause et présentiez les symptômes flagrants d'un déficit en œstrogènes (bouffées de chaleur, sueurs nocturnes et sécheresse vaginale), le simple fait que vous ayez encore vos règles indique que vous ne souffrez pas d'un déficit œstrogénique. Vous pouvez réduire de moitié la dose d'œstrogènes dès que vous utilisez de la progestérone naturelle, puis la diminuer graduellement jusqu'à arrêt complet. Si vous prenez des comprimés, coupez-les en deux ou prenez un comprimé un jour sur deux. Si vous utilisez un patch (dispositif transdermique), découpez dans du scotch un rond de la taille d'une pièce de dix centimes, représentant la moitié du patch. Placez le scotch directement sur la peau, puis le patch par dessus. Si le contact du scotch vous irrite la peau, demandez à votre médecin de vous prescrire des comprimés d'œstrogènes, qui vous permettront de réduire graduellement la posologie.

ᴖ COMMENT TRAITER LES PROBLÈMES
SPÉCIFIQUES DE LA PRÉMÉNOPAUSE

Le SPM. En principe, le stress et des concentrations trop élevées de cortisol jouent un rôle important dans le SPM. Comme le cortisol entre en concurrence avec la progestérone pour occuper des récepteurs communs à ces deux hormones, le traitement exige des doses plus importantes de progestérone naturelle. Pendant un mois ou deux, utilisez un tube de 60 ml (960 mg de progestérone) : commencez les applications entre le dixième et le douzième jour du cycle et interrompez-les entre le vingt-sixième et le trentième jour, en fonction de la durée de votre cycle. Le docteur Lee conseille aux femmes souffrant de SPM de commencer par une seule application le soir au coucher, puis de passer à deux applications par jour, le matin et le soir, en augmentant graduellement la dose initiale. Au cours des trois ou quatre jours qui précèdent les règles, terminez le tube en observant une posologie maximale. En principe, le traitement de départ est d'un tube par mois mais il peut être réduit à un demi-tube de crème dès que l'on observe un soulagement des symptômes. Comme le SPM est un syndrome dépendant de multiples facteurs, nous vous conseillons de consulter un professionnel de la santé en mesure de vous aider sur le plan du stress et de l'alimentation.

Les migraines menstruelles. Utilisez de la progestérone naturelle pendant les dix derniers jours du cycle (du seizième au vingt-sixième jour, par exemple). Quand vous ressentez l' « aura » caractéristique qui précède ces migraines, appliquez 1/4 à 1/2 cuillère à café de crème toutes les trois ou quatre heures, jusqu'à cessation des symptômes (en général, celle-ci se produit après une ou deux applications). Les gouttes sublinguales dont le support est constitué d'huile à la vitamine E risquent d'être encore plus efficaces car elles entraînent un pic rapide de la progestéronémie. Une dose de 40 à 50 mg devrait suffire à soulager la migraine. Vous pouvez aussi appliquer la crème directement sur le cou ou les tempes.

∾ COMMENT UTILISER LA PROGESTÉRONE APRÈS UNE HYSTÉRECTOMIE OU UNE OVARIECTOMIE

L'ablation de l'utérus et des ovaires, ce qu'on appelle la totale en langage courant, entraîne une ménopause artificielle dont la soudaineté est éprouvante pour l'organisme. Dans ce cas, la progestérone naturelle peut permettre à l'organisme de retrouver un équilibre.

Femmes ayant subi une ovariectomie. Utilisez 15 à 20 mg de progestérone par jour pendant 25 jours par mois, en observant une interruption de cinq à sept jours. Ce traitement représente environ un demi-tube par mois. Juste après l'opération, pendant un mois ou deux, la posologie quotidienne peut aller jusqu'à 50 mg par jour.

Si vous prenez un traitement substitutif œstrogénique, réduisez de moitié la dose d'œstrogènes dès que vous commencez les applications de crème. Vous pouvez ne prendre que la moitié d'un comprimé ou un comprimé un jour sur deux. En cas d'insuffisance en progestérone, les récepteurs des œstrogènes vont être activés dès les premières applications de progestérone et vous allez ressentir plus intensément les effets des œstrogènes. Les symptômes d'une dominance en œstrogènes, comme la rétention d'eau et les maux de tête, peuvent donc réapparaître. Afin de rétablir l'équilibre hormonal, vous pouvez utiliser un tube de crème à la progestérone (40 à 50 mg par jour) pendant un à deux mois. Lorsqu'on augmente la posologie, il est préférable d'appliquer une dose plus importante (20 à 30 mg) le soir au coucher et une dose plus faible (10 à 20 mg), le matin.

Femmes ayant subi une hystérectomie (seule). Suivez le même traitement que celui conseillé en cas de cycles anovulatoires. L'hystérectomie compromet d'une manière significative l'approvisionnement en sang des ovaires si bien que leur capacité à produire de la progestérone baisse rapidement et deux ans après l'intervention, les taux d'œstrogènes sont devenus aussi bas que ceux de la postménopause.

Femmes utilisant des œstrogènes non contrebalancés. Comme nous l'avons rappelé à plusieurs reprises dans ce livre, la pratique médicale conventionnelle consistant à prescrire des œstrogènes non contrebalancés (sans progestérone) à des femmes ayant subi une hystérectomie est dangereuse. Vous devriez toujours prendre de la progestérone en association avec les œstrogènes. Comme la progestérone restaure la sensibilité des récepteurs œstrogéniques, nous vous conseillons de réduire de moitié la dose d'œstrogènes dès que vous utilisez une crème à la progestérone. Ensuite, une réduction des doses d'œstrogènes tous les deux ou trois mois pourra déboucher sur la posologie « adéquate » – qui se révélera peut-être : ne plus prendre du tout d'œstrogènes !

Chapitre 17

———————— ∾ ————————

COMMENT UTILISER
LES AUTRES HORMONES NATURELLES

*O*utre la progestérone, il existe d'autres hormones que l'on peut prendre pour corriger, si nécessaire, des déficits. Aucune hormone ne travaille d'une manière isolée. Il est donc indispensable qu'elles soient toutes équilibrées. Cet équilibre hormonal exige des changements de mode de vie et de faibles doses physiologiques d'hormones naturelles proches de celles que sécrète l'organisme plutôt qu'un traitement à base d'hormones synthétiques fortement dosées.

Nous vous avons longuement parlé de la progestérone et des œstrogènes et nous pensons que la progestérone naturelle, à cause du large éventail de ses propriétés curatives, représente une sorte de « remède miracle ». Au cours de sa pratique médicale, le docteur Lee n'a jamais prescrit d'autre supplémentation hormonale. Le docteur Hanley, en revanche, le fait et elle vous propose quelques conseils dans ce domaine.

Les hormones dont il est question dans ce chapitre sont sécrétées en quantités largement suffisantes chez la plupart des femmes jeunes mais leur production diminue lorsqu'on vieillit et cette baisse commence dès l'âge de trente-cinq ans.

Ce processus est accéléré par une alimentation pauvre en nutriments, un stress excessif et le fait qu'on se néglige. Ainsi s'explique sans doute que nous vieillissons plus vite et souffrons de maladies comme le cancer ou les affections cardiaques quand nous n'adoptons pas un mode de vie sain.

∾ ŒSTROGÈNES

Reportez-vous au chapitre 3 pour une présentation détaillée du rôle des œstrogènes.

Si vous souffrez de bouffées de chaleur et de sécheresse vaginale, essayez de trouver la dose d'œstrogènes la plus faible en mesure de mettre fin à ces symptômes. Prenez ces œstrogènes en même temps que la progestérone et interrompez toute supplémentation hormonale pendant cinq à sept jours. Comme les femmes ayant subi une ablation des ovaires continuent à fabriquer des œstrogènes au niveau des cellules adipeuses et que la progestérone accroît la sensibilité des récepteurs œstrogéniques, nombreuses sont celles qui peuvent arrêter complètement les œstrogènes après avoir utilisé pendant cinq à six mois de la progestérone naturelle. N'hésitez pas à demander à votre médecin des comprimés, des patchs ou une crème moins dosés et qui vous permettront de réduire graduellement les œstrogènes.

Les œstrogènes naturels (pour l'être humain) sont l'œstriol, l'œstrone et l'œstradiol. Le Premarin, nous vous le rappelons, n'est pas une hormone naturelle à moins d'être mi-femme mi-jument et nous vous déconseillons d'utiliser ce médicament.

Il existe des gels qui contiennent un ou plusieurs œstrogènes et d'autres qui associent progestérone et œstrogènes. Votre médecin peut demander à un pharmacien de composer pour vous une crème qui contiendra les hormones qui vous sont nécessaires, dosées en fonction de vos besoins. A l'heure actuelle, il est démontré que, dans le traitement des symptômes de la ménopause, l'œstriol est l'œstrogène le plus inoffensif et il est même possible qu'il ait un rôle protecteur contre le cancer. Quant à savoir s'il est aussi efficace que les autres œstrogènes pour lutter contre la perte osseuse, les avis sont encore partagés.

Tous les œstrogènes n'ont pas les mêmes effets et ne sont pas absorbés de la même manière à travers la peau. L'œstradiol étant extrêmement puissant et relativement bien absorbé par voie percutanée, la posologie peut être minime. Les doses d'œstriol doivent être deux à trois fois plus élevées pour avoir les mêmes effets que l'œstradiol et cette hormone n'est pas bien absorbée à travers la peau. L'œstrone se situe entre les deux. En conséquence, une crème œstrogénique contenant 80 % d'œstriol et des quantités plus faibles d'œstradiol et d'œstrone devrait fournir, compte tenu de leurs effets respectifs sur l'organisme, des quantités à peu près équivalentes de chacun de ces œstrogènes.

En principe, la posologie moyenne par jour est de 4 mg d'œstriol, 0,25 mg à 0,5 mg d'œstradiol et 0,3 à 0,625 mg d'œstrone. Si des doses plus faibles encore suffisent à soulager vos symptômes ou si vous êtes dominante en œstrogènes, vous pouvez prendre ces œstrogènes un jour sur deux ou un jour sur trois. En d'autres termes, il vous faut trouver la dose la plus faible qui soit efficace. Si vous souffrez seulement d'atrophie ou de sécheresse vaginales vous pouvez appliquer un gel vaginal à l'œstriol plusieurs fois par semaine.

Nous ne le répéterons jamais assez : qu'une femme ait conservé ou non son utérus et ses ovaires, il ne devrait jamais y avoir d'administration isolée d'œstrogènes. Ces derniers doivent toujours être prescrits en association avec de la progestérone naturelle. Cette règle ne comporte pas d'exception.

∾ DHEA

La DHEA ou déhydroépiandrostérone est une hormone stéroïde, au même titre que les œstrogènes et la progestérone, produite par les surrénales (qui sécrètent environ 150 hormones différentes). Les œstrogènes et la testostérone sont synthétisés dans l'organisme à partir de la DHEA (ou de la progestérone). De toutes les hormones stéroïdes produites par les surrénales, la DHEA vient, quantitativement, en tête. Quatre-vingt-quinze pour cent de la DHEA est liée à des molécules soufrées. Elle est donc soluble dans le plasma et constitue d'amples réserves dans lesquelles nous pouvons puiser au fur et à mesure de nos besoins. Nous savons que la DHEA est nécessaire au maintien de la santé mais, faute de recherches dans ce domaine, nous ignorons quelles sont ses actions spécifiques.

Le pic de production de la DHEA a lieu entre vingt et vingt-cinq ans. Cette production est plus élevée chez les hommes que chez les femmes mais après vingt-cinq ans, elle baisse chez les deux sexes de 2 % par an. Quand une femme a entre quarante-cinq et cinquante ans, son taux de DHEA peut s'avérer très faible.

Cette baisse graduelle des concentrations de DHEA est en corrélation avec l'apparition de maladies telles que le cancer, les affections cardiaques, les allergies, le diabète et les maladies auto-immunes. A l'heure actuelle, nous ne savons pas si les faibles concentrations de DHEA jouent un rôle causal dans ces maladies ou si elles ne sont que des biomarqueurs du vieillissement au même titre que les cheveux gris et la presbytie. En revanche, nous savons que chez les personnes âgées, des taux plus élevés de DHEA vont de pair avec une meilleure santé et une plus longue espérance de vie. Quand on prescrit de la DHEA à des personnes souffrant d'un déficit de cette hormone, on observe un accroissement significatif de l'énergie, des défenses immunitaires, des facultés d'adaptation au stress, du sentiment de bien-être et de l'appétit sexuel. Bien des patients ont l'impression que cet apport de DHEA les rajeunit. La preuve est faite en tout cas que des taux adéquats de DHEA protègent contre l'ostéoporose.

Si vous avez plus de quarante ans et pensez avoir besoin

d'un complément de DHEA, demandez à votre médecin une analyse de sang pour déterminer votre taux de DHEA (la forme combinée avec le soufre). C'est là un moyen relativement précis de mesurer les concentrations de cette hormone dans l'organisme mais un dosage salivaire peut aussi être effectué. Chez les femmes âgées de quarante à cinquante ans, les concentrations plasmatiques normales se situent entre 400 et 2 500 ng/ml ; après cinquante ans, ils ne sont plus que de 200 à 1 500 ng/ml. Il s'agit là d'une fourchette relativement large. Si votre propre taux plasmatique correspond à la limite inférieure ou se situe en dessous de cette limite et si vous ressentez une fatigue générale malgré vos efforts pour équilibrer les autres hormones, votre alimentation et le stress, vous pouvez essayer de prendre de la DHEA.

Nous vous recommandons une posologie quotidienne de 5 à 10 mg. N'achetez pas des produits présentés comme des « précurseurs de la DHEA », y compris les crèmes et les comprimés à base d'igname sauvage, car il n'est pas garanti que votre corps puisse faire la conversion.

Attention ! La DHEA peut avoir des effets masculinisants sur les femmes et, contrairement aux faibles dosages, une supplémentation trop élevée peut accroître le risque de maladie cardiaque et de diabète. Cela est d'autant plus vrai chez les femmes. Si vous observez des changements tels que l'acné, la perte des cheveux ou une augmentation de la pilosité faciale, ne prenez plus que 5 mg un jour sur deux ou arrêtez le traitement. Ces effets secondaires sont totalement réversibles si l'on baisse le dosage ou qu'on interrompt la prise de DHEA. Faites vérifier régulièrement votre taux de cette hormone pendant toute la durée du traitement.

∾ PRÉGNÉNOLONE

La prégnénolone est fabriquée par les mitochondries à partir du cholestérol et constitue, à l'intérieur des cellules, le composé qui donne naissance à la DHEA, la progestérone, les œstrogènes, le cortisol et la testostérone. Comme la prégnénolone ne présente aucun danger et n'a pas d'effet hormonal en soi, on pourrait en déduire que l'administration de doses importantes de cette hormone devrait rétablir l'équilibre hormonal en fournissant à l'organisme ce dont il a besoin pour fabriquer les autres hormones stéroïdes. Malheureusement, il n'en est rien. Une supplémentation de prégnénolone n'entraîne aucune élévation des autres hormones stéroïdes.

La prégnénolone semble avoir des effets bénéfiques sur les symptômes du rhumatisme articulaire. Les personnes souffrant de cette maladie auto-immune peuvent prendre 10 à 50 mg de prégnénolone, trois fois par jour. Il faut compter au moins un mois de traitement avant d'en ressentir les effets. Certains praticiens prescrivent des doses quotidiennes de 100 à 200 mg. Mais un tel traitement ne peut être effectué que sous contrôle médical.

Des études récentes ont permis de découvrir que la prégnénolone bloque les récepteurs du GABA (acide gamma-aminobutyrique), un neurotransmetteur. Des concentrations élevées de GABA peuvent bloquer la mémorisation et la prégnénolone semble compenser cet effet. Cette hormone accroît aussi l'activité des cellules cérébrales. Les personnes ayant des problèmes de mémoire et d'apprentissage ont intérêt à prendre 50 à 100 mg de prégnénolone entre les repas. Mais cette fois encore, faites-vous suivre par un professionnel de la santé et faites contrôler vos taux hormonaux.

∿ CORTICOSTÉROÏDES

Les corticostéroïdes sont fabriqués par le cortex surrénalien en réponse à un stress de longue durée. Le cortisol en fait partie : ce glucocorticoïde régule les réactions immunitaires, s'oppose à l'insuline et stimule la conversion des protéines en glucose au niveau du foie (néoglycogenèse). D'autres corticostéroïdes, comme la corticostérone, permettent de réguler la balance minérale. L'aldostérone, le plus puissant de ces minéralo-corticoïdes, agit sur le tubule rénal en favorisant la rétention de sodium et l'accroissement de l'excrétion du potassium. Ces hormones du cortex surrénal sont encore appelées cortisones.

Les cortisones répondent à tous les facteurs de stress exigeant une élévation des besoins énergétiques. Le jeûne, l'infection, l'exercice physique intense, la douleur, le stress émotionnel stimulent la sécrétion d'une hormone qui, par l'intermédiaire de l'hypothalamus, ordonne aux surrénales d'augmenter la sécrétion de cortisol. Il existe aussi une régulation cyclique quotidienne du cortisol déversé dans le sang qui présente deux pics : un le matin et un autre en fin de journée, alors que la concentration de cortisol est plus faible dans l'après-midi et pendant le sommeil profond.

Le cortisol est indispensable à la survie en cas de stress de n'importe quelle nature. Un animal privé de cortisol mourra s'il subit la moindre agression. Les humains privés de corticostéroïdes sont dans la même situation. Les patients qui ont subi une ablation des glandes surrénales ou dont les surrénales ne fabriquent pas suffisamment de cortisol sont en danger de mort en cas de maladie, même légère. Ils doivent suivre à vie un traitement substitutif de cortisol et augmenter la posologie dès qu'ils sont soumis à un stress plus important ou victimes d'une infection.

D'un autre côté, l'excès de cortisol provoque une série d'effets secondaires indésirables : obésité au niveau du tronc, hyperglycémie, hypertension, face lunaire, accumulation de graisses sur la nuque et le haut du dos (ce qu'on appelle : la bosse de bison), bleus, sensibilité aux infections fongiques et désordres du système immunitaire. Quand l'excès de cortisol est lié à une hypersécrétion d'ACTH (hormone adrénocorticotropine) due à une stimulation excessive de l'hypophyse, on a affaire à la maladie de Cushing. S'il s'agit d'une production surrénale excessive, indépendante du contrôle de l'hypophyse, on parlera alors de syndrome de Cushing.

Le stress chronique provoque des concentrations plasmatiques élevées de cortisol permanentes et qui entraînent un besoin accru de DHEA et de progestérone afin de maintenir l'équilibre hormonal. L'excès de cortisol chronique est non seulement responsable de la maladie et du syndrome de Cushing mais il a aussi des effets toxiques sur les cellules cérébrales et peut donc être un facteur déclenchant de la maladie d'Alzheimer et de la démence sénile. Il joue en outre un rôle important dans l'apparition de l'ostéoporose car l'excès de cortisol bloque les effets de la progestérone sur la construction osseuse.

La manière dont la cortisone est prescrite par la médecine conventionnelle représente un nouvel exemple de la différence spectaculaire entre les doses pharmacologiques et physiologiques. Les personnes qui prennent des corticostéroïdes de synthèse puissants comme la prednisone, prednisolone et dexaméthasone pour leurs propriétés anti-inflammatoires souffrent d'effets indésirables : enflure de la face, acné, pilosité excessive du visage et du corps, faible résistance aux infections, prise de poids autour de la taille, règles irrégulières et troubles psychologiques (dépression, anxiété, psychose). Utilisés à long terme, ces médicaments entraînent un arrêt complet de la production surrénalienne de cortisol si bien que le traitement ne peut plus être interrompu sans complications fatales pour le patient. L'hydrocortisone naturelle, ou cortisone-acétate, prescrite à faibles doses plusieurs fois par jour, a une très faible incidence d'effets indésirables et a été utilisée avec succès pour soigner l'insuffisance surrénale.

Si vos surrénales sont fatiguées, vous pouvez sans danger prendre quatre fois par jour 2,5 à 5 mg d'hydrocortisone naturelle ou de cortisone-acétate. (De hautes doses prises en fin de journée pouvant provoquer de l'insomnie, il importe donc de prendre en compte cet effet et d'adapter la posologie en conséquence). Des cortisols naturels, utilisés à bon escient, peuvent résoudre des problèmes aussi divers que l'asthme, le rhumatisme articulaire et la fatigue chronique. Toutefois, cette supplémentation de cortisone doit être associée au repos, à une alimentation équilibrée et à l'équilibre hormonal ; l'objectif étant de soigner les surrénales et non d'utiliser ce complément en permanence. Dès que votre organisme est rééquilibré, vous pouvez prendre de la cortisone seulement quand les symptômes réapparaissent.

En cas de traitement à la cortisone naturelle, nous vous conseillons de consulter un professionnel de la santé car, même sous sa forme naturelle, la cortisone est dangereuse à doses trop élevées et il n'est pas facile de trouver le juste équilibre. En outre, si vous prenez de la cortisone alors que vous n'en avez pas besoin, cela peut générer des problèmes.

Si vous menez une vie trépidante, que vous travaillez et sortez trop, ne dormez pas assez et ne prenez pas le temps de vous reposer, vous fabriquez sans doute trop de cortisol. Même si vos surrénales sont capables de faire face à cette dépense d'énergie excessive sans flancher, vous risquez tout de même de souffrir d'un excès chronique de cortisol. N'oubliez pas que pour rester en bonne santé, il faut équilibrer activité et repos.

⌇ TESTOSTÉRONE

Les femmes fabriquent un dixième de la testostérone sécrétée par les hommes. Les concentrations adéquates de cette hormone dépendent, chez la femme, des surrénales.

Comme dans le cas de la plupart des autres hormones, la production de testostérone féminine baisse avec l'âge. Les recherches dans ce domaine ont montré qu'une légère supplémentation en testostérone (naturelle) peut parfois accroître les effets positifs des autres hormones. D'un autre côté, quand les ovaires cessent de fonctionner, de nombreuses femmes présentent les symptômes d'une dominance en androgènes (hormones mâles) plutôt qu'en œstrogènes et un complément de testostérone aura pour seule conséquence d'aggraver ce processus.

La pilosité faciale et la calvitie de type masculin sont symptomatiques de la dominance en androgènes. On peut observer ces manifestations en cas de dominance en œstrogènes au cours de la préménopause car l'évacuation de la testostérone dépend en partie de l'équilibre entre œstrogènes et progestérone. Un excès d'œstrogènes ralentit l'évacuation de la testostérone alors que la progestérone naturelle la renforce. Chez les femmes dominantes en œstrogènes, la testostérone demeure plus longtemps dans l'organisme, ce qui a pour conséquence un accroissement de la production de cette hormone. Voilà pourquoi la crème à la progestérone tend à annuler les modifications androgéniques mentionnées plus haut.

Si, après avoir utilisé pendant six mois de la crème à la progestérone naturelle, vous avez toujours une faible libido, vous voudrez peut-être prendre de faibles doses de testostérone naturelle. Le mieux est de faire confectionner une crème par un pharmacien. La dose optimale se situe entre 0,5 et 2 mg par jour, à appliquer le matin. Si des symptômes androgéniques apparaissent, réduisez la posologie ou interrompez le traitement pendant quelque temps.

La testostérone n'étant délivrée que sur ordonnance, parlez-en à votre médecin et assurez-vous qu'il vous prescrit cette hormone sous sa forme naturelle. En effet, les hormones de synthèse comme la méthyltestostérone sont des médicaments puissants et peuvent avoir des effets indésirables.

Une remarque concernant les hommes et la testostérone. Lorsqu'un homme vieillit, les taux de progestérone baissent, la testostérone est convertie en DHT (dihydrotestostérone) et les taux de cortisol augmentent, ce qui entraîne une prise de poids, une légère hypertrophie des seins, une hypertrophie de la prostate et, dans certains cas, un cancer de la prostate. La testostérone protège contre le cancer de la prostate alors que la DHT ne s'oppose pas aux effets cancérigènes de l'élévation d'œstradiol. La conversion d'œstradiol en DHT est favorisée par l'enzyme 5-réductase. L'action de cette enzyme est inhibée par la progestérone qui, outre son rôle de précurseur de la testostérone, inhibe aussi la conversion de cette hormone en DHT. Comme la testostérone s'oppose aux effets de l'œstradiol et les limite, elle protège du cancer de la prostate. La médecine conventionnnelle commence à s'intéresser au rôle important que pourrait jouer la progestérone dans la protection contre le cancer de la prostate, ce qui permettra peut-être de futures découvertes fructueuses.

ᴄᴠ ANDROSTÉNÉDIONE

L'androsténédione est un précurseur de la testostérone et des œstrogènes et peut aussi agir, en principe, comme un précurseur de la DHEA. Sécrétée dans la circulation sanguine par les surrénales et les ovaires, elle doit accomplir sa propre tâche avant d'être convertie en d'autres hormones au niveau du foie. Chez les femmes vieillissantes, elle passe des ovaires aux cellules adipeuses où elle est convertie en œstrogènes.

L'androsténédione est un complément bien connu des adeptes du bodybuilding qui l'utilisent pour accroître leur taux de testostérone et leur masse musculaire et raccourcir le délai de récupération après une séance d'entraînement intensive. De nombreux effets positifs d'une supplémentation en testostérone (amélioration de l'énergie et de la libido et sentiment de bien-être) sont aussi attribués à l'androsténédione. Il est possible aussi que cette hormone joue un rôle dans le maintien d'une bonne ossature car elle est convertie en œstradiol au niveau des os, et l'œstradiol permet de ralentir la perte osseuse.

Si vous présentez les symptômes d'une déficience en testostérone mais n'êtes pas prête à utiliser cette hormone, vous pouvez prendre de l'androsténédione. Aux Etats-Unis, on peut acheter de l'androsténédione en boutique diététique. Utilisez de très faibles doses, pas plus de 50 mg deux fois par semaine, afin de voir si votre énergie, votre libido et votre humeur s'améliorent. A nouveau, nous vous mettons en garde :

il s'agit là d'une hormone masculine qui peut s'avérer fortement androgénique et élever, en outre, les concentrations d'œstrogènes. Les femmes ne doivent pas prendre en même temps de l'androsténédione et de la DHEA ou de la testostérone.

Pour se procurer de la progestérone naturelle

Il existe aux Etats-Unis plusieurs crèmes contenant une concentration en progestérone naturelle correspondant aux recommandations du docteur John R. Lee, soit 400-500 mg pour 30 g de crème. Ces crèmes sont en vente libre dans les *Health food store* et l'édition américaine de cet ouvrage cite plusieurs marques.

La situation et la législation en France sont plus confuses. Outre les recherches que vous pouvez faire vous-mêmes sur Internet (par exemple : www.nutritionconcept.com), voici deux adresses où vous pouvez vous procurer facilement de la progestérone naturelle.

Higher Nature

Cette société installée en Angleterre commercialisait la crème Pro-Gest utilisée à ses débuts par le Dr Lee. Elle commercialise dorénavant deux crèmes à la progestérone naturelle : Pro-Vive 1,5 % et Pro-Vive 3 % qui se présentent dans un tube de 60 g et fournissent respectivement 950 mg et 1 800 mg de progestérone.
– Higher Nature Ltd., Burswash Common, East Sussex, TN 19 7LX, Angleterre. Tél. : (00)44 1435 882880, fax : (00)44 1435 883720.

Une antenne de cette société est installée dans l'île de Jersey pour la commercialisation en langue française :
– Higher Nature Jersey, Flat 2/N°2, St Saviour's Crescent, St Saviour Road, Jersey JE2 7LA. Tél./Fax : (00)44 1534 617587

Smart DFN

Cette société commercialise la Progesterone cream 1,8 %, contenant 1 g de progestérone pour 56 g de crème.
– Smart DFN, 241, route de Longwy, L-1941 Luxembourg.
Antenne en France : Smart City, BP 39, 06161 Juan-les-Pins Cedex. Tél. : 04 93 67 55 84, fax : 04 93 67 56 32
Site : www.supersmart.com

GLOSSAIRE

ADN : acide désoxyribonucléique, constituant essentiel des chromosomes

Aménorrhée : absence de règles

Androgène : qui provoque l'apparition des caractères sexuels masculins

Anovulatoire : interruption ou cessation de l'ovulation

Cancérigène : toute substance capable de provoquer une tumeur maligne

Catalyseur : substance qui provoque l'accélération d'une réaction chimique

Cerveau limbique : cortex cérébral, situé sous le corps calleux et au-dessus de l'hypophyse, qui contrôle les fonctions autonomes, l'homéostasie, les perceptions et les réponses émotionnelles et régule les réponses immunitaires

Chromosome : molécule porteuse des gènes (génome), c'est-à-dire des facteurs déterminants de l'hérédité, composée d'ADN ou d'ARN (acide ribonucléique)

Conjugué : en biochimie, se dit d'un composé combiné à un autre

Corps jaune : petite masse glandulaire à l'intérieur de l'ovaire, formée par un follicule ovarien après ovulation (libération de l'œuf)

Corticostéroïdes : hormones produites par le cortex surrénal

Cytoplasme : protoplasme très riche en eau de la cellule, à l'exclusion du noyau.

Diurétique : substance qui augmente la production d'urine

Dysménorrhée : règles douloureuses

Endocrine : glande (organe) à sécrétion interne dont les produits (hormones) sont sécrétés directement dans le sang et la lymphe

Endogène : qui prend naissance à l'intérieur de l'organisme ; qui est dû à une cause interne

Endomètre : muqueuse qui tapisse la cavité utérine

Enzyme : composé organique, en général protéique, en mesure de faciliter une réaction biochimique spécifique

Exogène : qui provient de l'extérieur de l'organisme ; qui est dû à une cause externe

Follicule : petite formation arrondie délimitant une cavité ; par exemple : le follicule ovarien qui produit l'ovule

Gonade : glande qui produit les gamètes (glande sexuelle); c'est-à-dire : les testicules et les ovaires

Gonadotrope : les hormones gonadotropes stimulent l'activité fonctionnelle des glandes sexuelles

Hypothalamus : centres neuraux du cerveau limbique situés juste au-dessus de l'hypophyse, qui contrôlent les activités viscérales, l'équilibre hydrique, le sommeil et la production hormonale de l'hypophyse

Lutéinisation : maturation des follicules ovariens qui suit l'ovulation, au cours de laquelle le follicule se transforme en corps jaune qui produit la progestérone

Libido : pulsion sexuelle

Mastodynie : seins douloureux

Métabolisme : processus biochimiques que subissent les substances qui sont introduites ou qui se forment dans les organismes vivants et qui fournissent à l'organisme de l'énergie disponible

Microgramme : un millionième de gramme (10^{-6})

Milligramme : un millième de gramme (10^{-3})

Minéralocorticoïde : hormone surrénale qui régule l'équilibre hydrique et la balance sodium/ potassium

Mitochondries : petits organites présents dans le cytoplasme cellulaire, qui sont le lieu de la conversion du sucre en énergie

Nanogramme : un milliardième de gramme (10^{-12})

Ovariectomie (ou ophorectomie) : ablation chirurgicale d'un ou des deux ovaires.

Ovocyte : cellule dont dérive l'ovule

Ostéoblaste : cellule osseuse chargée de fabriquer l'os nouveau

Ostéoclaste : cellule osseuse qui résorbe l'os ancien

Ostéocyte : cellule constitutive du tisssu osseux ; peut devenir un ostéoblaste ou un ostéoclaste

Ostéoïde : matrice de l'os, non cellulaire et formée de collagène

Peptide : classe de composés de faible poids moléculaire constitués de deux ou plusieurs acides aminés ; miniprotéine

Périménopause : période précédant de peu la ménopause

Phyto- : du grec *phuton,* « plantes »

Préménopause : dans ce livre, le terme préménopause fait référence à un syndrome qui peut apparaître à partir de l'âge de trente-cinq ans environ et se poursuivre jusqu'à la ménopause

Résorption : diparition ou dissolution d'une substance

Sérum : partie liquide, non cellulaire, du sang

Stéroïde : nom générique des composés dont la molécule de base est le cholestérol, par exemple les hormones sexuelles et les corticostéroïdes

Stérols : composés avec un seul groupe hydroxyl (-OH), solubles dans les lipides, que l'on trouve abondamment dans le règne végétal et animal ; le cholestérol est un stérol

Synoviale : membrane qui tapisse l'intérieur des cavités des articulations mobiles

Thermogène : qui produit une élévation de la température

Xéno- : du grec *xenos,* « étranger »

REFERENCES

– Adams, M.R. et al. «Medroxyprogesterone Acetates Antagonize Inhibitory Effects of Conjugates Equine Estrogens on Common Artery Atherosclérosis». *Arterioscler Throm Vasc* Biol 17 (1) (January 1997) : 217-21

– «Advance Report of Final Natality Statistics». *Monthly vital Statistics Report* 42 (3) (1993)

– Andrews, R.V. «Influence of Adrenal Gland on Gonadal Function». In *Advances in Sex Hormone Research*, edited by R.A. Thomas and R.L. Singhal. Volume 3 of *Regulatory Mechanisms Affecting Gonadal Hormone Action*. (Baltimore : University Park, 1976) ; 197-215

– Arafat, E.S., and J.T. Hargrove. «Sedative and Hypontic Effects of Oral Administration of Micronized Progesterone May Be Mediated through Its Metabolites». *American Journal of Obstetrics and Gynecology* 159 (1988) : 1203-1209.

– Asch, R.H., and R. Greenblatt. «Steroidogenesis in the Postmenopausal Ovary». *Clinical Obstetrics and Gynecology* 4 (1) (1977) : 85.

– Ashcroft, G.S. et al. «Estrogen Accelerates Cutaneous Wound Healing Associated with an Increase in TGF-beta 1 Levels». *Nature Medicine* 3 (1997) : 11

– Astrow A.B. «St. Vincent's Hospital and Medical Center». *Lancet* 343 (1994) : 495

– Aufrere, M.B. et al. «Progesterone : an Overview and Recent Advances». *J Pharmaceut Sci* 65 (1976) : 783.

– Backstrom, T. «Epileptic Seizure in Women Related to Plasma Oestrogen and Progesterone during the Menstrual Cycle». *Acta Neuro Scand* 54 (1976) : 321-347.

– Backstrom, T. et al. «Estrogen and Progesterone in Plasma in Relation to Premenstrual Tension». *J Steroid biochem Mol Biol* 5 (1974) : 257-260.

– Backstrom, T. et al. «Effects of Ovarian Steroid Hormones on Brain Excitability and Their Relation to Epilepsy Seizure Variation during the Menstrual Cycle». *Advances in Epileptology. Fifteenth Epilepsy International Symposium*. New York : Raven Press.

– Bayer, S.R. et al. «Clinical Manifestations and Treatment of Dysfunctional Uterine Bleeding». *Journal of the American Medical Association* 269 (1993) : 1823-1828.

– Beaumont P.J.L. et al. «Luteinizing Hormone and Progesterone Levels after Hysterectomy». *British Medical Journal* 836 (1972) : 363.

– Beynon, H.I.C., N.D. Garbett, and P.J. Barnes. «Severe Premenstrual Exacerbations of Asthma : Effect of Intramuscular Progesterone». *Lancet* (1988) : 370-371.

– Bloom, T., A. Ojanotko-Harri, M. Laine, and I. Huhtaniemi. «Metabolism of Progesterone and Testosterone in Human Parotid and Submandibular Salivary Glands in Vitro». *J Steroid Biochem Mol* Bil 44 (1) (January 1993) : 69-76

– Bourgain, C. et al. «Effects of Natural Progesterone on the Morphology of the Endometrium in Patients with Primary Ovarian Failure». *Human Reproduction* 5 (1990) : 537-543

– Bower, B. «Stress Hormones May Speed Up Brain Aging». *Science News* 153 (17) (1998) : 263

– Bowman, K. et al. «The Influence of Progesterone and Androgens on the Growth of Endometrial Carcinoma». *Cancer* 71 (11) (June 1, 1993) : 3565-3569

– Burke, G.L. «The Potential Use of a Dietary Soy Summoement as a Postemenopausal Hormone Replacement Therapy». Abstract from the *Second International Symposium on the Role of Soy in Preventing and Treating Chronic Disease*, Brussels, Belgium, 1996.

– Businco L. et al. «Allergenicity and Nutritional Adequacy of Soy Protein Formulas». *Journal of Pediatrics* 121 (1992) : S21-S28

– Campbell, B.C., and P.T. Ellison. «Menstrual Variation in Salivary Testosterone among Regularly Cycling Women». *Hormone Research* (Switzerland) 37(4-5) (1992) : 132-136

– Campbell, W. W. et al. «Increased Energy Requirements and Changes in body Composition with Resistance Training in Older Adults». *American Journal of Clinical Nutrition* 60 (2) (1994) : 167-175

– Cavalieri, E.L., D.E. Stack, P.D. Devanesan, R. Todorovic et al. «Molecular Origin of Cancer : Catechol Estrogen-3, 4-quinones as Endogenous Tumor initiators». *Proc Natl Aca Sci* 94 (1997) : 10937-10942

– Centerwal, B.S. «Premenopausal Hysterectomy and Cardiovascular Disease». *American Journal of Obstetrics and Gynecology* 139 (1981) : 58-61

– Chang, K.J., T.T.Y. Lee, G. Linares-Cruz, S. Fournier, and B. de Lingieres. «Influences of Percutancous Administration of Estradiol and Progesterone on Human Breast Epithelial Cell Cycle in Vivo». *Fertility and Sterility* 63 (1995) : 785-791

– Christ, J.E. et al. «The Residual Ovary Syndrome». *Obstetrics & Gynecology* 46 (1975) : 551-556

– Clark, G. M., and W.L. McQuire. «Progesterone Receptors and Human Breast Celles». *Breast Cancer Research and Treatment* 3 (1983) : 157-163

– Collins, P. et al. «Estrogen Replacement Therapy and Exercise Performance in Postmenopausal Women with Coronary Artery Disease». *American Journal of Cardiology* 81 (2) (January 15, 1998) : 259-260

– Corvol, P. et al. «Effect of Progesterone and Progestins on Water and Salt Metabolism». *Progesterone and Progestins*. New York : Raven Press, 1983

– Cowan, L.D., L. Gordis, J.A. Tonascia, and G.S. Jones. «Breast Cancer Incidence in Women with a History of Progesterone Deficiency». *American Journal of Epidemiology* 114 (1981) : 209-217

– Cramer, S.R., D.C. Nieman, and J.W. Lee. «The Effects of Moderate Exercise Training on Psychological Well-Being and Mood State in Women». *Psychosomatic Research* 35 (1991) : 437-439

– Cranton, E., and W. Fryer. Resetting the Clock. New York : M. Evans and co., 1996.

– Cummings, S.R. et al. «Risk Factors for Hip Fracture in White Women». *New England Journal of Medicine* 332 (1995) : 767-773

– Dalton, K. «The Actiology of Premenstrual Syndrome Is with the Progesterone Receptors». *Medical Hypotheses* 31 (1985) : 321-327

373

Tout savoir sur la préménopause

– Dalton, K., «Erythema Multiforme Associated with Menstruation». *Journal of the Royal Society of Medicine* 78 (1985) : 787-788
– Dalton, K., «Influence of Menstruation on Glaucoma». *British Journal of Ophtalmology* 51 (10) (1967) : 692-695
– Dalton, K., *Premenstrual Syndrome.* London : Heinemann, 1964
– Dalton, K., *The Premenstrual Syndrome and Progesterone Therapy,* 2nd ed. London : Heinemann, 1984
– Dalton, K., «Progesterone Suppositories and Pessaries in the Treatment of Menstrual Migraine». *Headache* 12 (1973) : 151-159
– Darcy, K.M., S.F. Shoemaker, P.H. Lee, B.A. Ganis, and M. Margot. «Hydrocortisone and Progesterone Regulation of the Proliferation, Morphogenesis, and Functional Differentiation of Normal Rat Mammary Epithelial Cells in Three-Dimensional Primary Culture». *Journal of Cellular Physiology* 163 (1995) : 365-379
– Davis, D.L., H.L. Bradlow, M. Wolff, T. Woodruff, D.G. Hoel, and H. Anton-Culver. «Medical Hypothesis : Xenohormones as Preventable Causes of Breast Cancer». *Environmental Health Perspectives* 101 (1993) : 372-377
– DeBold, J.F., and C.A. Frye. «Progesterone and the Neural Mechanisms of Hamster Sexual Behavior». *Psychoneuroendocrinology* 19 (1994) : 563-579
– Dennerstein, L., C. spencer-Gardner, J.B. Brown, M.A. Smith, and G.D. Burrows. «Premenstrual Tension – Hormone Profiles». *J Psychosomat Obstet Synaec* 3 (1984) : 37-51
– Dennerstein, L. et al. «Progesterone and the Premenstrual Syndrome : A Double-Blind Crossover Trial». *British Medical Journal* 290 (1985) : 1017-1021
– Devroey, P., G. Palermo et al. «Progesterone Administration in Patients with Absent Ovaries». *International Journal of Fertility* 34 (1990) : 188-193
– Eliasson, O., and H.H. Scherzer. «Recurrent Respiratory Failure in Premenstraul Asthma». *Connecticut Med* 12 (1984) : 777-778
– Ellison, P.T. «Measurements of Salivary Progesterone». *Annals of the New York Academy of Sciences* 694 (September 20, 1993) : 161-176
– Ellison, P.T., S.F. Lipson, M.T. O'Rourke, G.R. Bentley, A. M. Harrigan, C. Painter-Brick, and .VJ. Vizthum. «Population Variation in Ovarian Function» (letter). *Lancet* 342 (8868) (August 14, 1993) : 433-434
– Ellison, P.T., C. Painter-Brick, S.F. Lipson, and M.T. O'Rourke. «The Ecological Context of Human Ovarian Function». *Human Reproduction* 8 (12) (December 1993) : 2248-2258
– Fallon, S. W., and M.G. Enig. «Soy Products for Dairy Products ? Not So Fast». *Health Freedom News*, September 1995
– Feerguson, E.L. et al. «Dietary Calcium, Phytate, and Zinc Intakes and the Calcium, Phytate, and Zinc Molar Ratios of the Diets of a Selected Group of East African Children». *American Journal of Clinical Nutrition* 50 (6) (1989) : 1450-1456
– Formby, B., and T.S. Wiley. «Progesterone Inhibits Growth and Induces Apoptosis in Breast Cancer Cells : Inverse Effect on Expression of p 53 and Bcl-2». *Sansum Medical Research Foundation*, Santa Barbara, Calif., 1997.
– Gambrell, R.D. «Use of Progestogens in Post-Menopausal Women».

International Journal of Fertility 34 (1989) : 315-321
– Garcia, C.R., and W. Cutler. «Preservation of the Ovary : A Reevaluation»?
Fertility and Sterility 42 (4) (1985) : 510-514
– Gibbs, C.J., I.I. Coutts, R. Lock, O.S. Finnegan, and R.J. White. «Premenstrual Exacerbation of Asthma». *Thorax* 39 (1984) : 833-836
– Gillet, J.Y. «Induction of amenorrhea during Hormone Replacement Therapy : Optimal Micronized Progesterone Doses : A. Multicenter Study». *Maturitas* 19 (1994) : 103-116
– Gompel, A., C. Malet, P. Spritzer, J.P. La Lardrie et al. «Progestin Effect on Celle Proliferation and 17b-hydroxysteroid Dehydrogenase Activity in Normal Human Breast Celles in Culture». *Journal of Clinical Endocrinology and Metabolism* 63 (1986) : 1174
– Gompel, A., J.C. Sabourin, A. Martin, H. Yaneva et al. «Bcl-2 Expression in Normal Endometrium during the Menstrual Cycle». *American Journal of Pathology* 144 (1994) : 1196-1202
– Gray, L.A. «The Use of Progesterone in Nervous Tension States». *Southern Medical Journal* 34 (1941) : 1004
– Greene, R., and K. Dalton. «The Premenstrual Syndrome». *British Medical Journal* I (1953) : 1007-1011
– Hammond, C.B., and W. S. Maxson. *Physiology of the Menopause.* New York : Upjohn co., 1983
– Hanley, B., L. Lovett, R.G. Newcombe, G.F. Read, R. Walker, and D. Riad-Fahmy. «Maternity Blues and Major Endocrine Changes : Cardiff Puerperal Mood and Hormone Study II (Wales)». *British Medical Journal Apris* 9, 1994
– Harris, S. et al. «Influence of Body Weight on Rates of Change in Bone Density of the Spine, Hip, and Radius in Post-Menopausal Women». *Calcif tissue Inst* 50 (1992) : 19-23
– Hata, K. et al., «Effect of Regular Aerobic Exercise on Cerebrovascular Tone in Young Women». *Journal of Ultrasound Medicine* 17 (2) (February 1998) : 133-136
– Herman-Giddens, M.E., E.J. Slora, R.C. Wasserman, C.J. Bourdony et al. «Secondary Sexual Characteristics and Menses in Young Girls Seen in Office Practice : A Study from the Pediatric Research in Office Settings Network». *Pediatrics* 99 (1997) : 505-512
– Herzog, A.G. «Intermittent Progesterone Therapy and Frequency of Complex Partial Seizures in Women with Menstrual Disorders». *Neurology* 36 (1986) :1607-1610
– Hreshchyshn, M. M. et al. «Effects of Natural Menopause, Hysteroctomy, and Oophorectomy on Lumbar Spine and Femoral Neck Bone Densities». *Obstetrics & Gynecology* 72 (1988) : 631-638
– Hrushesky, W.J.M. «Breast Cancer, Timing of Surgery, and the Menstrual Cycle : Call for Prospective Trial». *Journal of Women's Health* 5 (1996) : 555-556
– Inoh, A., K. Kamiya, Y. Fujii, and K. Yokoro. «Protective Effects of Progesterone and Tamoxifen in Estrogen-Induced Mammary Carcinogenesis in Ovariectomized W/Fu Rats». *Japanese Journal of Cancer Research* 76 (1985) : 699-704
– Jacobson, J.L., and S.W. Jacobson. «Intellectual Imparment in Children Exposed to Polychlorinated Biphenyls in Utero». *New England Journal of Medicine* 335

Tout savoir sur la préménopause

(1996) : 783-789

– Kandouz, M., M. Siromachkova, D. Jacob, B.C. Marquet et al. «Antagonism between Estradiol and Progestin on Bcl-2 Expression in Breast Cancer Cells». *International Journal of Cancer* 68 (1996) : 120-125

– Kushi, L.H. «Physical Activity and Mortality in Post-menopausal Women». *Journal of the American Medical Association* 277 (16) (April 1997) : 1287-1292

– LaPierre, A. et al. «Exercise and Psychoneuroimmunology». *Medicine and Science in Sports and Exercise* 26 (2) (1994) : 182-190

– Leis, H.P. «Endocrine Prophylaxis of Breast Cancer with Cyclic Estrogen and Progesterone». *Intern Surg* 45 (1966) : 496-503

– Liener, I.E. «Implications of Antinutritional Components in Soybean Foods». *Crit Rev Food Sci Nutr* 34 (1994) : 31-67

– Lipsett, M.P. «Steroid Hormones». In *reproductive Endocrinology, Physiology, and Clinical Management*, edited by S.S.C. Yen and R.B. Jaffe. Philadeplphia : W.B. Saunders, 1978.

– Lipson, S.F., and P.T. Ellison. «Reference Values for Luteal Progesterone Measured by Salivary Radioimmunoassay». *Fertility and Sterility* 61 (3) (March 1994) : 448-454

– Lydon, J.P., F.J. DeMayo, O.M. Conneely, and B.W. O'Malley. «Reproductive Phenotypes of the Progesterone Receptor Null Mutant Mouse». *J Steroid Biochem Molec biol* 56 (1996) : 67-77

– Magill, P.J. «Investigation of the Efficacy of Progesterone Pessaries in the Relief of Symptomes of Premenstrual syndrome». *British Journal of General Practice* (November 1995) : 598-593

– Mahesh, V.B., D. W. Brann, and L.G. Hendry. «Diverse Modes of Action of Progesterone and Its Metabolites». *J Steroid biochem Molec Biol* 56 (1996) : 209-219

– Majewska, M.D. «Steroid Hormone Metabolites Are Barbiturate-like Modulators of GABA system». *Science* 232 (1986) : 1004-1007

– Matthews, K.A. et al. «Prior to Use of Estrogen Replacement Therapy, Are Users Healthier Than Nonusers ?» *American Jurnal of Epidemiology* 143 (10) (1996) : 971-978

– McCardle, W.D., F.I. Katch, and V.L. Katch. *Exercise Physiology : Energy, Nutrition and Human Performance*. Philadephia : Lea and Febiger, 1991

– McKinlay, S.M. et al, «The Normal Menopause Transition» *Maturitas* 14 (1992) : 103-114

– Miyagawa, K., J. Rosch, F. Stanczyl, and K. Hermsmeyer. «Medroxyprogesterone Interferes with Ovarian Steroid Protection Against Coronary Vasospasm». *Nature Medicine* 3 (March 3, 1997) : 324-327

– Miles, R.A. «Pharmoki,etics and Endometrial Tissue Levels of Progesterone after Administration by Intramuscular and Vaginal Routes : A Comparative Study». *Fertility and Sterility* 62 (1994) : 485-490

– Mohr, P.E., D. Y. Wang, D. Gregory, M.A. Richards, and I.S. Fentiman. «Serum Progesterone and Prognosis in Operable Breast Cancer». *British Journal of Cancer* 73 (1996) : 1552-1555

– Moyer, D.L. et al. «Prevention of Endometrial Hyperplasia by Progesterone during Long-Term Estradiol Replacement : Influence of Bleedint Pattern and Secretory Changes». *Fertility and Sterility* 59 (1993) : 992-997

- Munday, M.R. et al. «Correlations between Progesterone, Œstradiol and Aldosterone Levels in the Premenstrual Syndrome». *Clinical Endocrinology* 14 (1981) : 1-9

- Nash, M.S. «Exercise and Immunology». *Medicine and Science in Sports and Exercise* 26 (2) (February 1994) : 125-127

- Nillius, S.J.et al. «Plasma Levels of Progesterone after Vaginal, Rectal or Intramuscular Administration of Progesterone». *American Journal of Obstetrics and Gynecology* 110 (1971) : 470-477

- Novak, E.R. et al. «Enzyme Histochemistry of the Menopausal Ovary Associated with Normal and Abnormal Endometrium». *American Journal of Obstetrics and Gynecology* 93 (1965) : 669

- O'Brien, P.M.S., C. Selby, and E. M. Symonds. «Progesterone, Fluid and Electrolytes in Premenstrual Syndrome». *British Medical Journal* 1 (1980) : 1161-1163

- O'Rourke, M.T., and P.T. Ellison. «Age and Prognosis in Premonopausal Breast Cancer» (letter ; comment). *Lancet* 342 (8662) (July 3, 1993) : 60

- Painter-Brick, C., D.S. Ltostein, and P.T. Ellison. «Seasonality of Reproductive Function and Weight Loss in Rural Nepali Women». *Human Reproduction* 8 (5) (May 1993) : 684-690

- Pate, R.R. et al. «Physical Activity and Public Health : A Recommandation from the Centers for Disease Control and Prevention and the American College of Sports Medicine». *Journal of the American Medical Association* 273 (5) (1995) : 402-407

- Petrakis, N.L. et al. «Stimulatory Influence of Soy Protein Isolate on Breast Secretion in Pre- and Postmenopausal Women». *Cancer Epidemiol Biomarkers Prev* 5 (1996) : 785-794

- Pujol, P., S.G. Hilsenbeck, G.C. Chamness, and R.M. Elledge. «Rising Levels of Estrogen Receptor in Breast Cancer over 2 Decades». *Cancer* 74 (1994) : 1601-1606

- Rannevik G. et al. «a Longitudinal Study of the Perimenopausal Transition : Altered Profiles of Steroid and Pituitary Hormones, SHBG and Bone Mineral Density». *Maturitas* 21 (1995) : 103-113

- Ranney, B. et al. «The Future Function and Fortune of Ovarian Tissue which is Retained in Vivo During Hysterectomy». *American Journal of Obstetrics and Gynecology* 128 (1977) : 626-634

- Reid, I.R. «Determinants of Total Body and Regional Bone Mineral Density in Normal Postmenopausal Women – A Key Role for Fat Mass». *J Clin Endocrinal Metab* 75 (1992) : 45-51

- Reidel, H. H. et al. «Ovarian Failure Phenomena after Hysterectomy». *Journal of Reproductive Medicine* 31 (1986) : 597-600

- Rodriguez Macias, K.A. «Catamenial Epilepsy : Gynecological and Hormonal Implications : Five Case Reports». *Gynecology and Endocrinology* 10 (1996) : 139-142

- Rodriguez, C., E. E. Calle, R.J. Coates, H.L., Miracle-McMahill, M.J. Thun, and

Tout savoir sur la préménopause

C.W. Heath. «Estrogen Replacement therapy and Fatal Ovarian Cancer». *American Journal of Epidemiology* 141 (1995) : 828-834

– Rubinow, D.R., M.C. Hoban, G.N. Grover, D.S. Galloway, P. Roy-Byrne, R. Andersen, and G.R. Merriam. «Changes in Plasma Hormones across the Menstrual Cycle in Patients with Menstrually Related Mood Disorders and in Control Subjects». *American Journal of Obstetrics and Gynecology* 158 (1988) : 5-11

– Rylance, P.B. et al. «Natural Progesterone and Antihypertensive Action.» *British Medical Journal* 290 (1985) : 13-14

– Sabourin, J.C. A. Martin, J. Baruch, J.B. True et al. «Bcl-2 Expression in Normal Breast Tissue during the Menstrual Cycle». *International Journal of Cancer* 59 (1994) : 1-6

– Sampson, G.A. «Premenstrual Syndrome : A Double-Blind Controlled Trial of Progesterone and Placebo.» *British Jurnal of Psychiatry* 135 (1979) : 209

– Sandstrom, B. et al. «Absorption of Zinc from Soy Protein Meals in Humans». *Journal of Nutrition* 117 (1987) : 321-327

– Santel, R.C. et al. «Dietary Genistein Exerts Estrogenic Effects upon the Uterus, Mammary Gland and the Hypothalamic/Pituitary Axis in Rats». *Journal of Nutrition* 127 (2) (February 1997) : 263-269

– Schmidt, Peter J. et al. «Differential Behavioral Effects of Gonadal Steroids in Women with and in Those without Premenstrual Syndrome». *New England Journal of Medicine* 338 (1998) : 209-216

– Seppa, N. «Even Fraternal Twins May Share Cancer Risk». *Science News* 152 (December 1997) : 389

– Shi-Zhong, B., Y. De-Ling, R. Xiu-Hai, J. Li-Zhen et al. «Progesterone Induces Apoptosis and Up-Regulation of p53 Expression in Human Ovarian Carcinoma Cell Lines». *American Cancer Society* (1997) : 1944-1950

– Siddle, N. ET AL. «The Effect of Hysterectomy on the Age at Ovarian Failure : Identification of a Subgroup of Women with Premature Loss of Ovarian Function and Literature Review». *Fertility and Sterility* 47 (1987) : 94-100

– Simon, J.A. «Micronized Progesterone : Vaginal and Oral Uses». *Clinical Obstetrics and Gynecology* 38 (4) (1995) : 902-914

– Sitruk-Ware, R. et al. «Oral Micronized Progesterone». *Contraception* 36 (1987) : 373

– Snow-Harter, C. M. «Bone Health and Prevention of Osteoporosis in Active and Athletic Women». *Clinics in Sports Medicine* 13 (2) (April 1994) : 389-404

– Steinberg, K. K. et al. «Sex Steroids and Bone Density in Premenopausal and Perimenopausal Women». *J Clin Endocrinol Metab* 69 (1989) : 553-559

– Stone, S.C. et al. «The Acute Effect of Hysterectomy on Ovarian Function.» *American Journal of Obstetrics and Gynecology* 121 (1975) : 193-197

– Sulak, P.J. «The Perimenopause : A Critical Time in a Woman's Life». *International Journal of Fertility* 41 (2) (1996) : 85-89

– Thompson, H.J. «Effects of Physical Activity and Exercise on Experimentally Induced Mammary Carcinogenesis». *Breast Cancer Research and Treatment* 46 (2-3) (November 1997) : 135-141

– Tzourio, C. et al. «Case-Controlled Study of Migraine and Risk of Ischemic Stroke in Young Women». *British Medical Journal* 310 (1995) : 820-833

– Ursin, G. «Oral Contraceptive Use and Adenocarcinoma of Cervix». *Lancet* 344 (8934) (1994) : 1390-1394

– Vitzthum, V.J., von Dornum, and P.T. Ellison. «Brief Communication : Effect of Coca-Leaf Chewing on Salivary Progesterone Assays». *American Journal of Physical Anthropology* 92 (4) (December 1993) : 539-544

– Watson, N.R., and J.W.W. Studd. «Bone Loss Following Hysterectomy with Ovarian Conservation». *European Journal of Obstetrics, Gynecology and Reproductive Biology* 49 (1993) : 87

– Weinberg, R.A. «How Cancer Arises». *Scientific American* (September 1996) : 62-70

– Wen, X.L. et al. «Effects of Adrenocorticotropic Hormone, Human Chorionic Gonadotropin, and Insulin on Steroid Production by Human Adrenocortical Carcinoma Cells in Culture». *Cancer Research* 45 (8) (August 1985) : 3974-3978

– White, R.F., and S. P. Proctor. «Solvents and Neurotoxicity». *Lancet* 349 (1997) : 1239-1243

– Wilgus, H.S., Jr. et al. «Goitrogenicity of Soybeans.» *Journal of Nutrition* 22 (1941) : 45-52

– Williams, P.T. «Relationships of Heart Disease Risk Factors to Exercise Quantity and Intensity.» *Archives of Internal Medicine* 158 (3) (1998) : 237-245

– Witt, D.M., J. Young, and D. Crews. «Progesterone and Sexual Behavior in Males». *Psychoneuroendocrinology* 19 (1994) : 553-562

– Wojnarowska, F; et al. «Progesterone-Induced Erythema Multiform». *Journal of the Royal Society of Medicine* 78 (1987) : 407-81

– Wolk, A. et al. «A Prospective Study of Association of Monounsaturated Fat and Other Types and Other Types of Fat with Risk of Breast Cancer». *Archives of Internal Medicine* 158 (1998) : 41-45

– Writing Group for the PEPI Trial. «Effects of Estrogen or Estrogen/Progestin Regimens on Heart Disease Risk Factors in Postmenopausal Women : The Postmenopausal Estrogen/Progestin Interventions». *Journal of the American Medical Association* 273 (1995) : 199-208

– Zava, D.T., and G; Duwe. «Estrogenic and Antiproliferative Properties of Genistein and Other Flavonoids in Human Breast Cancer Cells in Vitro». *Nutrition and Cancer* 27 (1997) : 31-40

Index

AUX ÉDITIONS SULLY

Les Éditions Sully publient la revue trimestrielle *Énergie Santé* qui traite régulièrement, et de façon approndofie, des approches alternatives de la santé : nutrition, énergétique, thérapie manuelle, psychosomatique, etc. **Vente par abonnement** (Index des anciens numéros sur simple demande).

Éditions Sully – BP 171 – 56005, Vannes Cedex, France.
Tél. : 02 97 40 41 85 - Fax : 02 97 40 41 88
E-mail : editions.sully@wanadoo.fr   Site : www.editions-sully.com

Achevé d'imprimer en août 2003
sur les presses de la Nouvelle Imprimerie Laballery
58500 Clamecy
Dépôt légal : août 2003
Numéro d'impression : 307019

Imprimé en France